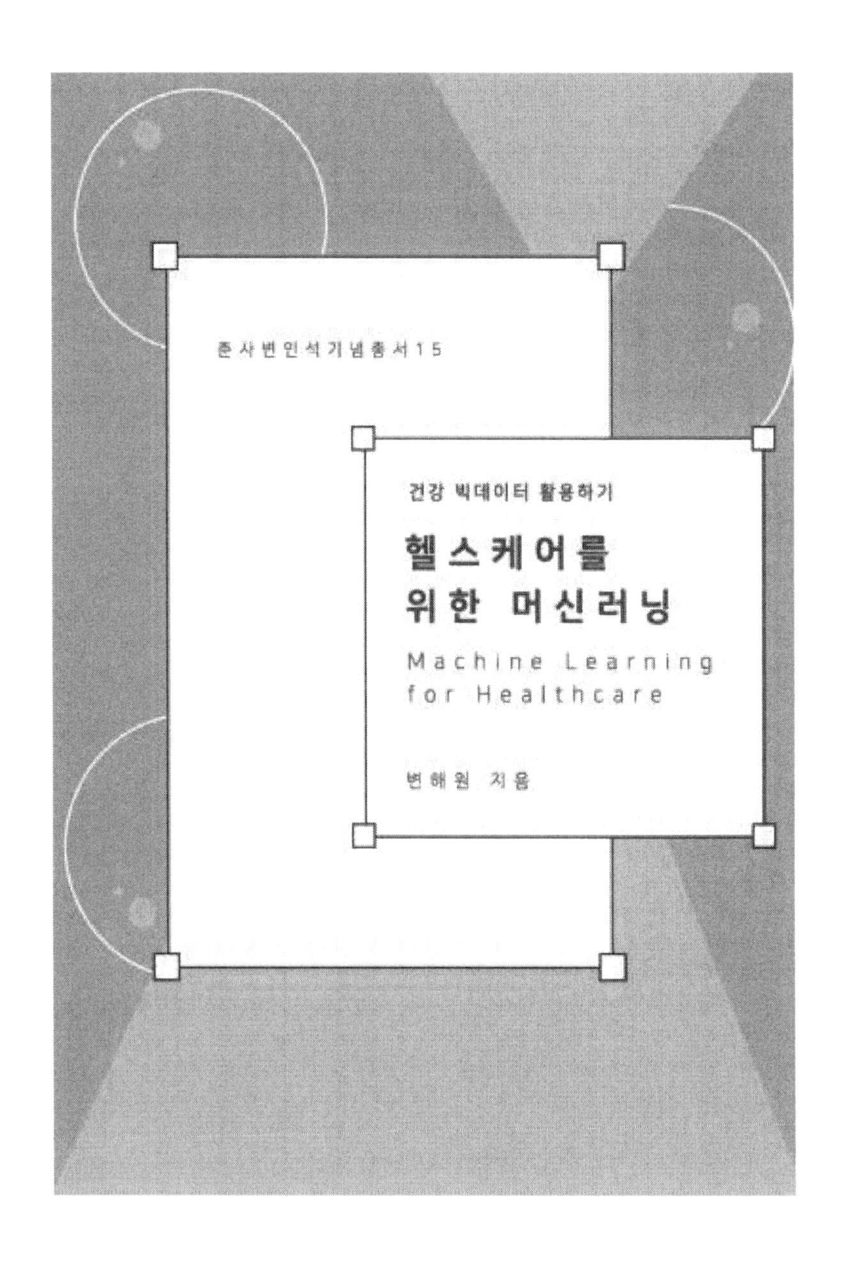
춘사변인석기념총서15
건강 빅데이터 활용하기
헬스케어를
위한 머신러닝
Machine Learning
for Healthcare
변해원 지음

변해원

아주대학교 의과대학 예방의학교실에서 치매 고위험군 예측을 주제로 이학박사(DrSc)를 취득하였고, 현재 인제대학교 메디컬 빅데이터학과 / BK21 대학원 디지털항노화헬스케어학과 교수 및 인제대학교 부속 보건의료 빅데이터 연구소 센터장으로 재직하고 있다. 2010년부터 2023년까지 International Psychogeriatrics 등 국내외 저명 학술지에 400여 편의 논문을 발표하였고, 파킨슨 치매 중등도 예측장치 등 100여 건의 지식재산(특허)을 발명하였다. 또한, 스위스 뇌과학회 학술대회, 일본 국제융합과학학술대회 등 다수의 국내외 학술상을 수상하였다. SCIE급 저널인 세계정신과학에서 편집위원으로 활동하고 있으며, 2019년부터는 한국연구재단에서 주관하는 일반인 대상 과학강연인 '토요과학강연회의 강연자로 참여하고 있다. 저서로는 「노년기 건강 습관과 치매」 등이 있다.

헬스케어를 위한 머신러닝

지은이 변해원 (인제대학교 교수 / 인제대학교 부속 보건의료 빅데이터 연구소 센터장)

발 행 2024년 03월 10일
펴낸이 한건희
펴낸곳 ㈜ BOOKK
출판사등록 2014.07.15.(제2014-16호)
주 소 서울특별시 금천구 가산디지털1로 119 SK트윈타워 A동 305호
전 화 1670-8316
이메일 info@bookk.co.kr

ISBN 979-11-410-7492-0

값 26,200원

www.bookk.co.kr

헬스케어를 위한 머신러닝

Machine Learning for Healthcare

변해원 (인제대학교 교수 /
인제대학교 부속 보건의료 빅데이터 연구소 센터장)

BOOKK

차례

들어가며

튜링 테스트는 기계의 행동이 인간과 구별되는지 여부를 검사하는 실험입니다. 이 테스트는 앨런 튜링의 이름을 따서 명명되었습니다. 사실 인공지능은 다양한 학습 과정으로 구성되며 기계 학습에만 국한되지 않습니다. 오히려 인공지능은 학습 전반에 관한 것입니다. 인공지능의 구성 요소에는 자연어 처리, 딥러닝, 그리고 표현 학습(NLP)이 포함됩니다.

오늘날 삶의 모든 측면을 디지털화하는 과정을 "데이터화"라고 합니다. 이러한 새로운 데이터 세트의 생성은 이전에 수집된 정보를 혁신적인 정보로 이전에 수집된 정보를 혁신적이고 수익성이 있는 형태로 변환할 수 있는 길을 열어줍니다.

인공지능의 개념을 최초로 확인한 사무엘의 소프트웨어는 침대와 거의 같은 크기의 IBM 701 컴퓨터에서 실행되었으며, 대부분의 경우 데이터는 불연속적인 형태였습니다. 이는 실제 정보를 얻는 과정을 의미하는 것이 아니라 현재 수행 중인 작업을 의미하는 것입니다. 이 단계에서는 과거 데이터에 비추어 여러 모델을 평가하여 어떤 모델이 가장 성공할지 결정함으로써 프로토타입을 구축합니다.

모델의 하이퍼파라미터를 조정하는 것은 이 책에서 더 자세히 설명하는 필수 단계입니다. 무엇이 적절하고 부적절한 행동인지 결정하는 아이디어를 통칭하여 도덕성이라고 합니다. 그 다음으로 이 책에서 소개하는 부차적인 요소는 비용 효율성, 환자 경험의 질, 제공되는 의료 서비스의 전반적인 품질입니다. 의료진이 치료하는 전체 환자 수와 환자가 해당 의료진으로부터 받는 총 치료 비용은 모두 의료진이 받는 재정적 보상에 영향을 미칩니다. 마지막으로, 이 책에서 소개되는 사례 연구는 의료 분야에서 인공지능, 머신러닝, 빅데이터의 적용에 대한 통찰력 있고 생각을 자극하는 통찰을 제공할 것입니다.

끝으로, 이 책을 집필하는 데 도움을 준 김윤지(인제대 보건행정학과 졸업), 디지털항노화헬스케어학과 석사과정 빈선재, 석사과정 응웬비엣흥, 그리고, 약학과 학부생 남성윤에게 감사를 전합니다.

1장. 인공지능

1.1 소개

인간의 지적 능력을 모방할 수 있는 컴퓨터 프로그램에 대한 연구를 인공지능(AI) 연구 분야라고 명명합니다. 의학 연구 분야에서 수행되는 일부 연구에서는 "인공지능"과 "기계 학습"이라는 문구가 같은 의미로 사용될 수 있습니다. 그러나, 실재로 두 용어 사이에는 상당한 차이가 있어야 합니다. 사실 인공지능은 다양한 학습 과정으로 구성되며, 머신러닝(기계학습)에만 국한되지 않고 다른 형태의 학습도 포함합니다. 즉, 인공지능은 보다 넓은 의미의 컴퓨터 프로그래밍 교육에 초점을 맞추고 있습니다.

자연어 처리(NLP), 딥러닝, 표현 학습은 모두 구성 요소로 나눌 수 있는 인공지능의 하위 분야의 예입니다. 학습과 문제 해결 측면에서 인간의 지성을 모방하고 재현하는 컴퓨터 프로그램을 "인공지능"이라고 하는데, 이는 "인공지능"의 약어입니다. 의학 영역에서 "인공지능"이라는 용어는 신뢰할 수 있는 의학적 판단에 도달하기 위해 비정형 데이터에서 정보를 추출하는 목표를 달성하기 위해 컴퓨터 알고리즘을 사용하는 프로세스 자체를 의미합니다.

인공지능에 속하는 하위 분야 중 하나는 머신러닝(ML)으로 알려져 있습니다. 머신러닝은 스스로 데이터의 패턴을 자동으로 인식할 수 있습니다. ML 기반 모델은 실험과 자기 주도적 학습의 조합을 통해 스스로 학습할 수 있기 때문에 데이터 마이닝에 의존하지 않고 적시에 정확한 방식으로 모델을 구축할 수 있습니다. 머신러닝이 제공하는 도구를 사용하면 인간이 이해할 수 있는 범위를 훨씬 뛰어넘는 방대한 양의 데이터를 분석할 수 있습니다. 사진, 인구통계학적 정보, 검사 결과, 유전자 정보, 의료 기록, 센서 데이터는 모두 건강 데이터의 예로 간주될 수 있는 정보 유형입니다. 이에 대한 또 다른 예로 의료 기록을 들 수 있습니다. 네트워크 서버, 전자 건강 기록(EHR), 유전자 데이터, 개인용 컴퓨터, 스마트폰, 모바일 애플리케이션, 센서, 웨어러블 기술 등 다양한 플랫폼을 활용하여 이러한 데이터 샘플을 생성하거나 수집할 수 있습니다.

1.2 다각적인 분야

인공지능(AI)은 컴퓨터 과학의 하위 분야로 수학, 논리, 철학, 심리학, 인지 과학, 생물학 등 다양한 학문에서 그 뿌리를 찾을 수 있습니다(그림 1.1).

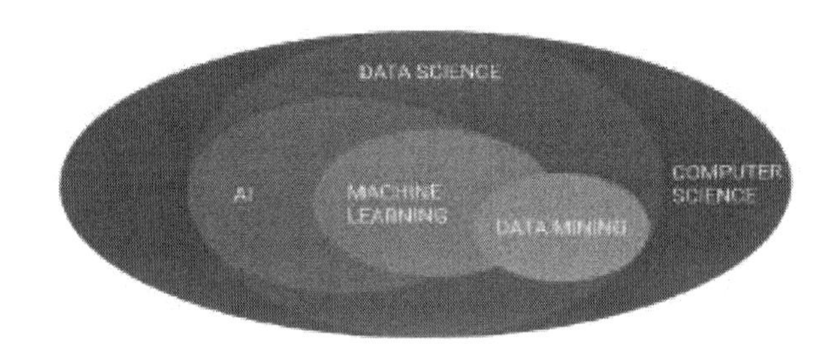

그림 1.1 AI, 머신러닝, 그리고 컴퓨터 과학에서 차지하는 위치

인공지능의 초기 연구는 1930년대 후반에 시작되어 1950년 영국의 선구자 앨런 튜링이 '컴퓨팅 기계와 지능'을 출판하면서 절정에 달했던 일련의 아이디어에서 동기를 얻었습니다. 이러한 아이디어는 1930년대 후반에 시작되어 이 책의 출간과 함께 정점에 달했습니다. 튜링은 이 획기적인 에세이에서 기계가 사고할 수 있는지 여부에 대한 주제를 제시했습니다. 튜링 테스트는 기계의 행동이 인간의 행동과 구별할 수 없는지 여부를 조사하는 실험입니다.

이 테스트는 앨런 튜링의 이름을 따서 명명되었습니다. 이 테스트는 컴퓨터가 "인공" 지능을 발휘할 수 있는지 여부를 판단하기 위한 테스트였습니다. 튜링은 인간 평가자가 사람과 컴퓨터 모두와 자연어 대화를 할 수 있고 어느 쪽이 어떤 것인지 구분할 수 있다면 컴퓨터가 사고 능력이 있는 것으로 간주할 수 있다고 제안했습니다. 이 테스트는 컴퓨터가 사고할 수 있는지(즉, 인간의 행동을 성공적으로 모방하는 에이전트 또는 시스템인지)를 판단하기 위한 것이었습니다.

1956년 다트머스 대학의 존 매카시 교수는 일반적으로 "인공지능"(AI)이라는 단어를 처음 사용한 사람으로 알려져 있습니다. 그가 제안한 "학습의 어떤 측면이나 지능의 다른 속성은 원칙적으로 컴퓨터가 그것을 복제하도록 구성할 수 있을 정도로 명확하게 지정될 수 있다"는 생각은 매카시 교수가 여름 동안 연구를 수행하자고 제안한 원동력이었습니다. 이러한 제안은 "학습의 모든 측면 또는 지능의 다른 속성은 원칙적으로 컴퓨터가 이를 복제하도록 구성할 수 있을 정도로 명확하게 지정될 수 있다"는 사실에 비추어 이루어졌습니다.

'인공지능''이라는 용어는 실제로는 향상된 프로그래밍에 지나지 않는 모든 것을 지칭합니다. 인공지능이 컴퓨터 과학의 추상화일 뿐이라는 개념은 그림 1.1에서 확인할 수 있습니다.

모바일 장치, 스마트워치, 기타 웨어러블 기기로 인한 데이터의 폭발적인 증가와 세계 역사상 그 어느 때보다 저렴한 가격으로 컴퓨팅 성능에 접근할 수 있게 된 것이 인공지능의 매력과 능력의 급증에 큰 영향을 미쳤습니다. 2011년에 IBM이 수행한 연구에 따르면, 전 세계에서 생성된 모든 데이터의 90%가 이전 2년 동안 생성되었다고 가정했습니다.

향후 10년이 지나면 현재 전 세계 인구의 20배에 해당하는 1,500억 개의 네트워크 측정 센서가 존재할 것으로 예상됩니다. 생성되는 데이터의 양이 기하급수적으로 증가함에 따라 모든 사물이 지능을 획득할 수 있는 잠재력을 갖게 될 것입니다. 자율주행차부터 스마트폰에 이르기까지 미래에는 집, 마을, 커뮤니티를 더욱 지능적으로 만드는 기술 발전이 약속되어 있습니다.

이러한 데이터의 가용성으로 인해 학습 가능성은 무궁무진하며, 따라서 이미 접근 가능한 데이터로부터 학습하고 지능형 시스템을 만드는 데 초점을 맞추고 있습니다. 시스템에 더 많은 정보가 전송되면 해당 시스템의 학습 용량이 증가하여 시스템이 더 정확해질 수 있습니다.

머신러닝뿐만 아니라 인공지능의 적용과 사용은 비즈니스 세계에서 아직 초기 단계에 있으며, 특히 건강 분야에서는 더욱 그렇습니다. 인공지능이 1960년대에 처음 개발되었다는 사실 때문에 특히 그렇습니다. 2017년에 발표된 가트너의 '신흥 기술의 하이프 사이클'에 따르면 머신러닝은 지나치게 낙관적인 기대의 정점에 위치했으며, 개발이 정체기에 도달하기까지 5~10년 정도 걸릴 것으로 예상했습니다. 이로 인해 머신러닝은 가장 긍정적인 전망을 가진 예측 목록의 최상위에 올랐습니다.

앞서 언급한 현실의 직접적인 결과로, 의료 산업에서 머신러닝의 응용은 최첨단이며 새롭고 매력적입니다. 현재 사람 수보다 더 많은 모바일 디바이스가 존재하며, 이는 의료의 미래가 환자, 주변 환경, 의사로부터 수집된 데이터에 의해 주도될 것임을 시사합니다. 그 결과 현재 사람보다 더 많은 모바일 디바이스가 존재합니다. 이러한 발전의 직접적인 결과로 AI와 머신러닝을 통해 개인의 건강을 개선할 수 있는 기회의 문이 열리기 시작했습니다.

지금까지의 모든 상황을 고려할 때, 의료 분야에서 인공지능(AI)과 머신러닝을 사용하는 것이 이보다 더 적절한 시기는 없을 것입니다. 의료 비용은 전 세계 모든 곳에서 계속 상승하고 있으며, 의료 비용을 부담해야 하는 공공 및 민간 기관은 의료 서비스 제공업체가 의료 비용 상승을 따라잡기 위해 생산성 수준을 개선해야 한다는 압박을 가중시키고 있습니다. 비용을 성공적으로 통제하기 위해 환자 접근성, 환자 치료 및 건강 결과가 어떤 식으로든 손상되지 않도록 보장해야 하는 경우가 있습니다. 하지만 어떤 상황에서도 이러한 행위를 해서는 안 됩니다.

그렇다면 의료 기관의 일상적인 운영에서 AI와 머신러닝을 정확히 어떤 방식으로 활용할 수 있을까요? 이 책은 인공지능(AI)과 머신러닝이 무엇인지, 그리고 의료 생태계 내에서 지능형 시스템을 설계, 평가, 배포하는 방법에 대해 알고자 하는 사람들을 위해서 집필되었습니다. 또한, 이 책은 의료 생태계 내에서 지능형 시스템을 배포하는 방법에 관심이 있는 사람들을 위해 작성되었습니다. 마지막으로, 이 책에는 인공지능(AI)과 머신러닝이 공중 보건뿐만 아니라 환자 건강 개선에 기여하는 사례를 포함하였습니다.

이 책에서 다루는 여러 가지 개념들은 의료 현장에서의 상당한 비용 절감과 운영 효율성 개선을 가능하게 합니다. 여러분들은 이 책을 통해 헬스 인텔리전스의 실제 사례 연구를 접할 수 있습니다.

독자들이 이 책의 마지막 페이지를 읽을 때쯤이면 인공지능과 머신러닝의 기본 특성을 이해관계자에게 성공적으로 전달하는 데 필요한 자신감을 얻게 될 것입니다. 이것이 이 책에 대한 저의 가장 진심 어린 바람 중 하나입니다. 여러분들은 머신러닝의 한계, 기본 알고리즘, 데이터의 가치, 학습의 윤리와 거버넌스, 그리고 그러한 시스템이 효과적인지 여부를 판단하는 기법을 비롯해 머신러닝의 프로세스를 정의할 수 있는 역량을 갖추게 될 것입니다.

이 책에서는 인공지능(AI)과 머신러닝의 이론적 토대와 현재 의료 분야에서 구현된 사례를 모두 해부하고 분석합니다. 또한 1장에서 여러분들은 인공지능과 머신러닝의 효능, 적용 가능성 및 응용 프로그램의 성공 여부를 평가하는 방법과 권장 사항을 모두 확인할 수 있을 것입니다. 이 책에서는 대수학이나 통계와 같은 어려운 과목에 집중하기보다는 인공지능과 머신러닝의 이론적 토대와 의료 분야에서의 실제 적용에 중점을 둡니다.

1.3 인공지능 살펴보기

인공지능의 본질은 인간으로서 우리가 지능적이거나 인간과 비슷하다고 인식하는 방식으로 에이전트 또는 컴퓨터의 지능적인 행동을 시뮬레이션하는 것으로 요약할 수 있습니다. 이를 다른 방식으로 표현하면 AI는 인간과 유사한 방식으로 지능적인 행동을 시뮬레이션하는 것입니다. 이 설명은 인공지능(AI)의 핵심을 완벽하게 요약하고 있습니다. 인공지능의 핵심은 에이전트가 지식, 추론, 문제 해결, 감지, 학습, 계획, 사물을 다루고 움직이는 능력과 같은 능력을 습득할 수 있다는 생각에 기반을 두고 있습니다. 이 아이디어는 상담원이 학습이라는 과정을 통해 이러한 능력을 습득할 수 있다는 가정에 기반합니다. 이 개념은 인공지능을 뒷받침하는 가장 근본적인 개념이며, 다른 모든 인공지능의 기술에 중심이 되는 개념입니다.

구체적으로 인공지능은 다음과 같은 요소로 구성된다고 생각할 수 있습니다:

- 컴퓨터가 논리적으로 사고하도록 가르치는 과정. 자동화된 추론.
- 증명 준비, 제약 조건 해결, 사례 기반 추론 등이 사용될 수 있는 기술 중 일부.
- 컴퓨터 프로그램이 지식을 습득하고, 발견하고, 예측할 수 있도록 하는 것. 머신러닝, 데이터 마이닝(검색), 과학적 정보 발견 등이 활용되는 방법 중 하나.
- 컴퓨터 프로그램이 사람과 양방향 대화를 할 수 있도록 하는 것.

- 자연어 처리(NLP).
- 유전 알고리즘.
- 기계가 지능적으로 환경을 탐색할 수 있게 하는 것.
- 계획 및 비전과 같은 로봇적 특성의 방법.

인공지능은 아직 비교적 새로운 연구 분야이기 때문에 이를 둘러싼 많은 오해가 있습니다. 사실 인공지능의 발전 방식에 대해서는 여러 가지 관점이 존재합니다. 이 기사에 포함된 흥미로운 전문가 중 한 명인 케빈 워릭은 로봇이 결국 세상을 지배하게 될 것이라는 믿음을 가지고 있습니다. 로저 펜로즈는 컴퓨터가 완전한 지능을 갖출 수 없는 이유에 대해 몇 가지 설득력 있는 논거를 제시합니다. 한편 마크 제프리는 컴퓨터가 결국 인간의 형태로 발전할 것이라는 주장까지 내놓았습니다. 인공지능이 다음 세대 내에 세상을 정복할 수 있을지는 의문이지만, 인공지능과 인공지능의 응용은 계속될 것입니다.

과거에는 제한된 데이터 세트와 대표적인 데이터 샘플, 그리고 상당한 양의 데이터를 저장하고 색인화 및 분석할 수 없었기 때문에 AI의 지능적인 측면이 제대로 발휘되지 못했습니다. 이는 상당한 양의 데이터를 색인화하고 분석할 수 없었기 때문입니다. 즉, 상당한 양의 데이터를 색인하고 조사할 수 있는 역량이 부족했기 때문입니다. 오늘날 실시간 데이터의 출현은 휴대폰, 디지털 기기, 점점 더 디지털화되는 시스템, 웨어러블, 사물 인터넷(IoT)의 사용이 급격히 증가했기 때문이며, 이러한 모든 항목이 사물 인터넷(IoT)에 연결되어 있기 때문에 등장할 수 있었습니다.

이제 데이터는 실시간으로 스트리밍될 뿐만 아니라 다양한 소스에서 빠른 속도로 도착하며, 더 나은 의사 결정을 내리기 위해서는 분석에 사용할 수 있어야 하고 근본적으로 해석할 수 있어야 한다는 요구가 커지고 있습니다. 또한, 실시간으로 도착할 뿐만 아니라 다양한 소스에서 빠른 속도로 도착하며, 더 나은 의사 결정을 위해 분석에 사용할 수 있어야 하고 근본적으로 해석 가능해야 한다는 요구와 함께 실시간으로 도착할 뿐만 아니라 다양한 소스에서 빠른 속도로 도착하며, 즉시 완료되어야 합니다. 다시 말해, 이제 데이터는 실시간으로 흐르고 있으며, 다양한 소스에서 빠르게 도착할 뿐만 아니라 연속적인 흐름으로 도착합니다. 이러한 실시간 데이터 및 인공지능과 관련된 연구 주제는 크게 네 가지 하위 분야로 나눌 수 있습니다

.

1.4 반응형 머신

반응형 시스템은 인공지능의 가장 기본적인 형태입니다. 반응형 시스템이 현재 상태에서 내리는 판단은 기억하도록 지시받았거나 기억에서 검색한 사실에 기반합니다. 반응형 머신은 원래 만들어진 작업에는 매우 능숙하지만 다른 활동은 할 수 없습니다. 이는 이러한 시스템이 미래에 대한 판단을 내리기 위해 이전 경험을 활용할 수 없기 때문입니다. 그렇다고 해서 반응형 머신이 무의미하다는 뜻은 아닙니다. 체스를 두었던 IBM 슈퍼컴퓨터 딥 블루는 반응형 시스템으로, 특정 순간의 체스판 상태에 따라 예측을 할 수 있었습니다. 1996년, 딥 블루는 체스 세계 챔피언이었던 개리 카스파로프를 상대로 승리를 거두었습니다. 카스파로프는 결국 딥 블루를 상대로 4게임 2점차로 승리했지만, 이는 널리 알려지지 않은 사실입니다. 결국, 카스파로프는 남은 다섯 게임 중 세 게임을 승리했습니다.

1.5 제한된 메모리-합리적으로 사고하고 행동하는 시스템

제한된 기억이라는 개념을 기반으로 작동하며 사전 프로그래밍된 지식과 시간이 지남에 따라 수집된 관찰 결과를 모두 활용하는 인공지능 시스템입니다. 이 시스템 관찰의 목표는 환경의 다양한 구성 요소가 시간이 지남에 따라 어떻게 변화하는지 알아내는 것입니다. 이를 위해 시스템은 환경을 구성하는 여러 구성 요소를 조사합니다. 그런 다음 시스템은 필요한 조정을 수행합니다. 이 기술은 사람의 개입 없이도 작동할 수 있는 자동차에 설치됩니다. 모든 장소의 인터넷 연결과 사물 인터넷은 제한된 메모리를 가진 컴퓨팅 장치에 무한한 양의 정보에 대한 액세스를 제공하고 있습니다.

1.6 생각하는 마음 시스템 이론

인간처럼: 마음에 대한 이론화 "인공지능"이라는 용어는 주변 환경과 그 속에서 살아가는 인간을 이해할 수 있는 컴퓨터 시스템을 의미합니다. 이러한 유형의 인공지능을 구현하려면 환경 내의 사람과 사물이 사람의 감정과 행동에도 영향을 미칠 수 있다는 지식이 필요합니다. 이러한 인공지능은 현재로서는 제한적이지만, 장애인이나 노인의 일상 업무를 지원하는 등의 돌봄 업무에 활용될 수 있습니다. 따라서 마음 인공지능 이론이 적용된 로봇은 주변 사물을 파악하고 환경 내의 사람들이 각자의 마음, 고유한 감정, 학습된 경험 등을 가지고 있다는 것을 인식할 수 있습니다. 이를 통해 로봇은 보다 자연스러운 방식으로 사람들과 상호 작용할 수 있습니다. 마음 이론을 갖춘 인공지능은 사람들의 동기를 이해하고 그들이 어떻게 행동할지 교육적으로 추측하기 위해 노력할 수 있습니다.

1.7 인간과 같은 자기 인식 AI 시스템

가장 정교한 종류의 인공지능은 인식 능력이 있고 인간이 없는 세상을 이해할 수 있는 로봇으로 구성됩니다. 이러한 형태의 인공지능은 아직 존재하지 않지만, 소프트웨어가 특정 사물에 대한 욕구와 자신의 내부 감각을 인식할 수 있는 능력이 있는 것으로 나타났습니다. 예를 들어, 2015년 렌셀러 폴리테크닉 연구소의 연구원들은 세 대의 로봇에 유도 자기 인식 테스트인 현자 퍼즐의 수정된 버전을 적용했습니다. 로봇 중 한 대만이 테스트를 완료했습니다. 이 시험에서는 인공지능이 비정형 자료를 듣고 이해할 수 있어야 할 뿐만 아니라 자신의 목소리를 식별하고 다른 로봇과 구별할 수 있어야 했습니다.

기술의 발전으로 이제 방대한 데이터베이스에 실시간으로 액세스하고 이동하면서 학습하는 것이 가능해졌습니다. 결론적으로 인공지능은 인공지능을 개발하는 데 사용되는 데이터만큼만 우수하며, 대용량의 강력한 데이터에 액세스할 수 있을 때 더욱 확실한 결론을 내릴 수 있게 되었습니다.

예를 들어 교통, 에너지, 금융 등 다른 산업에 비해 의료 산업은 빅데이터와 인공지능의 잠재력을 받아들이는 속도가 더뎠습니다. 의료

보건 영역의 경직성은 현재 상황으로 인해 사람들의 생명이 위험에 처해 있다는 사실에 의해 충분히 정당화되었습니다. 이는 현재 상황의 원인이 여러 가지가 있음에도 불구하고 그렇습니다. 의료 서비스를 받는 것은 소비자의 선택이라기보다는 필수이기 때문에 의료 산업은 역사적으로 다른 산업을 더 높은 수준의 혁신으로 이끄는 경쟁 압력에 거의 또는 전혀 직면하지 않았습니다. 이는 오늘날 사회에서 의료 서비스를 받는 것이 소비자의 선택이 아닌 필수가 되어가고 있기 때문입니다.

이러한 개념으로 인해서 의료 기관이 제공할 수 있는 것과 고객이 기대하는 것 사이의 격차가 더욱 커졌고, 결국 치료, 건강 결과, 질병에 대한 태도 등에서 차이가 발생하여 국제적으로도 인정받는 의학적 우선순위가 달라지게 되었습니다.

오늘날 인공지능의 성장을 촉진하고 있는 데이터의 폭발적인 증가로 인해 데이터에 기반한 인텔리전스 전략이 실현 가능해졌습니다. 이는 인공지능의 기술이 더욱 발전했기 때문에 가능한 상황입니다. 특히, 지난 5년 동안은 의료 분야에서 데이터 기반 인공지능의 적용으로 지능형 시스템이 질병을 예측, 진단, 관리할 뿐만 아니라 적극적으로 질병을 치료하고 예방할 수 있게 되었으며, 디지털 치료법이 실현되는 등 파괴적인 변화가 있었습니다. 이러한 시대적인 발전은 지능형 시스템이 질병을 관리할 뿐만 아니라 적극적으로 질병을 역전시키고 예방하는 데 도움이 되었습니다. 이와 같은 혁신 덕분에 지능형 시스템은 이제 질병을 적극적으로 역전시키고 예방할 수 있을 뿐만 아니라 질병을 능동적으로 역전시키고 관리할 수 있게 되었습니다.

심층 신경망은 시각적 식별 작업에서 놀라운 성공을 거두었으며, 종종 인간의 성능 수준과 동등하거나 그 이상의 성과를 거두었습니다. 이러한 네트워크는 최근 사진 인식 및 분류의 발전으로 인해 산업에 영향을 미치기 시작했습니다(그림 1.2).

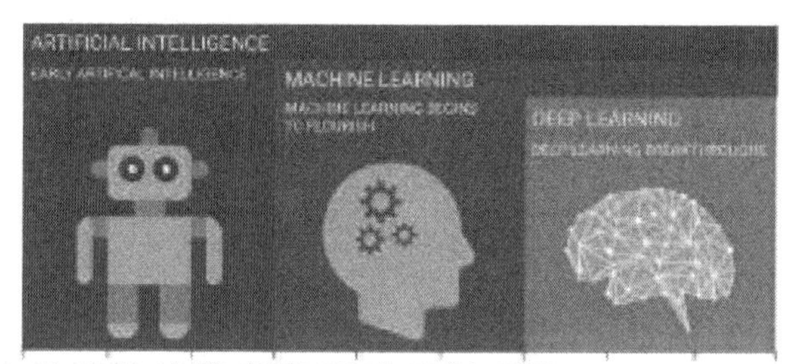

그림 1.2. AI와 그 발전

1.8 머신러닝이란 무엇인가요?

IBM의 직원인 아서 사무엘은 "머신러닝"이라는 단어를 최초로 사용한 사람으로 알려져 있습니다. 1959년, 그는 컴퓨터가 세상에 대해 알아야 할 것과 독립적으로 작업을 수행하는 방법을 배울 수 있도록 컴퓨터를 가르치는 것이 가능하다는 개념을 제안했습니다. 그는 이것이 더 지능적인 기계를 만들기 위한 단계가 될 것이라고 믿었습니다. 특히, 그는 컴퓨터가 알아내는 방법을 알아내는 것이 가능할 것이라고 생각했습니다. 훗날 '머신러닝'으로 알려지게 된 아이디어는 이 개발의 직접적인 결과로 등장했습니다. 인공지능을 배포하는 과정에서 활용될 수 있는 한 가지 접근 방식은 머신러닝으로 알려져 있습니다.

컴퓨터가 특정 작업을 수행하도록 프로그래밍하지 않고도 학습할 수 있다는 생각은 나중에 머신러닝으로 알려진 개념을 탄생시켰습니다. 이 아이디어는 패턴 인식이라는 개념에서 파생되었는데, 이는 다시 컴퓨터가 학습할 수 있다는 확신에서 비롯되었습니다. 여기서 '기법'이라는 용어는 매우 다양한 접근 방식을 지칭하는 데 사용될 수 있으며, 그 중 일부는 베이지안 방법, 신경망, 설명 기반 자연어 처리, 의사 결정 트리, 강화 학습 등 몇 가지를 예로 들 수 있습니다.

거의 대부분의 경우, 하드 코딩된 지식 기반이 있는 시스템은 새로운 상황에 도입될 때 적응하는 데 어려움을 겪게 됩니다. 반대로, 스스로 학습할 수 있는 시스템은 특정 문제를 해결할 수 있는 잠재력을 가지고 있습니다. 머신러닝은 이러한 잠재 능력을 설명하는 데 사용되는 용어입니다. 이러한 목표를 달성하기 위해서 우리는 지식을 얻고, 추론에 참여하고, 지식 기반을 지속적으로 업데이트 및 개선하고, 휴리스틱을 습득하는 등의 노력을 기울여야 합니다.

머신러닝에 대한 주제는 이 책의 3장에서 보다 자세히 다룰 예정입니다.

1.9 데이터 과학이란 무엇인가요?

인공지능의 모든 애플리케이션은 언젠가는 데이터를 활용하게 됩니다. 데이터 과학(또는 빅데이터)으로 알려진 이 연구 분야는 빠르게 확장되고 있으며 데이터를 정리, 추출, 처리 및 분석하는 과정과 관련된 모든 것을 고려하는 분야입니다. 데이터 과학분야는 거의 모든 대학에서 최근 많은 관심을 받고 있는 이슈입니다. '데이터 과학'이라는 용어 자체는 이 작업을 수행하는 과정에서 활용되는 다양한 접근 방식을 포괄적으로 지칭합니다. 다시 말하면, 데이터(자료)

에서 인사이트(통찰을 파악하려는 노력)와 정보를 얻는 행위를 "데이터 과학"이라고 하며, 이는 "데이터를 해석하려는 노력"과 같은 의미를 가지고 있습니다.

오늘날 데이터 과학은 통계학과 컴퓨터 과학이 서로 긴밀하게 상호작용하는 떠오르는 학문 분야입니다. '데이터 과학'이라는 용어는 2001년 윌리엄 클리블랜드가 이 떠오르는 학문을 지칭하기 위해 처음 만들었습니다.

AI(인공지능) 프로젝트를 진행하는 팀은 작업해야 하는 데이터의 양이 많든 적든 상관없이 끊임없이 데이터를 다루어야 합니다. 이 문제를 회피하는 것은 현대 사회에서 불가능합니다. 상당한 양의 데이터를 다룰 때는 거의 항상 실시간으로 수집되는 데이터에 대한 실시간 분석이 필요합니다. 데이터를 찾고, 해석하고, 관리하고, 데이터의 일관성을 보장하고, 데이터를 사용하여 수학적 모델을 구축하고, 데이터 인사이트와 결과를 이해 관계자에게 제시하고 전달하는 것은 대부분의 비즈니스 사례에서 데이터 과학자 또는 데이터 엔지니어가 수행해야 하는 많은 기술적 역할 중 일부에 불과합니다. 다른 기술적 역할로는 데이터의 일관성 보장, 데이터를 사용한 수학적 모델 구축, 데이터 인사이트와 발견 사항을 이해관계자에게 제시하고 전달하는 것 등이 있습니다. 추가 기술 업무에는 데이터의 일관성 확인, 데이터에 기반한 수학적 모델 개발, 데이터 관련 결과 및 인사이트를 다양한 이해관계자에게 제시하고 전파하는 업무가 포함됩니다. 데이터 사이언스와 관련된 프로세스를 수행하기 위해 필요한 유일한 요소는 데이터이지만, 그렇다고 해서 많은 양의 데이터를 보유하는 것이 필수적인 것은 아닙니다. 반면에 데이터 과학을 수행하기 위해서는 엄청난 양의 데이터에 액세스할 수 있어야 합니다.

학계에서는 데이터 과학과 통계학(또는 빅데이터)을 명확하게 구분하는 것은 쉽지 않습니다. 모든 유형의 데이터 탐색에는 항상 어떤 종류의 통계적 분석이 수행되어야 하기 때문입니다. 프로젝트에 소수의 사람만 참여하더라도 큰 성과를 거둘 수 있을 정도의 계획을 앞두고 있는 회사가 있다면, 일종의 데이터 과학팀을 구성하는 것이 매우 중요합니다.

일반적으로 데이터 과학팀은 두 가지 중요한 기능을 담당합니다. 첫째, 문제나 질문에서 시작하여 데이터를 사용하여 문제를 해결하려고 합니다. 둘째, 데이터를 사용하여 분석을 통해 인사이트와 인텔리전스를 추출합니다. 이 과정은 문제나 질문이 해결될 때까지 반복됩니다(그림 1.3).

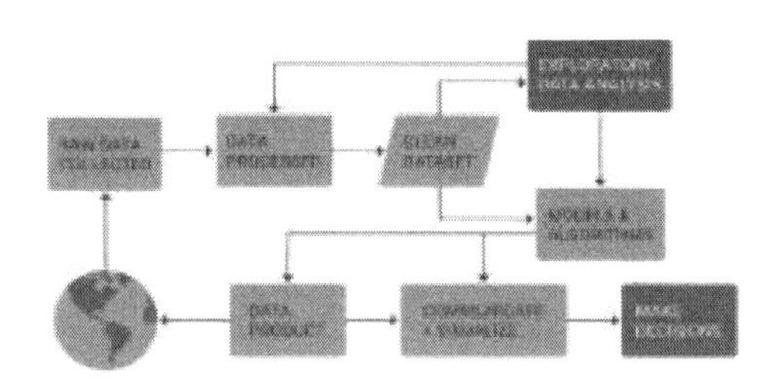

그림 1.3. 데이터 과학 프로세스

1.10 실시간 빅데이터를 통한 학습

불과 30년 전의 과거에만 하더라도, 데이터와 기술의 한계로 인해 인공지능은 발전할 수 없었습니다. 그러나, 스마트폰이 확산되기 이전 그리고, 보다 저렴한 컴퓨터가 등장하기 전에는 데이터 세트의 양, 유효성, 대표성 있는 데이터의 비율에 제한이 있었습니다.

그러나, 오늘날에는 실시간으로 업데이트되고 빠르게 사용할 수 있는 데이터와 빠른 분석을 수행할 수 있는 도구가 있습니다. 현대 생활의 데이터화는 머신러닝의 성숙을 가속화하고 증거 기반의 데이터 중심 접근 방식으로의 전환을 용이하게 하고 있습니다. '데이터화'라는 용어는 일상 생활의 모든 측면을 디지털화('데이터화'라고도 함)하는 현대의 패턴을 설명합니다. 기술은 이제 이러한 방대한 데이터베이스에 액세스할 수 있을 정도로 발전하여 머신러닝 애플리케이션을 빠르게 개발할 수 있게 되었습니다.

환자와 의료 전문가는 모두 전체 데이터 풀에 상당한 양의 정보를 기여합니다. 휴대전화는 대화, 응답, 사진 등의 다양한 형태의 비정형 데이터뿐만 아니라 혈압, 위치, 걸음 수, 식단 기록 등의 정량적 메트릭을 기록할 수 있습니다.

또한, 이 데이터는 임상이나 디지털 데이터에만 국한되지 않습니다. 종이 문서나 스캔된 사진도 데이터 합성 및 추출을 위해 처리해야 할 중요한 정보 소스가 될 수 있습니다.

건강 바이오마커 수집은 의료 전문가가 수행하는 구조화된 측정의 또 다른 형태이며, 다양한 측정값 수집과 함께 이루어집니다. 모든 종류의 지식을 얻는 첫 단계는 원시 데이터를 유용한 정보로 변환하는 것입니다. 예를 들어, 시스템이 혈당 목표치를 인식하면 당뇨병 환자의 혈당 수치를 앱에 입력했을 때 이 수치가 목표 범위에 부합하는지 여부를 확인할 수 있게 되며, 이는 큰 의미를 가집니다.

21세기에는 거의 모든 활동이 어떤 형태의 데이터를 남깁니다. 특히 온라인 활동은 더욱 그러합니다. 예를 들어, Apple의 iPhone 6는 NASA의 아폴로 프로그램에서 사용된 컴퓨터보다 32,000배 강력하여 이전에는 불가능했던 작업들을 수행할 수 있습니다. 현재의 컴퓨터는 그 어느 때보다 강력하고 컴팩트하며, 이는 컴퓨팅 역사상 처음 있는 일입니다. 데이터 분석을 통한 교훈은 제품 구매부터 애플리케이션 상호작용에 이르기까지 고객 경험의 모든 측면에 통합되고 있습니다. 이러한 변화는 기업들이 다양한 빅데이터 소스를 비즈니스 운영에 활용하는 것에서 직접적으로 나타납니다.

데이터의 유용성을 제대로 이해하기 위해서는 먼저 처리되지 않은 정보를 검토하고, 이 정보가 어떻게 행동에 영향을 줄 수 있는 지식으로 변환될 수 있는지 고려해야 합니다. 이를 통해 데이터의 가치를 이해하고 그 잠재력을 최대한 발휘할 수 있습니다. 프로젝트 자체와 그 위치는 프로젝트 가치의 중요한 결정 요소입니다. 예를 들어, 순응도와 규정 준수, 증거 기반 치료의 격차를 신속하게 감지함으로써 이점을 얻을 수 있습니다. 목표는 순응도와 규정 준수를 촉진하고 자가 관리를 강화하는 것입니다. 병원이나 회사 내에서 데이터와 인사이트를 공유하고 환자와 더 개인화된 만남을 가질 수도 있습니다. 구체적인 상황과 관계없이 목표는 동일합니다. 또한 이는 치료 비용을 줄이고 오류를 방지하는 데 도움이 될 가능성이 높습니다.

1.11 의료 분야에서 인공지능의 활용

기계가 인간 의료 전문가를 완전히 대체할 수 있을지는 의문이지만, 머신러닝과 인공지능은 의료 비즈니스에 혁명을 일으키고 있으며 더 나은 환자 치료 결과를 이끌어내고 있습니다. 진단의 정확성뿐만 아니라 결과를 예측하고 개별화된 치료의 시작을 알리는 능력도 모두 머신러닝을 통해 개선되고 있습니다(그림 1.4).

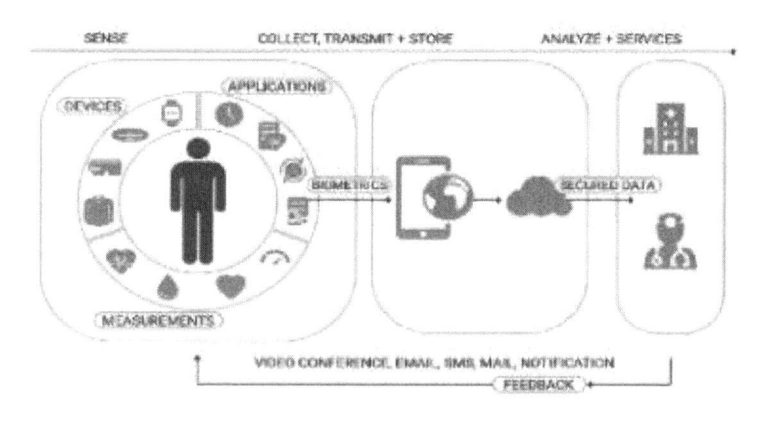

그림 1.4. 데이터 중심의 환자-의료 전문가 관계

심장 주위에 통증을 느껴 의사를 만나는 상황을 상상해 보세요. 의사는 환자의 증상을 기록하고 컴퓨터에 입력한 후, 질병을 정확하

게 진단하고 치료하기 위해 참조할 최신 연구 결과를 확인합니다. 방사선 전문의가 육안으로는 파악하기 어려운 미세한 결함은 지능형 컴퓨터 시스템의 도움으로 발견됩니다. 고도로 발달한 컴퓨터 시스템은 MRI 스캔에서 주목해야 할 부분을 식별하는 데 도움을 줍니다. 연속적인 혈당 측정기가 혈당 테스트 스트립으로부터 얻은 수치를 실시간으로 기록하는 동안, 시계는 혈압과 맥박을 지속적으로 모니터링했을 가능성이 높습니다. 마지막으로, 컴퓨터 시스템은 사용자의 의료 기록과 가족의 의학적 배경을 분석합니다. 이 시스템은 이러한 분석을 바탕으로 환자에게 가장 적합한 치료 방안을 제안합니다. 데이터 프라이버시 및 거버넌스 문제를 고려하지 않더라도, 여러 데이터 풀의 융합을 통해 발견할 수 있는 중요한 시사점은 다음과 같습니다:

1. 예측:

현재 데이터 모니터링을 통해 질병 발생을 예측할 수 있는 기기들이 시장에 나와 있습니다. 인터넷 및 기타 소스에서 수집한 과거 정보뿐만 아니라 소셜 미디어와 같은 실시간 데이터 소스도 활용됩니다. 인공 신경망은 강수량, 기온, 환자 수 및 다양한 데이터 요소를 분석하여 말라리아 전염병 발생을 예측하는 데 사용되었습니다.

2. 진단:

비응급 의료 인프라의 대체 가능성을 탐색하는 한 방법은 다양한 디지털 기술의 활용입니다. 미래에는 게놈과 머신러닝 알고리즘을 결합하여 질병 위험을 분석하고, 약물 유전학을 향상시키며, 환자에게 더 나은 치료 경로를 제공할 수 있을 것입니다.

1.12 개인 맞춤형 치료 및 행동:

디지털 기술을 활용한 제2형 당뇨병 치료에서, 저탄수화물 프로그램 애플리케이션을 통해 당뇨병 또는 당뇨병 전단계 환자가 질병을 역전시킬 수 있습니다. 이 애플리케이션은 통합 건강 모니터링과 함께 개인화된 지침을 제공하며, 개별 사용자 및 커뮤니티 발전에 대한 데이터를 수집합니다. 프로그램을 마친 참가자 대부분이 약물 의존도를 줄였으며, 이로 인해 연간 약 1,015달러의 약물 비용을 절약할 수 있었습니다.

1. 신약 개발:

신약 개발의 초기 단계에서는 머신러닝을 다양한 방식으로 활용할 수 있습니다. 이에는 의약 화합물의 예비 스크리닝과 생물학적 매개변수를 기반으로 한 성공률 예측이 포함됩니다. 약물 외관이 약리학적으로 보이지 않더라도, 디지털 기술과 환자 데이터의 통합은 만성적이고 진행성 질병의 치료법 개발에 기여합니다. 예를 들어, 2형 당뇨병 환자의 26%가 1년 치료 후 완치되었으며, 이러한 소프트웨어는 30만 명 이상의 당뇨병 환자들에게 사용되고 있습니다.

2. 후속 관리:

재입원 위험은 큰 문제입니다. NextIT와 같은 회사는 디지털 건강 코치를 개발하여 온라인 소매업체의 가상 고객 관리 담당자와 유사하게 작동합니다. 이 도우미는 환자에게 질병 증상에 대해 질문하고, 약 복용에 대해 상기시키며, 주치의에게 관련 정보를 전달합니다.

1.13 의료 분야에서 AI의 잠재력 실현하기:

AI와 머신러닝을 의료 시스템에 완전히 통합하기 위해서는 여러 중요한 문제를 해결해야 합니다. 의료 업계에서는 인공지능과 머신러닝 발전을 위해 다양한 아이디어, 접근 방식, 평가를 공유하는 것이 필수적입니다. 정밀 의학의 구현은 데이터의 공유 및 통합을 포함하며, 이러한 전환은 필수적입니다. 데이터 과학 팀을 구축하여 데이터에서 인사이트를 얻는 것은 의료 전략을 올바르게 구현하는 데 중요합니다. 데이터에 대한 투자는 추구하는 전략의 일부가 되어야 하며, 데이터 수집과 데이터 과학 교육을 받은 직원의 전문성이 필요합니다.

2. 파편화된 데이터:

현재 데이터의 파편화는 큰 장애물 중 하나입니다. 환자는 스마트폰, 핏비트, 시계 등 다양한 기기를 통해 데이터를 제공하며, 의사는 바이오마커 수치와 인구통계학적 정보를 기록합니다. 하지만 이러한 데이터는 치료 과정에서 통합되지 않습니다. 또한 방대한 데이터를 유용하고 신뢰할 수 있는 방식으로 해석하고 분석할 수 있는 기존 인프라의 부재가 문제입니다. 현재 많은 데이터베이스에 분산되어 있고 체계적이지 못한 전자 의료 기록(EHR)은 사용자 친화적인 방식으로 디지털화되어야 합니다.

3. 적절한 보안:

기업은 데이터 보안 유지 및 법적 요건 준수라는 이중 과제에 직면해 있습니다. 많은 의료 기관이 오래된 소프트웨어를 사용함으로써 해킹에 취약해질 수 있습니다. 2017년 워너크라이 바이러스는 영국 국민보건서비스(NHS)의 인프라를 마비시켰고, 16개 이상의 의료 부문 조직이 영향을 받았습니다. 이러한 공격은 재정적 손실과 환자의 생명에 영향을 미쳤습니다. 랜섬웨어는 전 세계적으로 150개국의 네트워크를 손상시켰습니다.

4. 데이터 거버넌스:

데이터 거버넌스는 의료 기록이 개인적이고 민감한 정보로 간주되기 때문에 중요한 주제입니다. 일부 사람들은 자신의 프라이버시에 대한 우려로 데이터 제공을 꺼립니다. 웰컴 재단의 2016년 설문조사에 따르면, 응답자의 17%가 익명화된 데이터를 제3자와 공유하는 데 동의하지 않을 것이라고 밝혔습니다. 재해 복구와 보안은 규정 준수에 있어 중요하며, 네트워크 설계는 이러한 요구 사항을 충족하는 데 필수적입니다. 의료 기관은 최고 수준의 환자 치료를 제공하기 위해 네트워크 인프라를 현대화해야 합니다. 2018년 NHS의 대부분 PC가 Internet Explorer 8을 사용하는 것은 이러한 필요성을 강조합니다.

5. 편견:

편견은 인공지능(AI)의 학습 과정에서 중요한 장애물입니다. 머신러닝 알고리즘 내에서 발생하는 귀납적 편향은 수집된 데이터의 성격에 따라 달라집니다. 알고리즘에 내재된 편향을 실제 사용 전에 인식하는 것은 어렵고, 이러한 편향은 종종 상호 작용을 통해 악화됩니다. 이로 인해 알고리즘의 투명성과 공정성이 중요해지며, 사람들은 알고리즘의 결정 근거를 이해할 수 있을 때 더 큰 신뢰를 가집니다.

6. 소프트웨어:

프롤로그, 리스프, 머신러닝은 초기 AI 시스템 구축에 사용된 언어들입니다. 현재는 Python이 대부분의 머신러닝 시스템 개발에 사용되는 주요 언어로 자리 잡았습니다. 이는 Python에서 제공되는 수학적 기초 라이브러리 때문입니다. 다른 언어들도 '학습'할 수 있는 알고리즘 개발에 사용될 수 있습니다. 이 주제는 이 책의 3장에서 더 자세히 다루어집니다.

2장. 데이터

모든 출처에서 정보를 수집하는 것은 가능합니다. 전 세계적으로 일어나고 있는 혼란과 국제적 노력은 모든 것을 데이터화하는 움직임에 힘을 실어주고 있습니다. 이 데이터화는 현대 생활의 모든 측면을 포함하며, 새로운 데이터 세트의 생성은 과거에 수집된 정보를 새롭고 잠재적으로 가치 있는 형태로 변환할 수 있는 기회를 제공합니다.

우리의 마을과 도시는 미래에 수백 가지의 다양한 매개변수에 대한 데이터를 실시간으로 수집하여 최적화, 유지 및 성장시킴으로써 전체 인구의 삶의 질을 개선할 것입니다. 신호등이 교통 관리 외에도 공기의 질, 시야, 교통 속도 등의 데이터를 수집할 가능성이 높습니다. 연결된 장치, 임베디드 센서 및 사물 인터넷(IoT)으로 인한 빅데이터의 증가는 데이터의 해석, 분석 및 시각적 표현에 대한 필요성을 전 세계적으로 증가시키고 있습니다.

2.1 데이터란 무엇인가요?

데이터는 문자, 단어, 구문, 숫자, 그림, 소리 또는 전체 동영상 등 다양한 방식으로 표현될 수 있습니다. '데이터'라는 용어는 질적 또는 양적 특성에 대한 값의 집합으로 정의될 수 있습니다. 데이터가 정보가 되기 위해서는 해석이 필요합니다. '정보'는 데이터를 조직화하고 중요한 혜택을 제공하는 것을 의미합니다.

디지털 헬스의 부상은 의료 업계의 데이터 혁명을 주도하는 주요 요소 중 하나입니다. 디지털 디바이스를 통한 소비자 권한 강화는 의료 서비스 민주화에 기여하며, 증가하는 비용 압박은 새로운 인센티브 및 환급 시스템을 촉진하고 있습니다.

현재 임상 패턴은 변화하고 있으며, 환자들은 자신의 건강에 대해 더 잘 이해하고 있습니다. 환자들은 자신의 데이터를 소유하고 이동하며, 공유하고 처리 방법을 결정하고자 합니다. 의학 분야는 개별화된 치료를 목표로 하며, 이는 증거 기반 방법론에 의해 규제될 것입니다.

환자와 의료 전문가 모두 현재 사용 가능한 모든 임상 데이터에 액세스하길 원하며, Diabetes.co.uk의 2018년 설문조사에 따르면 환자 3명 중 1명은 자신의 데이터를 의료 전문가와 공유하기를 원하지만, 실제로는 5명 중 1명만이 그렇게 할 수 있습니다.

많은 데이터셋을 결합하면 더 큰 모집단이 생성되고, 이는 설득력 있는 지식을 강화할 수 있습니다. 예를 들어, 제1형 및 제2형 당뇨병 환자의 데이터를 풀링하면 망막병증과 같은 건강 문제에 대해 더 높은 수준의 확실성을 가지고 접근할 수 있습니다.

현대 의학에서 데이터의 사용은 임상 영역과 관행에서 상당한 발전을 가능하게 합니다. 증거 기반의 개별화된 치료가 의료 시스템에서 보편화되면서 데이터의 활용도는 더욱 향상될 것입니다. 데이터를 통한 의료 분야의 발전에는 다음이 포함됩니다:

- 환자 및 인구 건강
- 환자 교육 및 참여
- 질병 및 치료 위험 예측
- 복약 준수
- 질병 관리
- 질병 역전/완화
- 치료 및 관리의 개별화 및 맞춤화
- 재무, 거래 및 환경 예측, 계획 및 정확성

2.2 데이터 유형

'정형 데이터'는 사전 설정된 모델이나 스키마에 따라 조직화되어 데이터베이스에 보관되는 정보를 말합니다. 이러한 종류의 정보는 '구조화된 데이터'로 알려져 있으며, 대부분의 조직이 접근할 수 있습니다. 예를 들어, 많은 회사에서 데이터를 Microsoft Excel 스프레드시트에 저장합니다.

EHR을 사용하는 의료 시스템은 구조화된 데이터의 한 예이며, 임베디드 센서, 스마트폰, 스마트워치 및 IoT 장치에서 제공하는 판독값 역시 구조화된 데이터에 해당합니다.

반면, '비정형 데이터'는 특정 방식으로 구성되지 않은 나머지 유형의 데이터를 말합니다. 이는 이메일, 문자 메시지, 소셜 미디어 게시물 등 다양한 형태를 포함합니다. 비정형 데이터를 처리하는 것은 방대한 양과 조직화되지 않은 특성 때문에 어려울 수 있습니다.

정형 데이터와 비정형 데이터 사이의 격차는 '반정형 데이터'로 메워질 수 있습니다. 반정형 데이터는 관계형 데이터베이스나 데이터 테이블과 관련된 데이터 스키마에 부합할 수도, 부합하지 않을 수도 있으며, JSON 및 XML과 같은 언어를 포함합니다.

데이터는 다음과 같은 다양한 소스로부터 나올 수 있습니다:

- 인터넷 및 소셜 미디어 데이터
- 기계 간 상호 작용 데이터
- 건강 보험 청구 및 트랜잭션 데이터
- 생체 인식 데이터
- 사람이 생성한 데이터

Excel 스프레드시트와 머신러닝의 맥락에서 데이터를 이해하는 데 도움이 되는 몇 가지 정의는 다음과 같습니다:

- 인스턴스: 데이터의 단일 행 또는 관찰
- 데이터 유형: 정보의 범주를 나타내는 기능(예: 부울, 문자열, 숫자)
- 데이터 세트: 머신러닝 모델을 훈련하고 평가하는 데 사용되는 예제 모음
- 학습 데이터 세트: 모델 학습에 사용되는 데이터 세트
- 테스트 데이터 세트: 모델의 정확성과 성능을 평가하기 위한 목적으로 활용되는 데이터 세트

1. 빅데이터

빅데이터는 디지털 또는 아날로그 형태의 방대한 양의 데이터를 축적하는 관행을 의미하는 용어입니다. 이 용어는 기존 관계형 데이터베이스 시스템에서 저장하고 처리하기에는 너무 크거나 복잡한 데이터 집합을 지칭합니다. 표준 데이터베이스 관리 솔루션은 이러한 종류의 데이터를 처리하는 데 적합하지 않습니다. '빅데이터'라는 용어는 단순히 데이터의 규모만을 의미하지 않으며, 데이터의 크기, 다양성, 속도 등 여러 요소를 포함합니다.

방대한 양의 데이터 분석을 통해 이전에는 발견되지 않았던 패턴, 상관관계, 트렌드, 선호도 등을 파악할 수 있습니다. 이는 이해관계자가 보다 정보에 입각한 의사결정을 내리는 데 도움이 됩니다. 머신러닝은 이러한 목표를 달성하기 위해 다양한 전략을 제공하는 도구 상자 역할을 합니다.

2001년, 레이니는 빅데이터의 특성을 볼륨, 다양성, 속도라는 세 가지 주요 특성으로 분류했습니다. 이를 '3V'라고 합니다(그림 2.1).

- 볼륨은 생성되고 저장되는 데이터의 양을 의미합니다. 빅데이터의 양은 종종 상당히 큽니다. 데이터 자체의 규모가 크면 해당 데이터를 저장, 색인화 및 검색하는 프로세스가 복잡해집니다.
- 다양성-빅데이터 세트마다 데이터 유형과 데이터의 특성이 다르기 때문에 효과적인 저장 및 분석 방법과 이러한 데이터를 처리하는 시스템이 필요합니다.
- 속도 - 대용량 데이터가 수신되는 속도에는 고유한 요구 사항과 어려움이 수반됩니다.

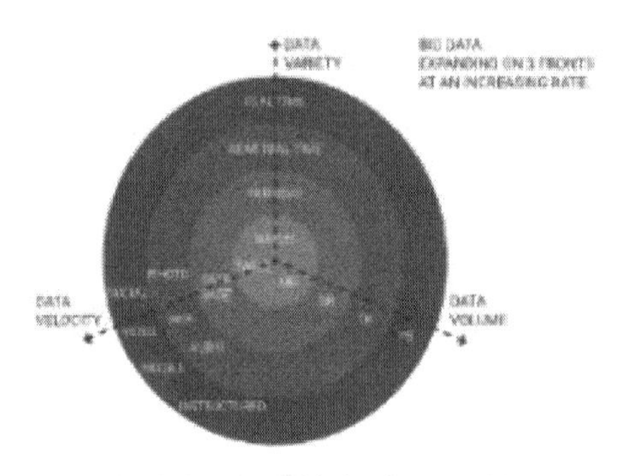

Figure 2-1. The 3 Vs of data

그림 2.1 데이터의 3V

한동안 데이터 과학에 종사하는 사람들은 빅데이터의 '3V'에 대해 이야기해 왔습니다. 데이터 진실성과 데이터 가치라는 개념은 고려해야 할 데이터의 두 가지 추가 기능입니다. 데이터의 이 두 가지 측면은 빅데이터의 세 가지 V보다 훨씬 더 중요할 수 있습니다. 마크 반 리메남은 한 에세이에서 빅데이터의 매우 복잡한 특성을 더 잘 이해하기 위한 수단으로 네 가지 V를 더 제시했습니다.

또한 알파벳에는 총 10개의 V가 있습니다(그림 2.2). 기업이 데이터 전략을 수립할 때는 다양한 V의 하위 집합을 항상 염두에 두는 것이 필수적입니다. 여기서는 현재 고려되고 있는 수많은 V 중 일부만 제시했습니다.

2016년 가트너가 199명의 회원을 대상으로 실시한 설문조사 결과에 따르면 빅데이터에 대한 투자가 증가하고 있는 것으로 나타났습니다. 그럼에도 불구하고 향후 빅데이터 이니셔티브에 참여할 의향이 있다고 답한 기업이 줄어드는 등 발전이 둔화되는 조짐이 있는 것으로 나타났습니다. 빅데이터 프로젝트 구현을 완료했다고 답한 기업은 15%에 불과했으며, 이는 빅데이터 도입 곡선이 아직 개발 중이며 이 분야의 인력과 기술에 대한 수요가 크다는 것을 시사합니다. 빅데이터 프로젝트 구현을 완료했다고 응답한 기업은 15%에 불과했습니다.

그림 2.2 데이터의 10 대 10

빅데이터는 환자와 의료 전문가 모두의 노력 덕분에 주목을 받고 있습니다. 환자는 임상 데이터, 모바일 의료 애플리케이션, 웨어러블 디바이스, 원격 의료 서비스를 통해 데이터의 주요 원천이 됩니다. 한편, 의사는 환자 기록과 기계가 생성한 데이터 외에도 서면 메모, 영상, 보험 정보 등 방대한 양의 임상 데이터를 생성합니다.

2.볼륨

2001년에 레이니는 빅데이터의 근본적인 측면에 대한 정의를 내렸는데, 그것은 바로 빅데이터의 양이 엄청나게 많다는 가정이었습니다. 그에 상응하는 스토리지의 필요성과 스토리지 제공에 따른 비용 부담은 전통적으로 빅데이터 도입을 정체시키는 주요 원인이었습니다. 데이터 센터가 물리적으로 한 곳에 위치하던 것에서 클라우드에 상주하는 방식으로 전환되면서 이러한 걱정은 사라졌습니다. 이를 통해 데이터 저장, 협업 및 재해 복구에 유연성을 제공했을 뿐만 아니라 데이터 저장과 관련된 비용도 크게 절감할 수 있었습니다. "클라우드"라는 용어는 "클라우드 컴퓨팅"이라고도 하며, 인터넷을 통해 제공되는 분산 컴퓨팅의 한 형태를 의미합니다.

무어의 법칙은 스토리지 용량에만 영향을 미친 것이 아니라 가격에도 긍정적인 영향을 미쳤습니다. 1965년 인텔의 공동 창립자 중 한 명인 고든 무어는 무어의 법칙으로 알려진 발언을 했습니다. 무어는 집적 회로에 집적할 수 있는 트랜지스터의 수가 18개월마다 약 2배씩 증가할 것이라는 가설을 세웠습니다. 1981년 1기가비트를 저장하는 데 드는 비용은 미화 30만 달러에 해당했습니다. 2004년에는 1달러에 불과했지만 2010년에는 0.10달러로 가격이 떨어졌습니다. 이제 클라우드 스토리지는 1기가바이트당 월 0.023달러에 대여할 수 있으며, 첫 1년은 무료로 제공됩니다.

의료 산업에서 빅데이터를 적용하는 것은 공공 의료 서비스, 정부, 제약 기업, 전 세계 의료비 납부자 등 그 대상에 관계없이 새로운 일이 아닙니다. 데이터는 디지털 및 비디지털 방식을 포함한 다양한 기술을 사용하여 지속적으로 수집되며, 여기에는 환자뿐만 아니라 환자의 행동, 역학 및 주변 환경에 관한 광범위한 정보가 포함됩니다. 데이터는 환자의 진단 및 치료, 거래 관련 기록 유지, 연구 수행, 규제 당국이 부과하는 요구 사항 충족, 프로세스 요구 사항 충족 등 다양한 목적으로 활용됩니다. 또한 데이터는 이러한 분야와 관련된 애플리케이션에서 사용하기 위한 명시적인 목적으로 생성 및 유지됩니다.

2024년 현재 환자의 전자 건강 기록(EHR)은 일반적으로 안전하고 개방적인 방식으로 온라인에서 사용할 수 없습니다. 전자 의료 기록이 더 널리 보급되고 있다고 해도 여전히 그렇습니다. 현재 수많은 조직이 탈중앙화된 네트워크 플랫폼을 개발하여 의료 데이터에 대한 액세스를 혁신적으로 개선할 블록체인에 이 데이터를 저장하는 목표를 향해 노력하고 있습니다. 이 목표는 현재 많은 조직이 현재 집중하고 있는 노력의 초점입니다.

스마트폰, 스마트워치 및 피트니스 트래커와 같은 웨어러블 기기, 홈 센서, 지능형 개인 비서, 소셜 네트워크는 환자와 의료 기관이 지역 내에서 사용하는 기술 유형의 몇 가지 예입니다. 이러한 정보는 풍부하고 쉽게 구할 수 있으며 정확성이 검증되었습니다. 반면

에 대다수의 의료 전문가들은 현재 이 정보를 사용하지 않고 있으며, 이는 다음과 같은 사실을 시사합니다:

- 환자 데이터의 생성은 기존 의료 시스템 외부에서 이루어집니다.
- 환자가 생성한 데이터는 보다 포괄적인 환자 기록 또는 건강 기록에 통합된 다음 그 맥락에서 평가되어야 합니다.
- 환자 데이터는 의료 지표를 넘어 행동 및 환경 건강, 전통적인 의료 지표와 같은 보다 총체적인 지표를 포함합니다.
- 의료 회사들이 아직 실현하지 못한 잠재적인 비용 절감 및 기회 이점이 상당하며, 이는 엄청난 미개척 시장을 나타냅니다.

최근 영국에서 진행된 한 캠페인에서는 소셜 미디어 해시태그 #facesofdiabetes와 #letstalk를 사용하여 영국 전역의 어린이 1형 당뇨병 발병률을 매핑할 수 있었습니다. 이 데이터는 어떤 방식, 형태, 형태로든 임상 데이터는 아니지만, 사용자 데이터의 잠재력과 실시간으로 해석할 수 있는 방법을 보여줍니다. 또한, 사용자 태도를 분석하고 다양한 종류의 게시물을 분류하는 머신러닝 기술을 사용하여 사용자에게 관련 지원을 제공했습니다.

소매업, 금융업, 에너지 산업은 모두 데이터 중심 산업으로 전환하는 과정에 있습니다. 이제 모든 개인과 기업은 건강 웨어러블과 모바일 헬스케어의 광범위한 보급 덕분에 끊임없이 증가하는 데이터 흐름을 활용할 수 있는 역량을 갖추게 되었습니다.

4. 데이터 양에 대처하기

회사에 빅데이터를 활용하려면 효과적이고 효율적인 스토리지가 매우 필요합니다. 가장 적합한 저장 방법을 선택하는 것은 다음과 같은 여러 요소에 따라 달라집니다:

- 접근 방식. 데이터 저장 비용은 필요한 저장 공간의 양에 비례하여 증가합니다. 따라서 특정 데이터를 수집해야 하는지 또는 데이터에 대한 포괄적인 접근 방식이 필요한지 여부를 결정하려면 프로젝트의 요구 사항과 규정을 고려해야 합니다. 저렴한 클라우드 스토리지 제공업체를 통해 캐치올 전략을 구현할 수 있습니다. 편의를 위해 데이터 과학 및 머신러닝 분야를 처음 접하는 사람은 검토할 중요한 데이터 메트릭의 표준 세트를 설정하는 것이 도움이 될 수 있습니다.
- 다양한 종류의 데이터. 저장할 데이터가 정형 데이터인지 비정형 데이터인지, 오디오 또는 비디오 콘텐츠, 텍스트, 사진

등 저장할 데이터의 유형에 대해 생각해 보세요. 텍스트와 비교할 때 음악, 비디오 또는 이미지를 저장하려면 더 많은 리소스가 필요합니다.

- 배포. 솔루션이 실행될 환경을 결정합니다. 온프레미스, 클라우드 또는 완전히 다른 사이트가 될 수 있습니다. 고려할 수 있는 몇 가지 배포 옵션은 다음과 같습니다:
- 가용성. 애플리케이션, 웹 인터페이스, 인트라넷 또는 기타 여러 잠재적 채널 중 하나를 통해 사용자가 솔루션에 액세스할 수 있는 수단을 설명합니다.
- 비즈니스 운영. 여기에는 시스템 자체의 아키텍처, 아카이빙, 복구, 이벤트 기록 및 법적 요구 사항과 더불어 데이터 자체의 구조가 포함됩니다.
- 향후 사용. 향후 더 많은 데이터 소스, 시스템 수정, 심지어 시스템의 새로운 용도에 대비하여 이에 적응할 수 있도록 준비해야 합니다.

이러한 시스템의 파편화된 특성은 역사적으로 빅데이터 도입에 따른 무기력의 원인으로 지목되어 왔습니다. 이는 데이터 세트의 흩어져 있는 특성 때문입니다. 빅데이터 분야는 이러한 관성으로 인해 진전을 이루지 못하고 있습니다.

5. 다양성

문자 V의 두 번째 해석은 수집된 데이터의 종류가 많다는 것을 암시합니다. 이는 다양한 유형의 데이터뿐만 아니라 다양한 유형의 데이터 원본과 사용 사례에도 해당됩니다. 스프레드시트와 데이터베이스를 사용하여 데이터를 저장하던 시절에는 그 시점에 도달했을 때만 해도 20년 동안 그렇게 해왔습니다. 오늘날과 같이 기술이 발전한 세상에서는 데이터가 다양한 파일 형식으로 보관될 수 있으며, 그 예로는 사진, 센서 데이터, 트윗, 암호화된 파일 등이 있습니다. 비정형 데이터의 형태가 매우 다양하기 때문에 데이터 저장, 데이터 마이닝 및 데이터 분석은 모두 이러한 현실로 인해 더욱 어려워지고 있습니다. 머신러닝을 통해 개인이 엄청난 이점을 얻을 수 있는 분야 중 하나가 바로 방금 논의한 분야입니다.

전문가들은 다음과 같은 형식의 데이터를 얻을 수 있습니다 - 1) 임상 기록 및 검사 결과를 포함하는 정형 데이터, 2) 커뮤니케이션 및 상호 작용에 관한 데이터를 포함하는 비정형 데이터, 3) 위에서 설명한 두 가지 형식을 하나의 문서에 모두 포함하는 반정형 데이터(예: 주석이 있는 엑스레이).

오늘날 서비스의 디지털화가 계속 증가하고 웨어러블과 사이버 물리 장치가 널리 사용됨에 따라 검색 및 분석을 위해 새롭게 발견되고 흥미로운 데이터 소스가 지속적으로 공급되고 있습니다. 이러한 추세는 당분간 계속될 것으로 예상됩니다. 따라서 센서, 의료 기록, 인구 통계, 커뮤니케이션 및 참여 기록, 청구 기록 등에서 얻은 데이터를 통해 새로운 위험 모델을 개발할 수 있습니다. 이러한 모델은 정확한 추정치를 제공할 수 있으므로 이를 사용하면 상당한 시간과 비용을 절약할 수 있습니다.

6. 사물 인터넷

네트워크에 연결된 스마트 기기와 센서의 종류가 점점 더 다양해지고 있으며, 이러한 기기에서 생성되는 데이터의 양이 더 많아지고 있습니다. 이러한 장치에서 생성되는 데이터의 양을 통칭하여 "사물 인터넷"이라고 합니다. 사물 인터넷은 IBM의 컴퓨터 과학자인 케빈 애쉬튼이 만든 용어입니다(그림 23). 이 정보는 한 장치 그룹에서 다른 장치 그룹으로, 또 다른 장치 그룹으로, 서비스 집합으로, 마지막으로 개인에게 전송됩니다. "의료 사물 인터넷" 또는 "산업 사물 인터넷"과 같은 문구를 접할 수도 있습니다. 이 두 용어는 모두 사물 인터넷이라는 포괄적인 개념에 포함되는 경제의 여러 부분과 관련이 있습니다. 경제의 이러한 부분을 업종이라고도 합니다.

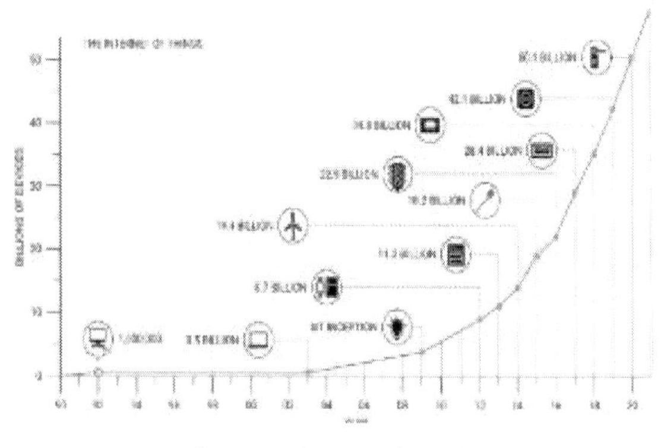

그림 2.3 사물 인터넷의 진화

심전도, 혈압 모니터, 혈당 모니터, 태아 모니터는 현대 의학에서 환자의 활력 징후를 추적하고 기록하는 데 사용되는 장비 중 일부에 불과합니다. 이러한 여러 지표를 추적하기 위해서는 의사와의 상담이 필요합니다. 이 과정은 다른 기기, 서비스 및 시스템과 통신하는 보다 지능적인 모니터링 장치의 도움으로 크게 개선될 수 있습니다. 이렇게 하면 직접적인 임상 개입의 필요성을 줄이고 대신 간호사의 전화 통화로 대체할 수 있습니다. 예를 들어, 스마트 기기의 가장 최근 개발 중 하나는 블루투스를 통해 데이터를 전송하여 약을 복용했는지 여부를 확인할 수 있는 약물 디스펜서의 도입입니다. 사용자가 처방대로 약을 복용하지 않은 것으로 확인되면 전화로 사용자와 대화를 시작하여 약 복용 일정을 지키도록 설명하고 촉구합니다. 사물 인터넷은 환자 치료를 향상시킬 수 있을 뿐만 아니라 의료 관련 비용을 절감할 수 있는 잠재력을 가진 다양한 옵션의 문을 열어줍니다.

"빅데이터"라는 용어는 기존 데이터 소스, 새로운 데이터 소스, 정형 데이터 및 비정형 데이터를 포함한 광범위한 데이터 유형을 의미합니다. 수집되는 데이터가 다양할수록 의료 산업에서 알고리즘과 머신러닝 기술을 적용하여 실현할 수 있는 잠재력이 커집니다.

다양한 유형의 소스 외에도 다음과 같은 유형의 다양성이 방대한 데이터 세트에서 발견될 수 있습니다:

- 텍스트, 숫자, 음악, 동영상, 사진 등 다양한 종류의 데이터.
- 사용자 요구 사항 및 사용 시나리오를 포함하는 기능.
- 데이터의 가치 - 데이터를 사용하여 무언가를 달성할 수 있는가? 이는 데이터의 활용과 관련하여 품질에 집중하는 것입니다. 데이터가 많다고 해서 항상 더 나은 데이터가 보장되는 것은 아닙니다.

데이터 소스, 값, 종류, 사용 사례가 매우 다양한 것처럼 데이터의 응용 분야도 매우 다양합니다. 웹, 모바일, SaaS(서비스형 소프트웨어), API(애플리케이션 프로그래밍 인터페이스) 등의 액세스 포인트와 사용자(일반적으로 사람 또는 컴퓨터)가 이 범주에 포함됩니다.

데이터의 다양성은 기하급수적으로 증가하고 있습니다. 새로운 사물인터넷(IoT) 의료 기기가 계속 등장함에 따라 관련 데이터 요소에서 노이즈를 구별하는 것이 중요해질 것입니다.

7. 레거시 데이터

프로젝트에서 컴퓨터나 기타 전자 매체에 저장되어 있거나 저장되어 있지 않은 레거시 데이터를 사용할 수도 있습니다. 자연어 처리 또는 분류를 목적으로 하는 디지털화 프로세스는 점점 더 많은 서비스를 통해 활성화되고 있습니다. 이해관계자가 레거시 데이터를 활용할 때 미사용 데이터에서 얻을 수 있는 인사이트는 극대화될 수 있습니다. 이 챕터의 후반부에서 우리는 '작은 데이터'라는 용어를 레거시 데이터를 지칭하는 데 사용할 것입니다. 기존 데이터라고도 하는 레거시 데이터는 '작은(=이 책에서는 빅데이터의 반대말로 사용)' 데이터로 정의할 수 있습니다.

일반적으로 과거 데이터는 파편화(부분적)되어 있고, 심지어 불완전합니다. 예를 들면, 10년 전에 생성된 항목의 상당수는 해당 이메일 주소나 유효한 전화번호를 가지고 있지 않습니다.

8. 속도

분석 및 시각화를 위해 데이터를 수집, 저장 및 처리하는 속도는 빅데이터의 세 번째 V의 주제이며, 이를 간단히 "속도"라고 합니다. 데이터가 생성되는 속도는 기본 컴퓨터 하드웨어 인프라에 새로운 요구 사항을 제시합니다.

기존 서버에 과부하가 걸리는 대용량 데이터의 양과 다양성을 신속하게 저장하고 처리할 수 있는 능력은 클라우드 컴퓨팅의 장점 중 하나입니다. 클라우드 컴퓨팅은 이러한 기능을 제공할 수 있었습니다. 클라우드 컴퓨팅은 스토리지 및 비용 측면에서 적응성이 뛰어나기 때문에 대규모 데이터 프로젝트에 권장되는 접근 방식입니다. 클라우드 서비스 제공업체는 대용량의 페타바이트 단위의 데이터를 저장할 수 있는 용량을 갖추고 있으며, 수요에 따라 필요한 서버 수를 실시간으로 조정할 수 있습니다. 더 큰 장점은 저렴한 비용으로 처리 능력을 확보할 수 있고 분산할 수 있다는 점입니다.

2010년 섬나라인 아이티를 강타한 지진의 여파로 치명적인 콜레라가 확산되는 것을 인지하고 추적하는 데 트위터의 데이터가 정확한 예측 방식을 제공한 사례가 있습니다. 이후 연구 결과에 따르면, 소셜 미디어 플랫폼은 콜레라의 진행을 감지하는 속도와 정확도 측면에서 통계적 기법에 기반한 공식적인 질병 확산 모니터링 기법을 능가했습니다. 빅데이터 시대에는 데이터가 실시간으로 생성되거나 또는 실시간에 가깝게 생성되는 경우가 많아졌습니다. 즉, AI 장치, 임베디드 센서 및 기타 장치의 보급으로 인해 데이터가 생성되는 순간에 MAC 주소와 인터넷 연결만 있으면 데이터 전송이 이루어질 수가 있습니다.

새로운 데이터가 생성되는 속도를 가늠하기는 어렵습니다. 최근 2년 동안 생성된 데이터의 양이 태초부터 그 시점까지 생성된 데이터의 양보다 많다는 것은 상식입니다. 실시간으로 생성되고 소비되는 엄청난 속도의 데이터는 기업에게 엄청난 장애물입니다. 이제 많은 IT 기업들은 이러한 한계점을 현명하게 극복해야 합니다.

웨어러블 기술과 센서의 사용이 임상 환경에서 보편화됨에 따라 다양한 영역(현장)에서 이러한 첨단 기술 적용도 증가할 것입니다(그림 2.4). 임상적 가치를 극대화하기 위해서는 다양한 종류의 데이터를 통합하는 것이 필수적입니다.

표 2.1 : 클라우드 컴퓨팅의 제공 사례

데이터 형식	예	특성
환자의 행동과 감정	소셜 미디어 스마트폰 웹 포럼	대부분의 데이터는 비구조적이거나 반구조적입니다. 데이터는 방대하며 실시간으로 학습, 참여, 이해의 기회를 제공합니다. 일반적으로 오픈 소스입니다.
환자 건강 데이터	센서 혈당 미터 스마트폰 피트니스 트래커 이미지	환자 소유입니다. 데이터는 일반적으로 장치 보고입니다. 일반적으로 스토리지 요구 사항이 낮습니다. 이미지 저장 요구 사항은 저장에 필요한 데이터에 따라 다릅니다. 센서 데이터는 고속입니다. 구조화된 데이터를 사용하면 분류 및 패턴 감지가 쉬워집니다. 일부 항목에는 디지털화가 필요할 수 있습니다.

(계속)

표 2.2 : 빅데이터 시대

데이터 유형 예		특성
제약 및 R&D 데이터	임상시험 데이터 모집단 데이터	제약회사, 연구, 학계, 정부가 보유하고 있는 인구 및 질병 데이터를 포함합니다.
웹상의 건강 데이터	환자 포털. 유용한 메타데이터. (Diabetes.co.uk) 일반적으로 임상 디지털 개입(예: 저탄수화물 프로그램, Gro 건강, 저혈압 프로그램)보다는 보고된 장치입니다.	
임상 데이터	ehr 본질적으로 구조화되어 있습니다. 환자 등록부 제공자 소유 의사 데이터 이미지(스캔 등)	
청구, 비용, 행정 데이터	청구 데이터는 본질적으로 구조화되어 있습니다. 비용 데이터에는 환급과 관련된 모든 데이터 세트가 포함됩니다.	
거래 데이터	건강 정보 유용한 데이터를 교환하려면 전처리가 필요할 수 있습니다.	

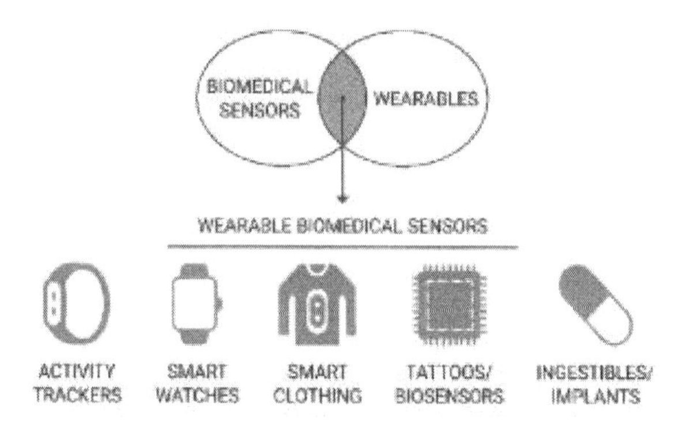

그림 2.4. 웨어러블 생체 의료 센서

기존의 세 가지 V는 데이터의 폭과 이러한 대규모 데이터베이스가 계속 성장하고 번성하는 놀라운 속도를 보여줍니다. 그럼에도 불구하고 데이터의 다양성은 빅데이터로 인한 복잡성과 과제의 표면을 긁어내는 시작에 불과합니다.

인터넷의 거물인 Google은 연관 검색어 분석을 통해 2009년 미국 전역의 신종플루 확산을 단 하루 만에 추적할 수 있었는데, 이는 미국 질병통제예방센터(CDC)보다 빠른 속도였습니다. 이는 지금까지 빅데이터의 힘을 가장 잘 보여준 사례로, 2009년 구글은 이를 입증한 바 있습니다. 지금까지 이 사례는 대용량 데이터의 잠재력을 가장 설득력 있게 보여줬습니다.

반면에 구글의 독감 트렌드는 2013년에 잘못된 예측을 내놓았고, 이로 인해 일부 사람들은 데이터의 유용성과 유효성에 대한 개념을 재고하도록 장려했습니다.

데이터의 가치와 신뢰성은 의료 분야의 의사 결정이 데이터를 기반으로 이루어지고 생명이 걸려 있으며 거래 데이터의 의미를 훨씬 뛰어넘는다는 사실로 인해 임상 환경에서 높은 위치를 차지하게 될 것입니다. 이는 트랜잭션 데이터의 영향력을 훨씬 뛰어넘는 것입니다.

9.가치

데이터의 가치는 데이터의 유용성에 따라 결정됩니다. 데이터의 정확성과 유용성을 확보하는 것은 데이터에 대한 사람들의 신뢰를 구축하는 데 필수적인 단계입니다. 의료 분야에서는 이를 평가하기 위해 정성적 분석과 정량적 분석을 모두 사용할 수 있습니다. 가치는 여러 가지 측면에 의해 결정될 수 있으며, 그 중 가장 중요한 것은 환자 결과 또는 행동 변화에 대한 임상적 영향, 환자 및 이해관계자의 참여, 프로세스 및 워크플로우에 미치는 영향, 수익 창출(비용 절감, 비용 혜택 등)입니다.

McKinsey는 미국에서 의료 비즈니스에 대한 빅데이터의 연간 잠재적 가치를 3,000억 달러로 추정합니다. 또한 유럽 공공 부문 행정에 대한 빅데이터의 잠재적 가치는 연간 2,500억 유로에 달할 것으로 추정됩니다. 또한, 2011년에 발표된 높은 평가를 받은 연구에서 전 세계적으로 개인 위치 데이터를 활용하여 달성할 수 있는 잠재적인 연간 소비자 잉여가 2020년까지 6,000억 달러에 달할 수 있다고 밝혔습니다. 데이터에 다양한 분석을 적용함으로써 데이터의 가치는 더욱 높아질 수 있습니다. 이러한 데이터 분석의 결과로 데이터를 정보로 바꾸고, 궁극적으로는 정보를 지식으로 전환하는 것이 가능해졌습니다. 가치 창출은 기업이 접근 가능한 데이터를 활용하고 정보 중심, 데이터 기반의 의사결정 프로세스로 전환하는 방식에 있습니다. 가치 창출은 우연히 발견되는 것보다는 만들어지는 것이 바람직합니다. 가장 중요한 것은 데이터를 올바르게 관리하여 사용자와 회사 모두에게 관련성이 있도록 하는 것입니다. 이것이 가장 중요합니다.

2013년에 독감 증상에 대한 사람들의 검색을 모니터링하는 데 있어서 Google은 훌륭한 성과를 거두었습니다. 하지만 독감 발병률 예측에 있어서는 그 결과를 신뢰할 수 없다는 것을 알 수 있는 방법이 없었습니다. 적어도 이 특정 사례에서는 Google 독감 트렌드가 예측에 적용할 수 있는 관련 결과를 제공하지 않았습니다. 설상가상으로 Google은 실제 독감 사례가 검색 분포 및 빈도와 일치하지 않는다는 사실을 전혀 알지 못했고, 그 결과 문제를 해결하기 위한 어떠한 조치도 취할 수 없었습니다. 이 실험의 범위를 확대했다면 소셜 미디어에 게시된 게시물을 분석하여 독감의 활동 수준을 추정하는 데 더 많은 도움이 되었을 것입니다. 소셜 미디어 플랫폼과 다른 형태의 비정형 데이터에서 수집할 수 있는 정보는 방대하지만 제대로 활용되지 않는 경우가 많습니다. 명확하고 유용한 투자 수익률이 있는 작업에는 제2형 당뇨병 위험군 식별, 심방세동 (AFIB) 예측, 환자의 건강 회복 지원, 환자에게 가장 최근의 근거 기반 의료 요법 제공 등이 포함됩니다.

10. 진실성

정보가 아무리 많아도 가치가 없는 정보는 결코 유용하지 않습니다. "진실성"이라는 용어는 데이터의 진실성뿐만 아니라 데이터의 편향, 노이즈 및 이상과 관련하여 데이터가 최적의 품질인지 여부와 데이터 적용의 맥락에서 적합한지에 대한 문제와 관련이 있습니다.

- 데이터의 신뢰성은 다음과 같은 다양한 상황에 의해 영향을 받을 수 있습니다:
- **데이터 입력.** 정보를 올바르게 입력했나요? 실수나 오류가 발생했는가? 입력한 데이터에 대해 감사할 수 있는 기록이 있는가?
- **데이터 관리.** 데이터가 시스템을 통해 이동하는 동안 데이터가 손상되지 않을 것이라는 보장이 있는가?
- **통합의 품질.** 데이터가 적절하게 참조되고 주석이 달렸으며 고유한 정체성을 가지고 있는가?
- **유효성.** 데이터가 사용 가능한 상태인가요? 현재 적용 가능하고

적절한가?

- **사용.** 사용 가능한 형식을 사용하여 데이터를 실행에 옮길 수 있는가? 데이터가 조직의 목표를 달성하는 데 도움이 되는가? 이러한 데이터를 사용하는 것이 도덕적으로 허용되는가?

프로젝트에 활용하려는 데이터의 신뢰성은 신뢰할 수 있는 데이터를 정의하는 6가지 기준을 통해 평가할 수 있습니다. 데이터 세트가 깨끗하고, 포괄적이며, 최신이고, 일관되고, 규정을 준수하는지 확인하는 것이 중요합니다.

- **명확한 데이터.** 중복 제거, 표준화, 검증, 매칭, 처리 등 고품질 데이터 품질 프로세스의 구현은 이 결과를 완성하는 데 필수적이었으며, 이러한 절차 덕분에 실현 가능했습니다. 이러한 방법들이 실행에 옮겨졌습니다. 어떤 방식으로든 오염되지 않은 데이터에 액세스할 수 있다면 어떤 방식으로든 손상되지 않은 정보를 기반으로 유효한 결론을 도출할 수 있습니다. 정보를 정확하게 캡처하고 보고하는 것은 고객의 신뢰를 되찾기 위해 반드시 극복해야 하는 가장 중요한 장애물입니다.
- **완전한 데이터.** 이는 중앙 집중식 데이터 인프라, 기술 및 절차를 통해 정확하고 신뢰할 수 있는 판단을 내릴 수 있기 때문입니다.

- **최신 데이터.** 오래된 데이터의 활용과 달리 최신 데이터의 활용은 때때로 신뢰성이 향상되었다는 신호로 받아들여지기도 합니다. 다음으로 답해야 할 문제는 데이터가 더 이상 최신 데이터로 간주되지 않는 시점이 언제인지에 대한 것이며, 이에 대한 적절한 답변이 제공되어야 합니다. 더 최신의 정확한 데이터가 실시간으로 수집될수록 노이즈에서 신호(원하는 결과)를 분리하는 과정이 더 어려워질 수 있습니다. 최신 데이터가 많을수록 노이즈가 더 정확해지기 때문입니다.

- **일관된 데이터.** 세부 사항을 신뢰할 수 있는 것으로 무시해서는 안 됩니다(따라서 기계 가독성을 가능하게 함). 이는 서로 다른 컴퓨터 시스템이 효율적인 방식으로 함께 작동할 수 있도록 하는 중요한 단계이며 메타데이터에도 적용됩니다.
- **규정 준수 데이터.** 규정 준수 의무는 이해관계자, 고객, 법적 규정 등 매우 다양한 출처에서 비롯될 수 있으며, 심지어 새로운 정책 채택의 직접적인 결과로 발생할 수도 있습니다. 상당한 수의 데이터 인프라와 표준이 존재함에도 불구하고, 데이터 과학 분야는 거버넌스와 규제를 수립해야 하는 최초의 도전에 직면하고 있습니다. 내부 및 외부의 다양한 이해관계자가 규정 준수와 관련된 사항에 대해 서로 다른 이해를 가질 위험이 있습니다.

데이터가 품질, 보안 및 개인정보 보호 프로세스에 부합하는지 확인하기 위해 내부 표준이 구현될 것입니다. 이러한 지침은 조만간 시행될 예정입니다. 관련된 모든 당사자가 만족할 수 있도록 문제를 처리하려면 해당 문제에 기득권을 가진 사람들이 문제의 데이터가 모든 관련 내부 및 외부 규칙에 따라 액세스 및 배포되었다는 믿음을 가져야 합니다. 대부분의 경우 기업 및 기타 유형의 조직은 수집한 데이터와 정보를 관리하기 위해 관리위원회라는 조직을 두고 있습니다.

여섯 번째이자 마지막 'C'는 '협업 데이터'로, 데이터 관리와 비즈니스 관리의 목표가 서로 일치하도록 데이터에 대해 함께 작업하는 것을 말합니다. 즉, C는 데이터 자체보다는 데이터와 함께 사용되는 전략과 더 관련이 있습니다.

대다수의 사람들이 임상 데이터는 완전히 정확해야 한다고 생각하지만, 입력되는 데이터의 유형이 다양하기 때문에 실제 환경에서 임상 치료의 표준에 도달하기는 어렵습니다. 이는 입력되는 데이터의 유형이 여러 가지라는 사실에도 불구하고 마찬가지입니다. 데이터 품질을 보장하는 것은 효율적이고 비용 효율적인 방식으로 수행하기에는 너무 어려운 일로 여겨질 수 있습니다.

이것이 우리가 달성하고자 하는 두 가지 목표입니다. 이러한 상황에서는 스마트 시스템이 직접 볼 수 없는 매개변수의 값에 대해 지능적으로 가설을 세우는 방법을 학습하도록 지시하는 것이 유용할 수 있습니다. 정보에 입각한 예측을 하는 방법을 학습하는 데 필요한 지침을 시스템에 제공함으로써 이 목표를 달성할 수 있습니다. 전체 모집단 분석을 가능하게 하는 풍부한 모델의 구축과 검증을 위해 적절한 훈련 샘플을 확보하는 프로세스는 '정확도'라는 단어의 또 다른 용어로, 프로세스 자체를 지칭할 수도 있습니다. 정확도는 리치 모델의 구축 및 검증에 적절한 훈련 샘플을 사용할 수 있는지 확인하는 프로세스를 의미합니다.

정확성은 결과가 정확하다는 것을 보장하기 위해 데이터에 대해 수행된 분석에 사용될 수 있는 개념입니다. 데이터 자체도 신뢰할 수 있어야 할 뿐만 아니라 데이터를 이해하는 데 사용되는 알고리즘과 시스템도 신뢰할 수 있어야 합니다.

탄탄한 데이터 과학이 없다면, 데이터 입력이라는 절차는 보고되지 않는 잠재적으로 위험한 프로세스가 될 수 있습니다. 이는 종종 사람에 의해 발생하는 문제입니다. 즉, 제한된 데이터 환경에서도 인간은 실수를 할 수 있습니다. 데이터가 임상적 관련성을 가지려면 가능한 한 높은 정확성을 가져야 합니다. 데이터에 머신러닝을 사용하면 데이터의 품질이 높아짐에 따라 더욱 신뢰할 수 있는 결론을 도출할 수 있습니다.

11. 유효성

빅데이터의 진실성 문제와 같은 맥락에서 데이터 유효성 문제도 있는데, 이는 데이터가 해당 애플리케이션에 적절하고 적합한지 여부에 대한 문제를 말합니다. 임상 응용 분야에서 유효성은 유용하고 적절한 데이터만 사용되도록 보장하는 데 도움이 되므로 가장 중요한 V라고 할 수 있습니다. 데이터의 진실성 또는 정확성은 변경할 수 없지만 유효성은 데이터가 분석되는 맥락에 따라 달라집니다.

12. 가변성

빅데이터는 가변적입니다. 데이터의 의미가 일관성 있게 변화할 때 우리는 가변적이라고 정의합니다. SNS 빅데이터를 이용해서 자연어(NLP) 처리를 이용한 감성 연구를 할 때 가변성은 고려해야 할 매우 중요한 요소입니다. 예를 들면, 일련의 트윗에서 사용된 동일한 용어가 문맥에 따라서는 완전히 다른 의미를 가질 수도 있습니다.

가변성과 다양성은 종종 서로 혼동되기도 합니다. 예를 들어 꽃집에서 다섯 가지 종류의 장미를 판매한다고 가정해 보겠습니다. 이는 종류 면에서 다양한 것입니다. 그런데 2주 연속으로 매일 같은 꽃집에 가서 매일 같은 종류의 흰 장미를 산다면 그 날마다 모양과 향기가 조금씩 다를 수 있습니다. 이것이 바로 가변성의 예입니다.

알고리즘이 정확한 감성 분석을 수행하기 위해서는 분석하는 텍스트의 문맥을 이해하고 특정 문맥에 놓인 단어의 정확한 의미를 해석할 수 있어야 합니다. 자연어 처리 기능이 많이 발전했음에도 불구하고 이는 여전히 매우 어려운 과업입니다.

13. 시각화

7V의 마지막은 시각화로, 대량의 데이터를 읽기 쉽고, 이해하기 쉽고, 실행이 가능하도록 만들기 위해 수행해야 하는 분석 및 시각화를 말합니다. '시각화'라는 용어가 특별히 복잡해 보이지는 않지만, 복잡한 통계를 시각적으로 단순히 표현하는 것은 현장 전문가의 이해를 돕기 위해서 데이터 과학자가 갖추어야 할 필수적인 능력입니다.

14. 작은 데이터

소규모 데이터(또는 작은 데이터)는 빅데이터와 직접적인 대조를 이

롭니다. 반면에 작은 데이터는 데이터의 양과 구조로 인해 쉽게 사용할 수 있을 뿐만 아니라 유용하고 실행 가능한 정보를 말합니다. 이는 분산되어 있고 다양하며 실시간으로 제공되는 빅데이터와는 대조적입니다. 소규모 데이터에는 환자의 의료 기록, 처방전 데이터, 생체 측정, 스캔 결과, 인터넷 검색 기록 등이 포함됩니다. Google이나 Amazon과 같은 다른 조직과 서비스에서 수집하는 빅데이터의 양에 비하면 훨씬 적은 양입니다.

작은 데이터의 분석 분야는 최근 빅데이터의 광범위한 사용과 함께 분석에 대한 수요가 증가함에 따라 급속도로 발전하고 있습니다. 데이터 과학자는 전통적인 데이터 기법과 함께 머신러닝과 같은 보다 최신의 방법을 출발점으로 삼는 연습을 게을리하지 않는 것이 중요합니다. 다시 말하자면, 우수한 데이터 과학자는 작은 데이터와 빅데이터를 모두 다룰 수 있는 전문가 입니다. 중요한 것은 데이터의 양이 아니라 데이터에서 수행되는 분석입니다.

15. 메타데이터

메타데이터는 기존 데이터 외에 추가된 또 다른 데이터를 설명하는 데이터로, 보다 구체적으로는 각 자산 또는 개별 데이터에 대한 설명을 제공하는 데이터입니다. 메타데이터는 다른 데이터에 대한 컨

텍스트를 제공하는 데이터로 생각할 수도 있습니다. 메타데이터는 단일 파일에 대한 광범위한 정보를 제공할 수 있기 때문에 각 기관(현장)에서는 메타데이터가 지원하는 데이터뿐만 아니라 메타데이터 자체에서도 패턴과 추세를 식별할 수 있습니다. 이는 현장에서 고객에게 더 나은 서비스를 제공하는 데 도움이 됩니다.

파일의 메타데이터는 파일의 원본, 날짜, 시간, 형식에 대한 정보로 구성되며, 메모나 주석도 포함될 수 있습니다. 예를 들면, 여러분들은 CT나 MRI 등의 이미지 데이터에 추가적으로 제시되어 있는 환자의 개인정보 데이터를 떠올리면 메터데이터에 대해서 쉽게 이해할 수 있습니다. 메타데이터에는 파일 유형에 대한 정보도 포함될 수 있습니다. 정보가 컬렉션의 다른 정보와 일관된 분류 체계에 따라 올바르게 라벨링, 태그 지정, 저장, 보관되도록 하려면 전략적 정보 관리에 자원, 특히 시간을 투자하는 것이 필수적입니다. 이는 전략적 정보 관리에 투자함으로써 달성할 수 있습니다. 이렇게 하면 적시에 정보를 통합하는 것이 더 쉬워질 뿐만 아니라 데이터 관리에 대한 일관된 접근 방식을 유지하는 데도 도움이 됩니다. 또한 파일을 쉽게 검색, 복구하고 커뮤니티의 다른 사람들과 공유할 수 있도록 보장합니다.

빅데이터가 빠르게 확산되면서 의료 현장에서는 메타데이터의 중요성이 가려졌습니다. 반면에 빅데이터는 항상 방대한 메타데이터를 생성하며, 이를 통해 기업은 지식을 축적하고 가치를 극대화할 수 있습니다. 예를 들어, 구글과 페이스북은 오픈 그래프와 같은 분류 언어를 사용하여 보다 체계적이고 고객에게 보다 상세하고 포괄적인 정보를 쉽게 제공할 수 있는 웹 개발에 기여하고 있습니다. 결과적으로 고객에게 매력적인 결과를 제공하여 클릭을 통해 구매로 이어질 가능성을 높입니다.

데이터를 기반으로 하는 모든 노력은 메타데이터의 통합을 통해 상당한 이점을 얻을 수 있습니다. 예를 들어, 머신러닝 시스템은 실제 음악 자체가 아닌 특정 음악과 관련된 메타데이터를 기반으로 개인의 맞춤형 음악을 추천할 수 있습니다. 이렇게 하면 시스템이 원래 설계된 작업을 신속하게 수행할 수 있습니다. 관련 결과의 메타데이터에는 앨범의 장르, 아티스트, 노래 제목, 발매 연도 등 음악의 여러 측면에 대한 정보가 포함될 수 있습니다.

2.6 의료 데이터-소규모 및 대규모 사용 사례

의료 비즈니스에 관련된 많은 전문가들은 자신들을 둘러싼 대량의 데이터의 가치를 잘 알고 있습니다. 이러한 데이터에는 환자가 제공하는 정보, 전문가가 제공하는 정보, 거래에서 제공되는 정보가 포함됩니다. 가치를 창출하고 KPI(핵심 성과 지표)를 충족하는 방법에 대한 확실한 이해가 절대적으로 필요합니다. 다음 예시에서 설명하는 의료 데이터의 활용은 흥미로운 사례 중 일부입니다.

2.6.1 대기 시간 예측

프랑스 파리시에서는 파리 공공병원(Assistance Publique Hôpitaux de Paris, AP-HP)을 구성하는 4개 병원이 인텔과 협력하여 내부 및 외부 출처의 데이터를 사용하여 시설에 입원할 것으로 예상되는 환자 수를 일별 및 시간별로 예측했습니다. 이 데이터에는 10년 전의 병원 입원 기록이 포함되어 있었습니다. 다양한 날짜의 입원율에 대한 예측을 생성하기 위해 연구자들은 시계열 분석 분야의 방법을 활용했습니다. 이러한 통계는 모든 수술실과 클리닉에 제공되었으며, 데이터를 활용하여 효율성을 높이고 이해관계자의 역량을 강화할 수 있는 즉각적인 접근 방식을 보여주었습니다.

전 세계 대부분의 병원이 동일한 데이터에 액세스할 수 있는 것은 아니지만, 의료 업계는 이러한 빅데이터 활용의 가능성을 인식하고 있는 것은 분명합니다.

2.6.2 재입원 감소

대기 시간을 줄이는 데 사용되는 것과 동일한 전략을 병원의 불필요한 지출을 통제(관리)하는 데에도 활용할 수 있습니다. 데이터 과학자들은 데이터 분석을 통해 병력, 인구 통계, 행동 데이터를 기반으로 위험에 처한 것으로 간주되는 환자 그룹을 식별할 수 있습니다. 이를 통해 재입원율을 낮추기 위해 필수적인 치료를 제공하는 데 활용할 수 있습니다. 예를들면, 미국 UT 사우스웨스턴 병원에서는 EHR 분석을 통해 위험 환자를 식별하는 데 성공하여 심장병 환자의 재입원율을 26.2%에서 21.2%로 낮춘 사례가 있습니다.

2.6.3 예측 분석

앞서 살펴본 예는 정적 데이터(즉, 실시간으로 수집되지 않는 데이터)를 사용하면서도 대기 시간과 재입원 간격을 예측하는 데 있어 상당히 정확할 수 있었습니다. 데이터를 평가하는 동일한 아이디어가 질병 예측과 의료 서비스 민주화를 위해 대규모로 활용될 수 있습니다. 옵텀 랩스는 미국 내 3,000만 명 이상의 환자의 전자 건강기록(EHR)을 포함한 데이터베이스를 구축했습니다. 이 정보는 잠재적으로 예측 분석 도구에 활용되어 환자에게 제공되는 의료 서비스의 질을 향상시킬 수 있었습니다.

이 프로젝트의 목적은 의료 전문가가 어디에 있든 환자에게 제공하는 의료 서비스의 질을 개선하기 위해 데이터에 기반한 교육을 받고 의사 결정을 내릴 수 있도록 하는 것입니다. 3,000만 개의 건강 데이터가 제공하는 견고함을 바탕으로 특정 질병(ex. 고혈압, 제2형 당뇨병, 관상동맥 심장 질환, 대사증후군)에 대해 예상되는 위험 패턴을 충족하는 사람을 발견하기 위한 모델을 개발하고 검증할 수 있습니다. 의료 서비스 제공자는 연령, 사회 및 경제 인구 통계, 체력 및 기타 건강 지표와 같은 환자 데이터를 분석하여 개인 및 인구 수준에서 치료를 개선할 수 있습니다. 이를 통해 위험을 보다 정확하게 예측할 수 있을 뿐만 아니라 환자에게 최상의 결과를 가져다주는 치료법을 제공할 수 있습니다.

2.6.4 전자 건강 기록

현재까지 모든 의료기관에서 전자 건강 기록(EMR)이 표준화된(의도한) 형태로 완벽하게 구축된 것은 아닙니다. 모든 환자는 환자의 특성, 인구 통계, 병력, 알레르기, 임상 결과 등과 같은 정보를 자세히 설명하는 디지털 건강 기록을 가지고 있습니다. 이러한 기록은 환자와 의료 서비스 제공자 모두 액세스할 수 있습니다. 원칙적으로 이것은 매우 간단한 아이디어입니다. 환자의 허락을 받아 안전한 컴퓨터 네트워크를 사용하여 환자의 기록을 다른 의료 전문가와 교환할 수 있으며, 이러한 기록은 공공 및 민간 부문에서 일하는 의료 전문가가 액세스할 수 있습니다. 각 기록은 편집 가능한 별도의 파일이기 때문에 의료진은 데이터 중복이나 불일치의 위험 없이 시간이 지남에 따라 변경할 수 있습니다. 이는 각 기록이 단일 파일로 구성되어 있기 때문에 가능합니다.

이처럼 전자 건강 기록은 단순한 과정처럼 생각되지만, 실제로는 표준화된 전자 건강 기록을 전국적으로 구현하는 것은 쉽지 않은 일임이 입증되고 있습니다. HITECH에서 실시한 연구에 따르면 미국 병원의 94%에 달하는 병원이 전자 건강 기록(EHR)을 사용하고 있습니다. 유럽은 아직 갈 길이 더 멉니다. 유럽 위원회는 2020년까지 유럽 전역에 통합된 의료 기록 시스템을 개발한다는 목표를 세웠습니다.

미국의 의료 서비스 제공업체인 카이저 퍼머넌트는 EHR에 더 쉽게 액세스하고 모든 사이트에서 데이터를 교환할 수 있는 시스템을 구축했습니다. 맥킨지의 연구에 따르면, 검사를 위해 병원이나 실험실에 가야 하는 환자 수가 줄어들어 약 10억 달러의 비용을 절감할 수 있었다고 합니다. 데이터 교환 방식은 심혈관 질환의 치료 결과를 개선하는 데도 기여했습니다.

EHR은 데이터 액세스의 탈중앙화 및 공유를 목표로 하는 시스템인 블록체인으로 진화하고 있습니다.

2.6.5 가치 기반 치료/참여

오늘날의 의료 시스템에서 환자는 더 이상 치료의 수혜자로만 여겨지지 않습니다. 환자들은 의료 시스템에서 자신의 진료, 치료 및 관리 전반에 대한 의사 결정에 적극적으로 참여해야 하는 요구가 점점 더 커지고 있습니다. 오늘날에는 디지털 도구를 사용하여 환자의 참여를 유도할 수 있습니다. 우리는 환자 참여라는 용어가 환자가 따라갈 수 있는 경로(여정)를 의미하는 환자 경험과 동일한 의미가 아니라는 점을 명심하는 것이 중요합니다.

다수의 의료기관에서 재정적 요인의 영향으로 이미 만족스러운 양질의 서비스를 제공하기 위해 각 환자와 최선의 상호 작용을 권장하는 의료 서비스 관행이 증가하고 있습니다. 환자 참여에 대한 열망과 가치 기반 치료로의 전환은 데이터 기반 솔루션 개발을 주도하는 가장 중요한 두 가지 요소입니다. 환자의 참여도가 높아지면 환자, 의료 서비스 제공자, 청구서 납부자 간의 신뢰가 증진됩니다. 또한 의료 서비스 제공자에게는 비용 절감(또는 기타 이점)과 함께 향상된 건강 결과를 가져다줍니다.

건강 보험 분야의 혁신적인 이니셔티브는 보험료와 좋은 행동의 결합을 통해 더 나은 건강 결과를 얻으려는 환자들의 참여를 유도할 수 있습니다. 영국 워릭에 본사를 둔 Diabetes Digital Media는 의료 분야의 선구자로, 현재 글로벌 보험사 및 의료 기관과 협력하여 확장 가능한 디지털 건강 솔루션을 개발하고 있습니다. 이러한 솔루션을 통해 사람들은 건강과 전반적인 웰빙을 모두 개선할 수 있습니다. 또 다른 예로 캘리포니아 블루쉴드는 근거에 기반하고 개별화된 치료를 제공하기 위해 의료 전문가, 병원, 의료 보험을 환자의 보다 포괄적인 건강 데이터에 연결하는 통합 시스템을 구축하여 환자 치료 결과를 개선하는 것을 목표로 하고 있습니다. 이러한 가치 기반 참여의 목표는 질병 예방 및 치료 분야의 성과를 개선하는 데 기여하는 것입니다.

2.7 헬스케어 IoT-실시간 알림, 경고, 자동화

수백만 명의 개인이 자신의 삶을 데이터화하고 정량화된(측정할 수 있는) 개념에 더 가까이 다가갈 수 있는 기술을 활용하고 있습니다. 예를 들면, 체중계, 심박수, 움직임, 수면을 측정하는 활동 모니터(예: Fitbit, Apple Watch, Microsoft Band), 혈당 측정기 등이 현재 인터넷에 연결된 기기의 대표적인 예입니다. 이러한 기기는 모두 실시간으로 지표를 전송하고 사용자의 행동을 실시간으로 추적합니다. 심지어 최초의 태아 심장박동 웨어러블 기기도 2018년 초에 출시되었습니다. 수신된 생체 인식에 따라 캡처된 데이터는 질병의 존재 여부를 판단하고 의료 전문가에게 알리거나 응급 서비스에 연락하는 데 사용될 수 있습니다. 맥박과 이동성을 측정하는 것 외에도 땀, 산화 정도, 혈당, 심지어 니코틴 소비량까지 모니터링할 수 있는 통합형 디바이스도 많이 등장하고 있습니다.

혁신적인 과제를 해결하려면 혁신적인 접근 방식이 필요하며, 이는 복잡한 기기에서 찾을 수 있습니다. 예를 들어, 최근 몇 년 동안 심박수 모니터링이 저렴해지고 널리 보급됨에 따라 심방세동과 같은 질환을 이전보다 훨씬 더 쉽고 빠르게 인식할 수 있게 되었습니다. 분당 60~80회 대신 분당 300회 이상의 속도로 발생하는 심장의 두근거림은 심방세동의 징후일 수 있습니다. 이 질환을 진단받은 사람은 치매에 걸릴 위험이 33% 증가하며, 환자의 70% 이상이 뇌졸중으로 인해 사망합니다. 항응고제와 혈액 희석제는 최대 80%의 치료 효과가 있으며, 종종 치료에 필요한 모든 것이기도 합니다.

의료 업계는 환자들이 생성하는 방대한 데이터 스트림을 활용하고 우려스러운 결과가 나올 경우 적절하게 대응하기 위해 더욱 발전된 툴킷(Tool)을 개발하는 데 박차를 가하고 있습니다. 기존 디지털 조직과 새로운 디지털 벤처가 의료비 납부자와 협력하여 이러한 수용을 촉진하고 있습니다. 예를들면, 캘리포니아 어바인 대학의 혁신적인 이니셔티브에서는 심장병 진단을 받은 환자에게 무선 체중계를 집으로 가져가서 정기적으로 체중을 모니터링할 수 있는 기회를 제공했습니다. 이 사례에서 예측 분석 알고리즘은 유해한 체중 증가 임계값을 계산하여 응급 상황에서 환자를 재입원시키기 전에 임상의에게 선제적으로 환자를 방문하도록 조언하는데 공헌했습니다. 중요한 점은 건강에 좋지 않은 결과를 초래할 위험이 가장 높은 대상(즉, 고위험군)이 반드시 이러한 연결된 의료 기기에 의해 좌우되는 것은 아니라는 점입니다. 많은 무작위 임상시험의 결과에서 알

수 있듯이 Fitbits를 착용한 사람들은 운동을 더 많이 하지만, 체중 감량과 체력 향상을 보장하는 데 필요한 만큼의 양은 아닙니다. 클리블랜드 클리닉에서 2016년에 실시한 연구 결과에 따르면 현재 시판 중인 4개 브랜드의 심박수 모니터는 10~20% 정도 부정확한 수치를 제공하는 것으로 밝혀졌습니다. 이 사실은 기술의 정밀도를 개선할 수 있는 잠재력이 여전히 존재한다는 사실을 보여줍니다. 이러한 장치가 예측 모델의 잠재력을 제공하더라도 대상자들이 일정 기간 이러한 예측 모델을 사용 후에 더 이상 기기를 사용하지 않는 것을 의미하는 평균 포기율이 30%를 초과하였다는 결과도 주목할 만합니다.

또 다른 흥미로운 사례는 현재 상호작용의 주요 채널인 소프트웨어 프로그램을 통해 장기적인 행동 수정 및 사용을 위한 행동 변화 심리학을 도입할 수 있다는 점입니다. 소프트웨어 프로그램은 가젯과 사물 인터넷(IoT)의 상단에 있는 지능형 계층으로 기능합니다. 이러한 기기 사용자에게 건강 보험 또는 생명 보험 할인과 같은 실질적인 인센티브를 제공한다면, 다양한 만성 생활 습관병 예방을 촉진할 수 있습니다. 예를 들어, IOT 웨어러블을 착용해서 건강 행위를 측정하고, 건강 습관을 더 열심히 하는 대상자에게 제도적으로 의료보험을 감면하는 프로그램을 적용할 수 있습니다.

실시간 알림은 또한 환자에게 처방된 약물로 인해 유발될 수 있는 예기치 않은 영향(즉, 부작용 등)에 대해 알려주는 데 사용될 수 있으며, 이는 전자 의료 기록(EMR)을 사용하여 달성할 수 있습니다. 환자는 해당 서비스를 제공하는 회사에 먼저 등록하지 않는 한 현재로서는 어떤 종류의 알림도 받지 못합니다. 의료진이 공개 피드를 활용하는 것은 환자에게 발생할 수 있는 잠재적 부작용을 알린다는 목표를 달성하기 위해 활용할 수 있는 좋은 방법이 될 수 있습니다. 참여 유형으로는 이메일이나 문자 메시지가 적절할 수 있으며, 필요한 양의 교육을 제공하는 동시에 임상의와 보내는 총 시간을 줄일 수 있습니다. 또한 EHR은 환자가 새로운 혈액 검사를 받아야 하는 시점에 대한 주의 사항, 경고 및 알림을 생성할 수 있습니다. 이러한 알림은 환자가 적시에 필요한 치료를 받을 수 있도록 하는 데 도움을 줄 수 있습니다. 또한 전자 의료 기록은 처방전을 모니터링하여 환자가 권장 치료 프로토콜을 준수하고 있는지 여부도 확인할 수 있습니다.

2.8 근거 기반 의학을 향한 움직임

가능한 한 가장 유리한 결과를 얻기 위해 확립된 과학적 근거에 기인하여 의료 서비스를 제공하는 것을 "근거 기반 의학"이라고 정의합니다. 임상시험은 매우 작은 규모로 수행되며, 내부 유효성 기준(즉, 지정된 조건 이외의 다른 조건이나 우려 사항이 없는)을 준수하면서 비교적 적은 인원을 대상으로 새로운 치료법을 테스트하는 것을 수반합니다. 이러한 연구의 목적은 치료법이 얼마나 효과적인

지 평가하고 부정적인 영향이 있는지 여부를 파악하는 것입니다.

또한 오늘날에는 환자 데이터 모델을 개발하기 위해 개별적으로 분석하고 인구집단 전체에 걸쳐 집계하여 질병의 유병률, 치료, 환자 참여도 및 결과에 대한 더 큰 인사이트를 도출할 수 있는 데이터를 의미하는 '실제 세계 증거'가 증가하고 있습니다. 이러한 '실제 세계 증거' 또는 데이터의 증가는 최근 몇 년 동안 일어난 데이터화의 확장과 정확히 비례합니다. 이 기술은 의료 전달 시스템을 더욱 민주적으로 만들 뿐만 아니라 제공되는 치료, 과정의 투명성, 결과 및 총 가치를 개선합니다.

의료전문가들이 유사한 특성을 가진 환자 그룹에 대한 데이터를 사용할 수 있다면 이러한 특성을 공유하는 개인이 따랐던 치료 요법을 파악할 수 있습니다. 따라서 특정 치료에 대한 다른 사람들의 반응을 바탕으로 가장 효과적인 치료 계획을 제공할 수 있습니다. 권장 치료 계획은 환자에게 가장 유용할 것이며, 환자와 의료 전문가 모두 앞으로 따르는 것이 가장 유리한 치료 계획인 이유를 이해할 수 있을 것입니다. 이는 단순히 인구 통계와 치료법을 파악하는 것을 넘어 예측 분석에 뿌리를 두고 있습니다.

만약 여러분들이 임상 환자 기록과 실시간 개인 환자 건강 데이터를 포함한 실제 환자 데이터를 마이닝하면 특정 개인에게 가장 효과적인 치료 요법에 대해 알 수 있습니다. 또한 이러한 정보를 질병의 빈도, 치료 경로 및 결과에 대한 인구통계 및 건강 데이터와 병합하여 근거 기반 의학의 정점인 정밀 의료를 지원할 수도 있습니다.

실제 환자 데이터와 임상 데이터가 게놈(유전자 데이터)에 연결되면 개별 환자뿐만 아니라 전체 커뮤니티의 특정 유전적 구성에 맞게 맞춤화하는 것이 가능해집니다. 다음은 이를 위한 몇 가지 가능한 맞춤형 정밀의학 예측 모델 구성의 예시입니다.

- 의약품 처방
- 원치 않는 부작용 및 대응
- 질병 예방을 위한 전략
- 향후 질병 발병 위험 가능성

2.9 공중 보건

여러분들이 빅데이터 중심의 분석 전략을 효율적으로 사용하게 된다면 여러분들은 질병 동향과 발병에 대한 데이터를 분석하여 공중 보건을 개선하는 데 상당한 발전을 이룰 수 있습니다. 빅데이터는 요구 사항, 필요한 치료 또는 서비스를 평가하는 데 도움이 될 수 있으며, 국민의 이익을 위해 미래의 문제를 예측하고 예방할 수도 있습니다. 환자 위치를 매핑하면 인플루엔자와 같은 전염병이 한 지역 내에서 확산될 수 있다는 것을 예측할 수 있습니다. 만약, 그렇게 된다면, 여러분들은 환자 대응, 예방 접종, 치료 제공에 대한 전략을 훨씬 더 간단하게 수립할 수 있습니다.

실제로 서아프리카에서 휴대폰의 위치 데이터는 인구 증가를 추적하는 데 매우 유용했으며, 그 결과 에볼라 바이러스가 지역 전체에 얼마나 확산될지 예측하는 데 기여했습니다.

스웨덴 카롤린스카 연구소와 미국 컬럼비아 대학교의 연구진은 2010년 아이티 지진 발생 후 디지셀 아이티 네트워크에 연결된 200만 대의 휴대폰 통화 기록을 조사했습니다. 이 사례에서 휴대폰 전화의 사용 데이터는 UN이 구호 자원을 보다 효율적으로 분배하고 사람들의 움직임을 더 잘 파악할 수 있도록 활용되었습니다. 또한, 이 데이터의 분석을 통해서 전문가들은 각 개인이 어디에 있는지 더 잘 파악할 수 있었을 뿐만 아니라 콜레라가 유행할 경우 어느 지역이 영향을 받을 확률이 가장 높은지 예측하는 데에도 도움을 얻을 수 있었습니다.

2.9 데이터와 분석의 진화

미래의 데이터는 무엇보다 사용자의 데이터 간의 근접성에 의해 주도될 가능성이 높습니다. 즉, 디지털 환경에서 사용자, 환자 또는 상담원은 제공된 데이터와 수신된 피드백 사이에 연결 고리가 있기를 원하며, 이러한 관계는 시간적으로 비교적 가까운 거리에 존재해야 합니다.

데이터의 양이 계속 증가함에 따라서 우리는 데이터 생성부터 인사이트(발견점) 도출, 문제 해결을 위한 데이터 사용까지 걸리는 시간을 줄여야 합니다. 특정 이벤트를 감지한 후 자동화된 대응이 활성화되기까지 걸리는 시간을 단축할 수 있다면 무엇보다 비용적으로 이득을 얻을 수 있습니다.

데이터 분석은 데이터 자체의 발전과 함께 발전해 왔습니다(그림 2.5). 의사 결정을 내리기 위해 데이터에 액세스하려는 욕구는 흔히 분석이라고 알려진 데이터 분석 개념의 확장을 초래하였고, 이러한 분석 개념의 확장은 결국 데이터를 이용하려는 수요에 의해 주도되었습니다.

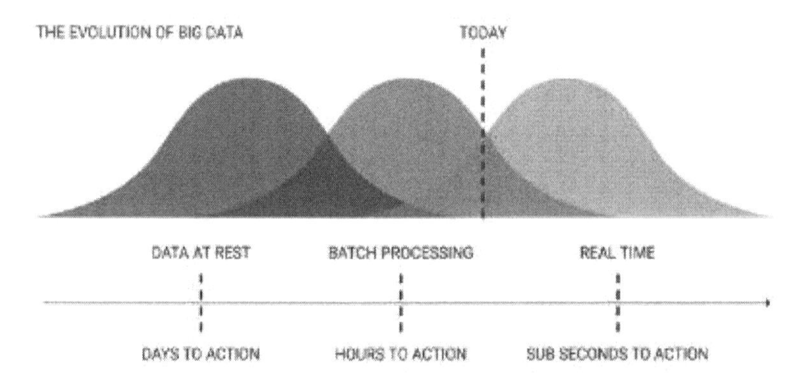

그림 2.5 빅데이터와 분석의 진화

기존의 분석(예컨대 통계적 모형에 기반한 데이터)은 비교적 규모가 작고 느린 속도로 변화하는 데이터 집합에 대해 수행되었습니다. 이러한 분석은 스프레드시트 및 기타 정적 문서를 사용하여 수행되는 경우가 많았습니다. 이러한 형태의 방식은 소량의 데이터(스몰 데이터)를 이용한 설명적인 보고서에 적합합니다. 대부분의 경우 데이터는 자연 상태 그대로 정리됩니다. 이후 전통적으로 분석가들은 이러한 데이터를 정제하여 주로 고객 데이터, 행동 데이터, 판매 데이터, 환자 정보 등과 같은 구조화된 데이터를 활용하는 관계형 데이터베이스를 구축하고, 데이터 수집, 집계 및 분석의 목적으로 활용하였습니다. 이러한 데이터에는 생산 프로세스, 판매, 상호 작용 및 거래가 포함되었습니다. 지난 20세기 동안 데이터 과학자들의 하루 중 대부분은 실제로 분석을 직접 수행하기보다는 이러한 분석을 위한 데이터 준비나 이와 관련된 작업(ex. 전처리 등)을 완료하는 데 소비되었습니다.

빅데이터와 기존 분석이 통합된 “분석 2.0시대”에서는 대규모 데이터 집합을 실시간으로 쿼리할 수 있는 인터페이스를 특징으로 하며 빅데이터 분석이 본격적으로 시작되었습니다. 2000년대 들어 빅데이터 분석이 시작되면서 전문가들은 복잡한 쿼리와 예측 뷰를 결합하여 경쟁력 있는 인사이트를 확보할 수 있게 되었습니다. 이는 2000년대 빅데이터 시대의 서막을 여는데 중요한 역할을 했습니다. 이 시기의 전문가들은 소셜 미디어 및 사용자 행동 정보뿐만 아니라 정형 및 비정형 데이터를 모두 활용했습니다. 또한, 클라우드 또는 온프레미스의 병렬 서버에서 빠른 배치 데이터 처리를 위한 오픈 소스 소프트웨어 프레임워크인 하둡(Hadoop)과 같은 프레임워크를 통해 중앙 집중식 플랫폼에 적합하지 않거나 충분히 빠르게 평가할 수 없는 빅데이터를 처리할 수 있게 되었습니다.

우리는 이제 단순한 SQL(구조화된 쿼리 언어) 데이터베이스뿐만 아니라 키와 값, 문서, 그래프, 열 형식 및 지리적 데이터를 포함하는 비정형 데이터도 사용할 수 있게 되었습니다. '인메모리' 분석이란 데이터를 디스크가 아닌 메모리에 보관하고 처리하여 신속하게 분석하는 방법을 말합니다. 이 기술은 “분석 2.0시대”에 도입된 수많은 빅데이터 기술 중 하나였습니다.

오늘날 네트워크 엣지에서 생성되는 방대한 양의 데이터로 인해 분석을 수행하는 표준 기술은 더 이상 실행 가능하지 않습니다. 물건을 만들든, 옮기든, 소비하든, 고객과 상호 작용하든, 소비자와 접하는 조직은 누구나 쉽게 소비자들이 사용하는 디바이스와 활동에 대한 방대한 양의 데이터에 액세스할 수 있게 되었습니다. 공간에 있는 모든 사람, 기기, 화물은 흔적을 남기게 되는데, 이를 데이터 배출이라고 합니다. 우리는 이 데이터 배출을 추적하고 분석할 수 있게 되었습니다.

“분석 3.0시대”는 기업이 기존 분석과 빅데이터의 통합을 통해 실제 비즈니스에 미치는 영향을 관찰했을 때 달성한 성숙도입니다. 이 시기는 "분석 혁명"이라고도 불립니다. 이 방법을 사용하면 실행에 옮길 수 있는 아이디어를 신속하게 식별할 수 있을 뿐만 아니라 의사 결정이 이루어지는 시점에 예측 모델을 실시간으로 평가할 수 있습니다. 전통적인 비즈니스 인텔리전스 방법, 방대한 양의 데이터, 네트워크를 통해 퍼져 있는 사물 인터넷(IoT)은 분석 3.0의 주요 구성 요소입니다. 이러한 데이터베이스를 기업은 소비자의 이익을 위해 연구할 수 있으며, 그 결과 도출된 인사이트(결과)를 수익화할 수 있게 되었습니다. 또한, 전문가들은 사업에 필요한 모든 제품 또는 서비스 옵션에 실시간에 가까운 고도화되고 정교한 분석과 최적화를 수행할 수 있게 되었습니다.

2.10 데이터를 정보로 전환하기: 빅데이터 사용

데이터의 가치는 데이터를 실행 가능한 인사이트를 생성할 수 있는 정보로 변환하여 프로세스와 행동을 유도할 수 있는 조직의 역량으로 볼 수 있습니다. 데이터 분석 및 분석으로 알려진 데이터 과학의 하위 분야의 목표는 다양한 원시 데이터 소스에서 인사이트를 얻는 것입니다. 최근 대용량 데이터 분석의 발전 덕분에 연구자들은 몇 분 만에 인간의 DNA를 해독하고, 테러리스트가 공격할 장소를 예측하고, 특정 질병의 원인이 될 가능성이 가장 높은 유전자를 알아내는 것은 물론, Facebook에서 어떤 광고에 가장 반응할 가능성이 높은지도 파악할 수 있게 되었습니다.

대량의 데이터 분석은 기업이 데이터에 포함된 정보를 이해하는 데 도움이 될 뿐만 아니라 비즈니스 목표, 결과물 및 선택과 가장 관련성이 높은 데이터를 결정하는 데도 도움이 될 수 있습니다. 대부분의 경우 이해관계자는 데이터를 분석하여 얻을 수 있는 정보를 찾고 있습니다. 이러한 지식은 생성되는 결과의 종류와 추론 기법에 따라 결정될 수 있습니다.
방대한 양의 대용량 데이터는 구조화되지 않은 형식(즉, 비정형 데이터)으로 제공됩니다. IBM의 추정에 따르면 전 세계 빅데이터의 약 80%가 비정형 데이터입니다. 이러한 데이터 범주에는 이미지, 오디오, 비디오, 문서 및 상호 작용이 포함됩니다.

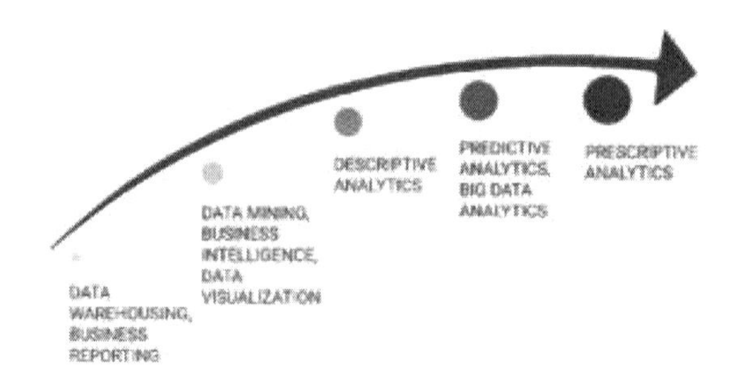

그림 2.6 분석 스트림

데이터를 유용하게 사용하려면 먼저 데이터를 처리해야 합니다. 어떤 작업을 수행하려면 리소스가 필요합니다. 이러한 리소스는 돈, 시간 또는 기술의 형태로 제공될 수 있습니다. 빅데이터 전략 실행의 장애물 중 하나가 바로 여기에 있습니다. 데이터를 실행 가능한 인사이트를 제공하는 것으로 전환하는 것이 재정적인 측면이나 전략적으로 가치가 있을까요? 데이터 과학 분석의 영역은 크게 네 가지 범주로 분류할 수 있습니다(그림 2.6). 이러한 범주는 도출되는 다양한 종류의 결과에 따라 결정됩니다. 지금부터는 이 네 가지 범주를 살펴보겠습니다.

2.11 설명적 분석

"무슨 일이 일어났는가"라는 질문에 답하기 위해 과거 데이터를 연구하는 분야를 설명적 분석이라고 합니다. 설명적 분석의 목적은 관심의 초점을 "무슨 일이 일어났는가"로 전환함으로써 과거에 대한 새로운 인사이트를 발견하는 것입니다. 이러한 목표를 달성하기 위해서 설명적 분석에서는 데이터 집계 및 데이터 마이닝과 같은 방법을 활용합니다. 설명적 분석 분야는 데이터 과학 분야에 관심이 있는 모든 사람에게 다양한 교육적 가능성을 제공합니다. 설명적 분석의 몇 가지 예로는 '7월에 병원에 입원한 환자 수'와 같은 질문에 답하는 보고서가 있습니다. 보고서를 통해서 우리는 "7월에 병원에 입원했나요?" "30일 이내에 재입원한 환자 수는 몇 명인가요?" "얼마나 많은 환자가 질병에 걸렸거나 치료 실수로 고통을 겪었나요?"와 같은 질문에 답할 수 있습니다.

설명적 분석은 방대한 양의 데이터에 대해 수행되는 첫 번째 종류의 분석입니다. 이 기본적인 수준의 데이터에 액세스할 수 없는 조직이 여전히 많이 있습니다. 데이터는 확보되었지만 활용 가능한 인적 기술이나 적절한 조직적 동의가 부족하여 활용하지 못할 수도 있습니다. 따라서, 데이터를 분석하는 데이터 과학자의 역할이 매우 중요합니다.

데이터 과학자들은 여러 데이터 세트를 서로 연결하여 데이터의 가치를 높일 수 있습니다. 예를 들어, 병원 입원과 의사 방문, 교육 출석, 복약 준수, 서비스 이용을 결합하면 의료 서비스 제공을 최적화하고 비용을 절감하는 데 사용할 수 있는 막대한 양의 정보와 지식을 얻을 수 있습니다.

설명적 분석은 과거에 대한 단편적인 정보만 제공할 수 있기 때문에 의사결정을 지원하는 데 한계가 있다는 단점이 있습니다. 이러한 분석은 도움이 될 수 있지만, 항상 미래에 대한 인사이트를 제공하는 것은 아닙니다.

2.12 진단 분석

분석의 또 다른 유형은 진단 분석입니다. 진단 분석의 목적은 "왜 이런 일이 발생했는가?"라는 질문에 대한 답을 제공하기 위해 방대한 데이터를 조사하는 것입니다. 의사 결정 트리, 데이터 검색, 데이터 마이닝, 상관관계와 같은 분석 기술이 진단 분석에 포함됩니다. 다음 두 가지 형태의 분석인 예측 분석과 처방 분석도 학습 알고리즘을 사용하는데, 이2에 대해서는 3장에서 더 자세히 설명하겠습니다.

2.13 예측 분석

여러분들이 예측 분석을 사용한다면 여러분은 미래에 대한 통찰력을 얻고 미래에 특정 이벤트가 발생할 가능성을 판단할 수 있습니다. 이미 액세스 권한이 있는 데이터는 예측 분석 프로세스에서 활용되며, 데이터의 빈틈은 가능한 한 가장 교육적인 추측으로 채워집니다. 회귀 분석, 다변량 통계, 데이터 마이닝, 패턴 매칭, 예측 모델링, 머신러닝과 같은 기법은 예측 분석의 고유한 특성으로 알려진 것의 대표적인 예입니다. 예측 분석에서는 과거와 현재의 데이터를 결합하여 향후 발생할 수 있는 사건이나 결과에 대한 가능성을 예측하고 이에 따라 조치를 취할 수 있습니다.

의료현장에서 의료 서비스 제공자는 비용을 절감하고, 가치 기반 환급을 활용하고, 예방할 수 있는 만성 질환 및 부작용을 통제하지 못했을 때 발생하는 불이익을 피할 수 있는 증거 기반 방법을 찾고 있기 때문에 예측 분석 기술에 대한 수요가 높습니다. 예측 분석 분야는 현재 과도기적 단계를 거치고 있습니다. 지난 5년 동안 혁신 측면에서 상당한 진전이 있었으며, 이러한 발전의 직접적인 결과로 환자들의 삶이 실질적으로 개선되었습니다. 이제 스마트폰과 웨어러블 기기용 애플리케이션을 사용하여 천식, 심방세동, 만성 폐쇄성 폐질환(COPD)과 같은 질환을 진단할 수 있게 되었습니다.

실시간에 가까운 임상 의사 결정을 내리려면 실시간 데이터에 액세스할 수 있어야 하기 때문에 예측 분석을 사용하는 것은 여전히 어려운 일입니다. 그럼에도 불구하고 실시간 데이터의 사용은 예측 분석을 사용하기 위해 반드시 필요합니다. 이를 실현하기 위해서는 모든 관련 의료 센서와 연결된 디바이스가 시스템에 완전히 통합되어야 합니다. 그렇게 되면 센서와 장비가 환자의 상태에 대한 데이터를 실시간으로 제공할 수 있습니다. 이 외에도 의료인은 실시간 데이터 적용에 대한 사전 경험이 있어야 합니다. 보다 정확한 진단 및 치료 계획에 도달하기 위해서는 의료 전문가는 현재 가능한 한 많은 환자의 데이터와 전체 인구에 대한 데이터를 활용해야 하며, 이를 위해 각 개별 환자의 데이터도 이용해야 합니다.

인지 컴퓨팅 엔진, 자연어 처리, 예측 분석은 지속적으로 발전하는 데이터 소스와 기술을 통해 의료진이 보다 정확한 진단을 내리는 데 도움을 주는 세 가지 향상된 의사 결정 지원 방법입니다. 이러한 향상된 지원은 의료진이 잘못된 진단을 내릴 위험이 높은 경우에 주목하는 데 도움이 됩니다. 비용이 많이 드는 만성 질환을 앓거나 병원 재입원의 위험이 높은 사람들, 또는 약물 부작용에 부정적으로 반응할 가능성이 큰 사람들은 인구 건강 관리 도구를 통해 식별할 수 있습니다. 이들은 약물 부작용을 경험할 위험이 높다는 사실도 밝혀질 수 있습니다.

2.13.1 사용 사례: 개인 맞춤형 치료 실현

개개인의 대사 건강은 제2형 당뇨병, 고혈압, 특정 치매, 일부 악성 종양 등 다양한 질병 및 장애의 발병 가능성에 영향을 미칠 수 있습니다. 대사 건강에 영향을 받을 수 있는 다른 질병 및 장애로는 다음과 같은 것들이 있습니다. 저탄수화물 프로그램 앱은 제2형 당뇨병 치료를 목적으로 개발되었습니다. 이 앱은 환자의 대사 건강 점수를 계산하기 위해 건강 바이오마커, 인구통계학적 정보 등 다양한 요소를 활용했습니다. 이 알고리즘은 체중, 혈당 수치뿐만 아니라 성별, 인종 등도 고려하여 췌장암의 잠재적 위험을 예측하도록 발전했습니다. 이는 웨어러블 건강 기기와의 연동을 통해 가능해졌습니다. 환자는 중요한 사항이 있을 때마다 의료팀과 협력하여 이를 통보받고, 코호트 데이터와 비교됩니다.

사용자가 자신의 데이터가 예상 인구 통계와 일치하지 않는다고 판단되면, 즉시 의료 서비스 제공자에게 문의하도록 유도합니다. 이 예에서 알 수 있듯이, 예측 분석의 윤리적 함의는 매우 중요하며, 더 많은 바이오 센서와 알고리즘이 개발됨에 따라 더욱 중요해질 것입니다.

2.13.2 사용 사례: 실시간 환자 모니터링

병원 병동에서 간호사는 주기적으로 환자를 방문하여 건강 상태를 확인합니다. 그러나 환자의 상태는 예정된 방문 사이에 변할 수 있습니다. 때문에 의료진은 때로는 불리한 상황이 발생한 후에야 대응하게 됩니다. 무선 센서를 사용하면 환자의 바이탈을 훨씬 자주 기록하고 전송할 수 있습니다. 호튼웍스의 앨런 게이츠가 소유한 기술은 이러한 데이터를 활용하여 의료진에게 실시간으로 정보를 제공함으로써 더 신속한 대응을 가능하게 합니다.

장기적으로는 동일한 데이터를 사용하여 다양한 예측 분석 방법을 적용함으로써 병상 방문을 통해 응급 상황을 예측할 수 있습니다.

2.13.3 규범적 분석

규범적 분석의 목적은 최상의 결과를 가져올 수 있는 의사 결정을 내리는 것입니다. 즉, 현재 사용 가능한 모든 데이터와 분석을 활용하여 어떤 조치를 취해야 할지 결정하는 것입니다.

규범적 분석은 미래의 조치가 미칠 영향을 정량화하여 해당 결정을 내리기 전에 실현 가능한 결과의 범위에 대한 지침을 제공합니다. 이는 무엇이 일어날지 예측하는 것뿐만 아니라, 그 원인을 예측하고 최적의 조치를 제안하는 것을 포함합니다.

다양한 AI 방법과 도구, 예를 들어 데이터 마이닝, 머신러닝, 컴퓨터 모델링 프로세스의 적용은 규범적 분석을 실행하는 데 필수적입니다. 이러한 기법은 과거 및 트랜잭션 데이터, 실시간 데이터 스트림, 대규모 데이터 세트 등 다양한 데이터 소스에서 입력을 받습니다.

규범적 분석은 사용 가능한 증거를 고려하여 상황에 맞는 예측을 수행합니다. 예를 들어, 병원 재입원 분석은 향후 14일에서 30일 사이에 재입원할 가능성이 있는 환자를 예측합니다. 이러한 예측은 예상 지출, 실시간 병상 수, 접근 가능한 교육 자료 및 후속 치료와 함께 통합되어 더 유용한 지표로 활용됩니다. 임상의는 추가 정보에 접근할 수 있을 때 재입원 위험이 높은 환자를 식별할 수 있으며, 이를 통해 환자에게 더 나은 결과를 제공하고 병원 자원의 활용도를 낮추는 조치를 취할 수 있습니다. 인구 관리 접근 방식은 비만인 개인을 포함하여 제2형 당뇨병 및 대사증후군 위험과 같은 특정 기준에 대한 필터를 추가하여 치료를 집중할 대상과 방법을 식별합니다. 제약 회사는 처방 분석을 통해 어떤 환자 집단이 임상시험에 참여하여 가장 큰 혜택을 받을 수 있는지 판단하여 신약 개발을 가속화할 수 있습니다. 이에는 협조적인 환자와 문제가 없을 것으로 예상되는 환자가 포함됩니다.

임상 데이터, 환자 데이터, 더 폭넓은 가용 건강 데이터를 결합한 처방적 분석을 통해 집단 건강 관리의 효과를 극대화할 수 있습니다. 이는 위험도가 조정된 인구집단에서 추출한 사람들에게 적합한 개입 모델을 찾아냄으로써 달성할 수 있습니다.

처방적 분석에서 상황별 분석으로의 전환은 분석 분야에서의 새로운 변화를 의미합니다. 가장 효과적인 행동 방향을 결정하기 위해, 상황별 분석은 환경적, 지리적, 그리고 상황적 요소들을 아우르는 보다 포괄적인 데이터 집합을 고려하게 됩니다.

2.13.4 사용 사례: 디지털에서 약리학

다양한 치료 옵션의 효과는 환자마다 다를 수 있습니다. 이러한 정보를 폭넓게 수집함으로써 의료 전문가들은 환자 그룹에 대한 예측 및 처방을 평가할 뿐만 아니라, 최신 근거 기반 연구에 따른 치료법을 처방할 수 있게 됩니다. 이러한 시설을 통해 제공되는 치료법에는 약물 요법뿐만 아니라 디지털 교육도 포함되어, 가장 적합한 치료법이 처방되고 필요한 곳에 자원이 집중될 수 있도록 합니다. 이는 의료 서비스의 접근성을 민주화하는 데에 기여합니다.

2.14 추론

연역, 귀납, 추론은 데이터베이스에 저장된 데이터를 바탕으로 결론을 도출하기 위해 시스템에서 활용할 수 있는 세 가지 주요 방식입니다. 논리에 대한 깊은 지식이 반드시 필요한 것은 아니지만, 다양한 추론 방법 간의 차이점을 이해하는 것은 더 나은 의사 결정을 내리는 데 도움이 됩니다. 이러한 연역적 추론 방식은 능숙한 데이터 과학자라면 누구나 익숙할 것입니다.

2.14.1 연역

알고 있는 사실에 근거하여 필요한 주장을 공식화하는 것은 연역적 추론을 통해 가능합니다. 예를 들어 두 가지 정보를 제공되었다고 가정해 보겠습니다:

- 매주 토요일에 비가 옵니다.

- 오늘은 토요일입니다.

이러한 연역적 추론을 사용하면, 오늘이 토요일이라는 사실을 고려할 때 오늘 비가 올 것이라는 주장의 정확성을 판단할 수 있습니다.

연역적 추론을 사용할 때는 전제에서 출발하여 그 전제에서 논리적으로 타당한 주장을 추론합니다. 대부분의 비즈니스 인텔리전스 보고 도구 및 소프트웨어는 이러한 연역적 접근 방식을 사용합니다.

2.14.2 귀납적 추론

귀납적 추론을 사용하면, 지금까지 수집한 데이터를 바탕으로 결론을 도출하고 주장을 펼칠 수 있습니다. 하지만 중요한 것은, 아무리 강력한 증거가 뒷받침된다 하더라도, 그 증거가 사실과 동일하지 않다는 점입니다. 어떤 것에 대한 실질적인 증거가 있다고 해도, 그것이 사실이라는 것을 증명할 수는 없습니다. 따라서 귀납적 방식을 사용할 때는 결론이 항상 참이 아니라 단지 참일 가능성이 높다는 것을 명심해야 합니다.

귀납적 추론을 사용할 때는 결론 q가 반드시 명제 p의 논리적 귀결이 아니더라도, 다른 명제 p로부터 명제 q를 추론하기 위해 노력합니다.

예를 들어, 영국 코번트리에서 50년 이상 12월에 비가 내린 기록이 있다면, 다음 12월에도 비가 올 것이라는 귀납적 주장에 대한 상당한 증거(데이터)를 확보할 수 있습니다. 이것은 귀납적 진술의 예가 됩니다. 그러나 이것이 반드시 일어날 것이라는 보장은 아니며, 입증된 진리는 아닙니다.

귀납적 추론을 사용하여 통계를 배우려면, 몇 가지 데이터를 살펴보고 과학적 추측을 통해 일반적인 가설을 세운 다음, 이 가설을 바탕으로 테스트 데이터에 대한 주장이나 예측을 합니다.

2.14.3 귀납

귀납적 추론은 연역적 추론으로 변환될 수 있습니다. 귀납적 추론의 목적은 가설을 활용해 주장에 대한 설명을 제공하는 것입니다. 연역적 추론과는 달리, 귀납적 추론은 결론에서 출발점으로 되돌아갑니다. 가장 사실일 가능성이 높은 가설은 가장 그럴듯한 가설로 여겨지며, 이는 조사 결과에 대한 가장 만족스러운 설명을 제공하는 가설로 정의됩니다. 다음은 이에 대한 예시입니다.

● (q) 관찰: 오늘 아침에 눈을 떴을 때 창문 밖의 잔디가 축축한 것을 보았습니다.

● (p) 지식창고에 포함된 정보: 비가 오면 잔디가 축축해질 수 있습니다.

● 납득할 만한 결론: 밤새 비가 내렸을 가능성이 높습니다.

가능한 결과가 매우 많고 심지어 무한할 수 있기 때문에, 연역적 추론은 조사해야 할 여러 가설의 우선순위를 정하는 데 중요합니다. 머신러닝은 대규모 데이터 세트를 다룰 때 귀납 및 추론에 대한 새로운 가능성을 제공합니다.

2.15 프로젝트에 얼마나 많은 데이터가 필요한가요?

머신러닝 알고리즘을 개발할 때는 데이터의 양보다는 품질에 중점을 두어야 합니다. 빅데이터의 주요 특징 중 하나는 다양한 플랫폼에서 데이터가 저장된다는 것입니다. 예를 들어, 한 환자에 대한 천 개 이상의 데이터 포인트가 있는 경우, 데이터 속 노이즈 중에서 가장 중요한 특성을 구별하는 것이 중요합니다. 추가로, 5,000개, 10,000개 혹은 100,000개의 데이터 포인트를 사용할 때 결과가 어떻게 달라질 수 있는지도 고려해야 합니다. 데이터 과학의 활용은 이러한 문제를 해결하는 데에 가장 성공적일 수 있지만, 해결 방법은 문제의 특성과 데이터 샘플의 표준에 따라 달라질 것입니다.

근거 기반 의학의 발전은 환자 중심적이고 데이터에 기반한 치료 제공으로 계속될 것입니다. 의료진, 환자, 임상 문서에서 얻은 데이터가 함께 작용할 때 '데이터 기반' 의료 서비스 제공이 가능해집니다. 이러한 유형의 치료는 기존 방식보다 더 효과적이고 효율적일 수 있습니다. 이는 실시간으로 실행 가능한 인사이트를 도출하는 분석으로 이어져 환자에게 더 나은 경험을 제공하고 임상 및 관리 운영을 최적화하는 데 도움이 됩니다.

2.16. 빅데이터의 도전 과제

빅데이터 프로젝트를 개발하는 과정에서 극복해야 할 몇 가지 장애물이 있습니다.

2.16.1 데이터 증가

방대한 데이터의 양은 스토리지에 대한 해결하기 어려운 문제를 제기합니다. 디지털 우주의 크기는 약 2년마다 두 배로 증가할 것으로 예상되며, 2020년에는 2010년보다 50배 이상 증가할 것으로 예상됩니다. 대부분의 대용량 데이터는 비정형 데이터로, 전통적인 데이터베이스 스키마 형태로 존재하지 않습니다. 이에 따라 문서, 사진, 오디오 녹음, 비디오 녹화 등 비정형 자료를 검색, 분석, 관리하는 것은 어려울 수 있습니다. 그 결과, 비정형 데이터의 관리가 점점 더 어려운 문제로 대두되고 있습니다. 빅데이터 이니셔티브는 소비하는 데이터의 변화 속도를 따라가야 합니다.

2.16.2 인프라

빅데이터에는 인프라, 스토리지, 대역폭, 데이터베이스 등 다양한 기술적 자원이 필요합니다. 기술적인 문제를 넘어서, 신뢰할 수 있는 서비스 및 지원 공급업체를 찾고 적절한 경제 모델을 확보하는 것이 더 큰 도전입니다. 클라우드 솔루션은 온프레미스 솔루션과 비교할 때 확장성, 비용 효율성 및 효율성 측면에서 우수합니다.

2.16.3 전문성

데이터 분석 및 데이터 과학 분야의 우수한 전문가를 찾는 것은 많은 기업이 직면하는 도전 과제입니다. 생산되는 데이터의 양에 비해 데이터 과학자의 수가 부족하기 때문입니다.

2.16.4 데이터 소스

빅데이터는 생성 및 공급되는 데이터의 양과 속도 측면에서 중요한 과제를 제시합니다. 유입되는 다양한 데이터 소스를 관리하는 것은 어려운 일입니다.

2.16.5 데이터 품질

데이터의 품질에 대한 우려는 새로운 것이 아니지만, 실시간으로 생성되는 모든 데이터를 저장해야 하는 상황은 문제를 더욱 악화시킵니다. 사용자 입력 오류, 중복 데이터, 부적절한 데이터 연결 등은 데이터 정리를 위해 해결해야 할 일반적인 문제들입니다. 빅데이터 알고리즘은 데이터를 유지 관리하고 정리하는 데 도움이 될 수 있습니다.

2.16.6 보안

환자 정보의 기밀성은 큰 위험을 수반하며 보안 문제는 심각합니다. 민감한 의료 데이터를 다룰 때는 보안 및 개인정보 보호에 특히 주의를 기울여야 합니다. 데이터 분석, 저장, 관리 및 사용을 위한 애플리케이션의 다양한 출처는 데이터를 위험에 빠뜨릴 수 있습니다. 의료 업계는 최근 몇 년 동안 심각한 데이터 유출 사고를 겪었습니다. 예를 들어, 브라이튼 앤 서섹스 대학병원 NHS 트러스트는 수천 명의 개인 정보가 이베이에서 경매 중인 하드 드라이브에 저장되어 있음을 발견하여 벌금을 부과받았습니다. 미국의 의료 보험 제공업체 Anthem은 현재까지 의료 업계에서 가장 심각한 데이터 유출 사건과 관련이 있습니다. 이 해킹으로 인해 현재 및 과거 회원 약 7천만 명의 개인 정보가 공개되었습니다. 데이터 도난과 기타 형태의 데이터 손실은 지속적으로 문제가 되고 있습니다.

보안 문제에는 데이터 세트에 액세스하는 모든 팀원을 인증하고, 사용자의 필요에 따라 액세스를 제한하며, 데이터 액세스 이력을 추적하고, 법률을 준수하며, 스누퍼와 악의적인 의도를 가진 사람들로부터 데이터를 보호하기 위해 데이터를 암호화하는 것이 포함됩니다.

의료 장비에는 다양한 기술이 사용되기 때문에 의료 장비를 보호하는 것은 특히 어려운 과제입니다. 해커들은 스마트폰의 건강 앱부터 인슐린 펌프에 이르기까지 점점 더 많이 네트워크에 연결되는 의료 장비의 취약점을 악용할 수 있습니다. 인슐린 펌프와 연속 혈당 측정기는 제약 회사나 디지털 비즈니스가 등장하기 전부터 애호가들에 의해 인공 췌장 역할을 하는 '해킹'이 이루어졌습니다.

반면에 가장 우려되는 점은, 이러한 의료 장비의 취약점이 악용될 경우, 데이터 유출뿐만 아니라 의료 장비에 의존하는 사람들의 생명까지 위험에 빠뜨릴 수 있다는 것입니다. 발전과 혼란 사이에서의 이 긴장은 현재 실제 경험을 통해 깊이 있게 탐구되고 있는 주제입니다.

이어서 논의될 주제는 독립 판매자 및 서비스 제공업체에 관한 것입니다. 대다수의 건강 관련 가젯과 애플리케이션은 API에 대한 접근을 제공합니다. 타사 공급업체가 제공하는 서비스 및 API의 품질은 그것을 개발한 개발자의 능력에 의해 제한될 수 있다는 점을 이해하는 것이 중요합니다.

3장. 머신러닝이란 무엇인가요?

1956년, 머신러닝의 선구자인 아서 새뮤얼(Arthur Samuel)은 체커 게임 소프트웨어의 초기 버전을 출시하며 인공 "지능"의 잠재력을 선보였습니다. 그 이후로 인공지능(AI)의 사용은 더욱 널리 퍼지고 데이터의 속도, 양, 다양성도 이전에는 볼 수 없었던 수준으로 증가했습니다. 새뮤얼의 프로그램을 구동하는 데는 거의 더블 침대 크기의 컴퓨터인 IBM 701이 필요했습니다. 당시 데이터는 대체로 불연속적이었습니다. 거의 70년이 지난 지금, 데이터는 어디에나 존재하며 컴퓨터는 훨씬 더 강력해져 IBM 701 100대의 처리 용량을 손바닥 안에 넣을 수 있게 되었습니다. 이로 인해 머신러닝 및 딥러닝과 같은 AI의 하위 분야에 훨씬 더 쉽게 접근할 수 있게 되었습니다(그림 3.1 참조).

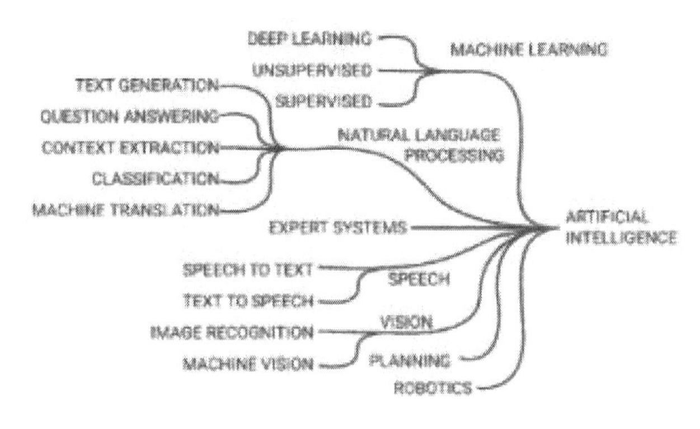

그림 3.1 AI의 구성 요소

우리는 머신러닝이나 다른 기술을 통해 개발된 일상생활 속의 "인공" 지능과 자주 상호 작용합니다. 예를 들어, 알렉사에게 질문을 하거나 온라인 교육 프로그램에 참여하는 것이 그러한 활동입니다. Uber나 음식 배달 서비스를 이용하거나, 에어비앤비나 이베이에서 검색을 하는 것도 마찬가지입니다. 인공지능의 발전에서 인간의 창의성만이 유일한 한계입니다. 클라우드는 새롭고 혁신적인 기기와 정기적으로 연결되며, 이로 인해 의료 분야에서의 가능성도 증가하고 있습니다. 인공지능(AI)은 컴퓨터가 스스로 학습할 수 있는 머신러닝과 딥러닝의 힘을 활용하고 있으며, 이는 분야의 차세대 발전을 가속화하고 있습니다. 새뮤얼의 체커 프로그램이 기본적인 인공지능을 보여줬다면, 알파고 제로는 머신러닝의 우수한 예시입니다. 알파고 제로는 인간 플레이어와 이전 버전의 알파고를 100판 0승으로 이기며, 체커 게임에서 자신과 경쟁만으로도 이러한 성과를 달성했습니다.

의료 산업에서 머신러닝의 적용이 점차 보편화되고 있습니다. 텍사스 휴스턴 감리교 연구 센터의 연구원들이 개발한 알고리즘은 이제 유방 촬영 사진을 99%의 정확도로 분석하고 판독할 수 있으며, 이는 인간 의사보다 30배 빠른 속도입니다. 미국 암 학회에 따르면 매년 수행되는 1,210만 건의 유방 조영술 중 거의 절반이 잘못된 결과를 제공한다고 합니다. 이는 건강한 여성이 암으로 잘못 진단될 위험이 있음을 의미합니다. 이 알고리즘은 수백만 개의 유방 촬영 데이터에서 지식을 학습함으로써 잘못된 양성 결과를 받을 위험을 낮추었습니다.

인공지능(AI)과 머신러닝 분야는 현재 인쇄물과 온라인에서 상당한 양의 학술 저술의 주제입니다. 이 책의 목적은 선형대수, 확률, 통계의 개념적 토대에 너무 깊이 파고들지 않고 어느 정도 분별력을 갖춘 독자를 위해 주제에 대한 개요를 제공하는 것입니다. 수학적 기초가 탄탄함에도 불구하고 다루는 주제는 매우 다양합니다. 이 장에서는 인공지능(AI)의 기본 사항과 관련 용어에 대한 개요를 시작으로, 인공 신경망, 퍼셉트론, 자연어 처리 및 전문가 시스템에 이르기까지 머신러닝과 관련된 다양한 주제를 다룰 것입니다. 4장에서는 알고리즘에 대해 논의합니다.

3.1 기본 사항

인공지능과 머신러닝의 복잡한 내용을 다루기 전에, 몇 가지 중요한 용어를 이해하는 것이 도움이 됩니다. 다음은 몇 가지 필수 어휘에 대한 간결한 참조입니다. 이 책의 마지막 장에는 더 자세한 용어집이 포함되어 있습니다.

3.1.1 에이전트

에이전트는 센서와 이펙터를 사용하여 주변 환경을 감지하고 그 환경에 대해 행동하는 모든 것을 말합니다. 에이전트는 주변 환경에 대한 의식적인 지식을 가지고 있다고 생각하는 것이 일반적입니다. 러셀과 노르빅이 제시한 기술은 에이전트와 상호 작용하는 방법을 제공합니다. 그 결과, 컴퓨터 프로그램뿐만 아니라 인간과 로봇의 참여도 포함됩니다. 에이전트에는 여러 하위 유형이 있으며, 각각은 고유한 특성에 따라 다양한 범주로 분류될 수 있습니다. 인공지능에 관한 교과서 'Artificial Intelligence: A Modern Approach (AIMA)'는 이 주제를 자세히 다루고 있습니다.

에이전트가 도덕적으로 행동한다면, 우리는 그것을 합리적이라고 할 수 있습니다. 이는 정량적 통계 또는 성과 평가의 형태로 나타날 수 있으며, 에이전트는 이를 최적화하려고 합니다. 에이전트를 다양한 인식 시퀀스와 작업 간의 매핑으로 볼 수도 있습니다. 예를 들어, 의료 진단 시스템은 병원 내 환자를 환경으로 간주하고, 증상을 인식하고 환자에게 질문하는 등의 작업을 수행합니다. 그런 다음 이를 기반으로 문의, 검사 및 치료법을 사용하여 환자를 치료합니다. 소프트웨어나 알고리즘을 '능동적 참여자'로 생각하는 것이 '에이전트'라는 용어의 한 해석입니다.

3.1.2 자율성

"자율성"이라는 용어는 인공지능(AI) 분야에서 자주 사용되며, 에이전트의 행동이 그들 자신의 이전 경험에 의해 어느 정도 결정되는지를 나타냅니다. 자율성이 없는 경우, 에이전트는 이미 구축된 데이터 세트나 지식 기반을 기반으로 결정을 내립니다. 에이전트가 주변 환경에 대한 완전한 권한을 가진 환경에서 판단할 기회를 갖게 되면, 그 에이전트는 더 자율적으로 행동할 것입니다. 에이전트는 시간이 지남에 따라 더 높은 수준의 자율성을 달성할 수 있으며, 이러한 능력은 명확하게 드러날 수 있습니다. 인간이 평생 동안 경험을 통해 지식을 쌓듯이, 소프트웨어도 마찬가지입니다. 시스템은 환경 내에서 발생하는 이벤트에서 '학습'하는 과정을 통해, 또는 기본적인 수준에서 들어오는 입력에서 '학습'하는 과정을 통해 해당 환경에서 더욱 자급자족해질 수 있습니다.

3.1.3 인터페이스

복잡한 시스템에 대한 인터페이스 역할을 하는 에이전트를 '인터페이스 에이전트'라고 합니다.

3.1.4 성능

성능은 에이전트가 환경에서 어떻게 작동하는지를 평가하는 과정에서 사용되는 척도입니다. "에이전트가 환경에서 설계된 기능을 수행하는가?"라는 질문에 대한 답변을 제공합니다.

3.1.5 목표

에이전트가 앞으로 수행하고자 하는 일을 '목표'라고 합니다. 머신러닝을 연구할 때의 목표는 컴퓨터가 '학습'하는 방법을 결정하는 것이 아니라, 기계가 스스로 학습하는 방법을 연구하는 데 중점을 둡니다. 이는 수행 중인 노력의 근본적인 목적을 의미합니다. 예를 들어, 제왕절개술이라는 목표를 달성하기 위해서는 배를 열고 아기를 꺼내고 신생아의 건강 여부를 평가한 다음 복부를 다시 꿰매는 과정이 포함될 수 있습니다.

3.1.6 유용성

유용성은 에이전트 자신의 성과에 대한 에이전트 자신의 평가입니다. 이는 주어진 조건에서 에이전트가 얼마나 잘 수행하고 있는지에 대한 측정입니다. 성과 측정과 효용 함수가 같을 수 있지만, 항상 같은 것은 아니라는 점을 기억하는 것이 중요합니다. 에이전트가 명시적인 효용 함수를 가지고 있지 않을 수 있지만, 성과 측정은 항상 존재합니다. 효용 함수는 상태를 실수로 매핑하는 데 사용되며, 이는 목표나 목적에 대한 만족도나 진행 상황을 나타냅니다. 이 매핑은 유틸리티 함수를 사용하여 이루어집니다. 이를 통해 에이전트는 동일한 목적지로 이어지는 여러 경로 중에서 합리적인 판단을 내릴 수 있습니다.

3.2 지식

에이전트는 자신이 가진 센서를 통해 또는 주변 환경에 대한 정보를 수집하여 주변 환경에 대한 지식을 얻을 수 있습니다. 지식은 다양한 방식으로 활용될 수 있습니다. 어떤 작업을 수행할지 결정하는 데 사용할 수도 있고, 저장된 경우 이전의 지식 상태(즉, 기록)를 유지하는 데 사용할 수도 있으며, 작업이 환경에 어떤 영향을 미칠 수 있는지 판단하는 데 사용할 수 있습니다.

데이터는 머신러닝의 주요 초점입니다. 따라서 유비쿼터스 데이터와 퍼베이시브 컴퓨팅의 등장은 현실 세계에 적용할 수 있는 시스템을 개발할 수 있는 좋은 기회를 제공합니다.

3.3 환경

에이전트에 대한 세계의 상태는 '환경'으로 표현됩니다. 러셀과 노르빅의 이론을 따르면, 환경은 여러 가지 특성으로 구성됩니다.

접근성

이는 상담원이 액세스할 수 있는 환경의 일부와 관련이 있습니다. 지식이 부족한 경우 상담원은 논리적인 방식으로 행동하기 위해 교육받은 가정을 세워야 할 수 있습니다.

결정론

결정론과 비결정론은 모두 환경에 대해 가능한 상태입니다. 환경은 해당 설정에서 세계의 정확한 상태를 이해할 수 있을 때 결정론적이라고 합니다. 이 특정 시나리오에서 유틸리티 함수는 자신이 얼마나 잘하고 있는지 이해할 수 있습니다. 비결정론적 상황에서는 세계의 정확한 상태를 확인할 수 없기 때문에 유틸리티 함수는 사용 가능한 최상의 정보를 기반으로 판단을 내릴 수밖에 없습니다.

에피소드

에피소드 컨텍스트에서 에이전트의 현재 행동 옵션은 에이전트의 과거 행동에 어떤 식으로든 영향을 받지 않습니다. 에피소드 설정은 이러한 의존성이 없다는 특징이 있습니다. 상담원은 비에피소드 환경에서 지금 하고 있는 행동의 결과에 대비해야 할 의무가 있습니다.

환경 유형

"정적 환경"이라는 용어는 상담원이 결정을 내리는 동안 아무런 변화가 없는 환경을 말합니다. 동적 환경을 처리하는 동안 이러한 환경은 수정될 수 있으므로 에이전트는 환경에 피드백을 제공하거나 입력 시점과 출력 시점 사이에 발생할 변경 사항을 예측해야 할 수 있습니다.

환경으로의 데이터 흐름

데이터가 수신되는 방식은 에이전트 설계의 필수 구성 요소입니다. 예를 들어 체스 게임에서 에이전트가 선택할 수 있는 움직임은 한정되어 있는데, 가능한 움직임이 너무 많기 때문입니다. 가능한 모션의 수가 제한되어 있기 때문에 이를 이산 환경이라고 할 수 있습니다. 반면에, 수술대에서는 수술이 진행 중이기 때문에 마지막 순간에 상황이 바뀔 수 있습니다. 연속 데이터 설정은 데이터의 양이 무한하거나 결론이 없는 것처럼 보이는 설정입니다. 지능형 에이전트는 기본적으로 학습, 독립성, 적응, 추론, 그리고 어느 정도 창의성과 같은 특성을 보여줄 수 있는 에이전트입니다. 이를 위해서는 에이전트가 탐색, 계획, 환경 변화에 대한 적응, 이전 경험으로부터의 피드백 도출 등을 통해 일련의 작업을 독립적으로 선택할 수 있는 능력이 있어야 합니다.

3.4 학습 데이터

학습 데이터는 학습 알고리즘이 세상에 대한 다양한 가설을 개발하기 위해 활용할 데이터입니다. 예를 들어 고려 중인 함수의 출력도 포함하는 변수 x의 샘플을 들 수 있습니다.

1. **목표 함수**

   x에서 f(x)로의 매핑 함수 f입니다.

2. **가설**

   f의 근사치입니다.

3. **학습자**

   학습자는 분류기를 생성하는 학습 알고리즘 또는 프로세스입니다.

4. **가설**

   가설은 학습 알고리즘이 생성할 수 있는 f의 가능한 근사치입니다.

5. **검증**

   검증은 머신러닝의 일부로 개발된 다양한 접근법을 활용하여 모델의 효과를 평가하는 프로세스를 말합니다.

6. **데이터 세트**

   데이터 세트는 예제의 모음입니다.

7. **특징**

데이터 속성과 그에 해당하는 값이 특징을 구성합니다. 갈색 피부색은 피처(변수 또는 특징)의 예이며, 갈색은 값으로 사용되고 갈색은 갈색 피부색을 설명하는 피처의 속성입니다.

8. **특징 선택**

통계 모델의 출력을 설명하는 데 필요한 특성을 선택하고 이와 관련이 없는 특성을 거부하는 프로세스를 특징 선택이라고 합니다.

3.5 머신러닝이란 무엇인가요?

11959년, 체커 게임의 개발자 아서 사무엘(Arthur Samuel)은 머신러닝을 "컴퓨터가 명시적인 지시 없이도 스스로 학습할 수 있는 능력을 갖추는 과학 분야"로 정의했습니다. 이것이 아서 사무엘이 머신러닝에 대해 설명한 내용입니다.

패턴 인식과 컴퓨터가 특정 작업을 수행하도록 명시적으로 프로그래밍되지 않아도 스스로 학습할 수 있다는 개념은 현재 머신러닝으로 알려진 분야의 발전의 씨앗이었습니다. 머신러닝은 컴퓨터가 명시적으로 프로그래밍되지 않은 상태에서 학습하는 과정을 의미합니다. "머신러닝"이라는 용어는 특정 지시 없이도 스스로 학습할 수 있는 컴퓨터 프로그램을 가리킵니다. 이러한 학습은 데이터에 의해 주도되며, 지능은 학습 신호 또는 전달되는 피드백의 세부 사항에 따라 적절한 결정을 내릴 수 있는 능력을 통해 달성됩니다. 중요한 목표에 비추어 볼 때 이러한 결정의 중요성을 평가하는 것이 중요합니다. 머신러닝의 근본적인 초점은 새로운 데이터와 발견에 따라 행동을 조정할 수 있는 알고리즘을 개발하는 것입니다. 머신러닝은 데이터 마이닝과 유사하게 연결에 대한 결론을 도출하고 이러한 연결을 통해 학습하여 새로운 알고리즘에 그 결과를 적용할 수 있습니다. 목표는 사람과 같은 방식으로 경험을 통해 학습하고, 외부 소스(사람)의 도움을 거의 또는 전혀 받지 않고도 주어진 작업을 수행할 수 있는 시스템을 개발하는 것입니다.

학습은 기계에서도 다양한 방식으로 이루어질 수 있습니다. 첫 번째 방법은 암기를 통해 가장 기본적인 형태로 사물을 학습하는 것입니다. 두 번째 방법은 읽기, 듣기, 새로운 것을 배우기 등 다양한 경로를 통해 정보를 습득하며 지식을 확장하는 것입니다. 세 번째 방법은 다른 사람의 행동을 관찰하고 배우는 것입니다.

예를 들어, 정사각형 수에 대해 가르칠 때 학생들에게 숫자 Y = [1, 4, 9, 16 등]을 보여주고 Y = n*n이라고 가르친다면, 학생들은 모든 정사각형 수에 대해 명시적으로 가르치지 않더라도 정사각형 수의 개념을 이해할 수 있을 것입니다. 예를 들어, 정사각형 수에 대해 교육할 때 학생들에게 숫자 Y = [1, 4, 9, 16 등]의 집합을 보여주면 학생들은 이를 이해할 가능성이 높습니다.

3.6 머신러닝은 기존 소프트웨어 엔지니어링과 어떻게 다른가요?

머신러닝과 기존 소프트웨어 공학은 모두 문제 또는 관련 문제 집합을 해결한다는 같은 최종 목표를 지향합니다. 하지만 이들은 문제에 대한 해결책을 찾는 데 접근하는 방식이 서로 다릅니다.

"전통적인 소프트웨어 엔지니어링" 또는 "전통적인 프로그래밍"은 주어진 입력에 대해 함수나 프로그램이 출력을 제공하는 방식으로 작업을 컴퓨터화하거나 자동화하는 프로세스를 의미합니다. 이 경우, 입력 x가 주어졌을 때, 함수 f를 구성하여 그 출력 y가 주어진 값과 동일하도록 하는 것이 목표입니다. 이를 달성하기 위해, 논리적 구조인 if-else 문, while 루프, 부울 연산자 등이 사용됩니다.

반면에 머신러닝은 함수 f에 관한 명령어를 컴퓨터에 제공하는 대신 입력 x와 출력 y를 제공하고, 이를 기반으로 함수 f를 예측하거나 계산합니다. 이는 전통적인 프로그래밍 방식과는 대조적입니다. 머신러닝 프로그램은 예시, 규칙, 사전 정보를 통해 문제를 해결하기 위한 해결책을 학습하는 추론 과정을 거칩니다. 반면 전통적인 프로그램은 특정 문제에 대한 해결책을 사람이 직접 구축합니다. 머신러닝에서 사용할 수 있는 분류기는 다양하며 예측에 도움이 됩니다. 머신러닝 시스템은 통계와 확률에 기반을 두고 있으며, 결과를 일반화하고 모호성으로 인해 발생하는 문제를 해결하는 데 도움이 될 수 있습니다. 이전의 계산이나 경험을 통해 학습한 모델의 능력은 신뢰할 수 있고 예측 가능한 판단과 결과를 제공합니다.

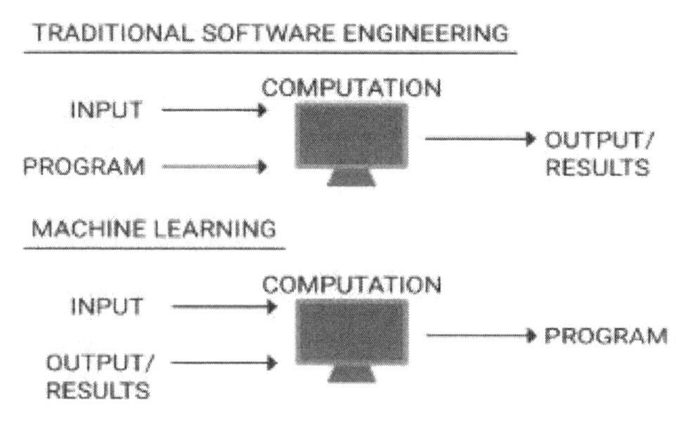

그림 3.2 머신러닝의 작동 방식

인터넷에서 데이터와 정보를 이용할 수 있을 뿐만 아니라 생성, 저장 및 분석을 위해 액세스 가능한 디지털 데이터의 양이 급증함에 따라 엔지니어들은 우리가 원하는 것을 학습하고 선호도에 맞춰서 스스로를 맞춤화할 수 있는 로봇을 개발할 수 있게 되었습니다. 웹 검색 결과, 의약품 개발, 소셜 네트워크에서 사용자 선호도 및 피드 맞춤 설정, 웹 페이지 생성, 자율 주행 차량, 가상 비서(ex. 삼성의 빅스비)가 모두 머신러닝을 적용한 예입니다.

3.7 머신러닝 기본 사항

다음은 머신러닝 알고리즘을 사용하여 수행할 수 있는 작업의 일반적인 분류입니다(그림 3.3 참조):

- 비지도 학습
- 반지도 학습
- 강화 학습
- 지도 학습(귀납적 학습이라고도 함)

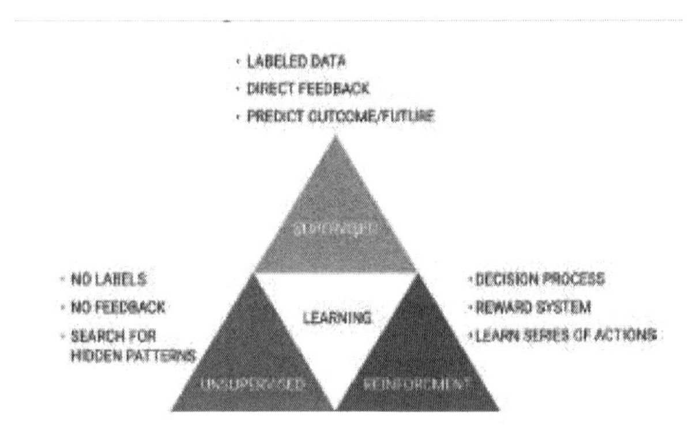

그림 3.3 학습 방법

3.8 지도 학습

지도 학습 과정에서 알고리즘에는 입력의 예와 학습 데이터의 형태로 궁극적으로 추구되는 출력이 제공됩니다. 이는 알고리즘에 입력을 출력에 매핑하는 일반적인 원리를 가르치기 위한 목적으로 수행됩니다(그림 3.4 참조). 입력되는 데이터를 학습 데이터라고 하며, 이미 알려진 결과와 관련이 있습니다. 알고리즘의 생성은 학습에 사용되는 데이터에 의해 안내됩니다. 모델 개발의 학습 단계에서 모델은 예측을 생성하려고 시도하고 이러한 예측이 정확한지 여부에 대한 피드백을 받습니다.

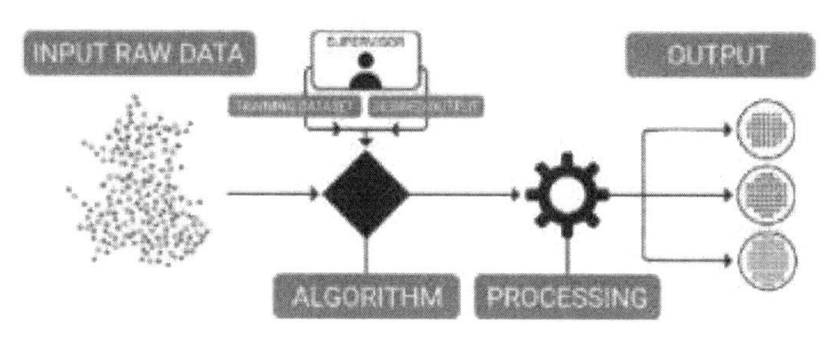

그림 3.4 지도 학습: 작동 방식

모델이 만족스러운 것으로 결정된 학습 데이터의 정확도 수준에 도달할 때까지 학습이 계속됩니다. 로지스틱 회귀는 비지도 알고리즘의 한 예입니다. 지도형 머신러닝 알고리즘은 미래를 정확하게 예측하기 위해 레이블이 지정된 데이터 샘플을 사용하여 과거에 학습한 내용을 새로운 데이터에 적용할 수 있습니다. 또한 학습 알고리즘은 출력을 올바른 출력과 비교하여 결함을 식별하고 모델을 적절히 조정할 수 있습니다.

다음은 지도 학습 작업을 사용할 수 있는 몇 가지 형식입니다:

- 분류는 예측하고자 하는 변수가 다양한 범주의 형태로 제시된 학습 데이터 세트의 내용을 기반으로 결과를 예측하는 과정입니다. 모델을 개발하는 과정에는 미리 레이블이 지정된 정보 형태의 학습 데이터를 공급하는 작업이 포함됩니다. 서포트 벡터 머신, 나이브 베이즈, 가우시안 베이즈, K-최근이웃(KNN), 로지스틱 회귀는 모두 분류 접근법의 예입니다. 이러한 기법은 의사 결정 경계를 만드는 데 사용됩니다. 증상 모음에 따라 사람을 건강하지 않거나 건강하지 않은 사람으로 분류하는 것이 분류의 한 예입니다. 실제 세계에서 이 분류를 적용하면 진단이라고 합니다.
- 회귀: 기능 면에서 분류와 매우 유사합니다. 분류와 회귀의 유일한 차이점은 회귀에서는 출력 변수가 실제 값의 형태를 취하는 반면, 분류에서는 출력 변수가 항상 명목 값의 형태를 취한다는 것입니다(즉, 덥다, 춥다의 분류가 아니라 온도를 연속형의 값으로 표시하는 것). 예를 들어 키, 몸무게, 현재 체온 등이 있습니다. 회귀 모델에는 선형 회귀, 다항식 회귀, SVM(서포트 벡터 머신), 앙상블, 의사 결정 트리, 신경망 등 다양한 유형이 있습니다.

- 예측은 현재뿐만 아니라 과거의 증거를 기반으로 예측을 만드는 프로세스입니다. 시계열에 기반한 예측은 이 방법의 다른 이름입니다.

앙상블로 알려진 일종의 지도 학습은 새로운 샘플을 사용하여 결과를 예측하기 위해 수많은 서로 다른 머신러닝 모델의 결과를 통합합니다. 모델은 앙상블 내에서 특징적인 역할을 합니다.

3.8.1 비지도 학습

전문가들은 실제로 스스로 학습할 수 있는 시스템에 대해 이야기할 때 비지도 학습에 대해 언급합니다(그림 3.5 참조). 비지도 학습은 학습 알고리즘이 처리하는 데이터에 대한 레이블을 얻지 않는 머신러닝의 한 형태입니다. 대신, 시스템은 들어오는 데이터 내에서 구조를 발견하는 임무를 맡습니다. 데이터에 레이블이 지정되지 않기 때문에 알고리즘이 생성한 구조의 정확성을 평가할 수 있는 방법이 없습니다. 데이터에 카테고리와 레이블이 모두 없을 가능성이 있습니다. 따라서 숨겨진 패턴을 찾아내고 입력 데이터에서 결론을 도출하는 해석을 통해 모델을 구성합니다. 이는 데이터의 정리, 규칙 추출 또는 중복 데이터의 양 감소의 결과로 발생할 수 있습니다.

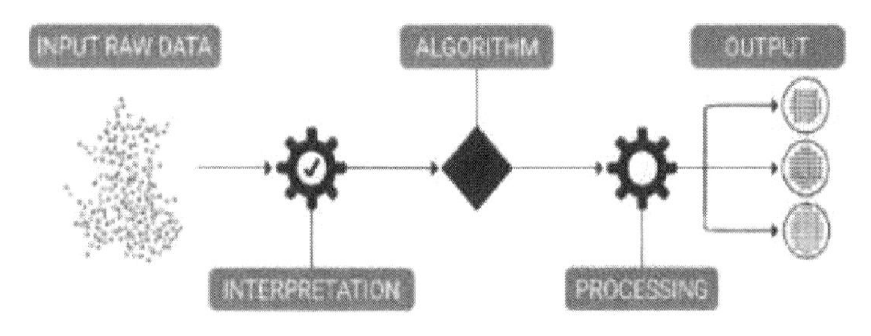

그림 3.5 비지도 학습: 작동 방식

여기에는 클러스터링, 차원 축소, 연관 규칙 학습과 같은 기술이 포함됩니다. 알고리즘이 정확한 출력을 찾지 못할 수도 있지만, 대신 데이터의 기본 구조를 모델링합니다.

비지도 학습 과제는 세 가지 범주로 나눌 수 있습니다:

- 연관성은 일련의 사물이 컬렉션에 함께 나타날 가능성을 결정하는 프로세스입니다. 마케팅 분야와 의료 분야 모두 이를 잘 활용합니다. 예를 들어, 혈당이 잘 조절되지 않는 제2형 당뇨병 진단을 받은 경우, 환자는 평생 동안 어떤 종류의 암에 걸릴 확률이 높을 수 있습니다. 연관성은 분류와 매우 유사하지만, 연관성을 사용하면 모든 속성을 예측할 수 있는 반면 분류는 두 가지 중 하나만 가능합니다.
- 클러스터링은 특정 클러스터 내의 항목이 다른 클러스터의 항

목보다 서로 더 유사하도록 개체를 그룹화하는 프로세스입니다.

- 차원 감소는 특징을 선택하고 추출하여 수행할 수 있는 작업입니다. 이것이 차원 축소를 수행하는 방법입니다. 차원 축소가 수행되면 데이터는 수학적으로 변환되거나 표현될 수 있습니다.

데이터는 특징 추출 과정에서 고차원 공간(즉, 다수의 변수)에서 저차원 공간(즉, 중요한 몇 개의 변수)으로 변환됩니다. 이를 위해서는 데이터 세트의 변수 수를 줄이면서도 가장 중요한 정보를 계속 표현하고 데이터의 무결성을 그대로 유지해야 할 수 있습니다. 다양한 특징 추출 방법을 적용하여 차원을 줄일 수 있습니다. 대부분의 경우, 첫 번째 특징 집합은 완전히 새로운 특징 집합을 구축하기 위한 기초 역할을 합니다. 예를 들어, 환자의 모든 임상 검사 결과를 건강 위험 평가 시스템에 취합하고 사망률에 영향을 미치는 것으로 입증된 데이터를 기반으로 하는 것이 유용할 수 있습니다. 이것이 좋은 예가 될 수 있습니다. 총 차원 수가 줄어들면 특히 2차원 또는 3차원으로 데이터를 더 명확하게 시각화할 수 있을 뿐만 아니라 저장에 필요한 시간과 공간도 줄어들어 정보를 더 오랫동안 저장할 수 있게 됩니다.

알고리즘의 예로는 아프리오리 방법, FP-성장(빈번한 패턴 성장이라고도 함), 숨겨진 마르코프 모델, 주성분 분석(PCA), 특이값 분해(SVD), k-평균, 신경망, 딥러닝 등이 있으며, k-평균과 딥러닝은 추가 알고리즘의 두 가지 예입니다. 딥러닝은 목표를 달성하기 위해 머신러닝 알고리즘을 사용합니다. 머신러닝 알고리즘에는 여러 가지 종류가 있으며 심층 신경망 토폴로지는 그중 하나에 불과합니다.

3.8.2 반지도 학습

반지도 학습(또는 준지도 학습)은 입력 데이터에 레이블이 지정된 정보와 레이블이 지정되지 않은 정보의 조합이 포함된 하이브리드화의 한 형태입니다. 원하는 결과가 있을 수 있음에도 불구하고 모델은 주로 데이터를 구성하고 예측하는 데 도움이 되는 학습 구조에 관심이 있습니다. 분류와 회귀는 일반적인 유형의 문제의 두 가지 예입니다.

3.8.3 강화 학습

이 시점에서 시스템은 에이전트가 특정 목표를 달성해야 하는 동적 환경과 상호 작용하고 있습니다. 강화 학습 과정에는 머신러닝, 행동 심리학, 윤리 철학, 정보 이론 분야가 모두 통합되어 있습니다. 알고리즘이 과제를 수행할 때 보상을 추구할지 아니면 처벌을 피할지를 나타내는 입력이 제공됩니다. 강화를 통한 학습은 에이전트가 현재 상태에 따라 보상을 최대화할 수 있는 행동을 학습하여 차선책을 선택할 수 있는 기능을 제공합니다. 이는 보상을 최대화할 수 있는 행동을 학습함으로써 이루어집니다. 가장 많은 보상을 받을 수 있는 행동을 학습하는 것이 바로 이러한 학습이 수행되는 방식입니다. 최적의 행동(또는 이상적인 정책)은 시행착오와 그 시행착오의 결과에 대한 피드백을 통해 학습되는 것이 일반적입니다. 따라서 알고리즘은 직면한 상황에 따라 적합한 행동을 선택할 수 있습니다.

강화 학습의 일반적인 응용 분야는 로봇 공학에서 찾을 수 있는데, 예를 들어 테이블, 의자 등에 부딪혀 부정적인 피드백을 받음으로써 충돌을 피하는 방법을 학습하는 로봇 청소기가 있습니다. 그러나 오늘날에는 컴퓨터 비전에서도 사용되는 방법도 강화 학습에 포함됩니다. 기존의 지도 학습은 학습자에게 적절한 예시를 보여주지 않고, 최적이 아닌 결정은 명백하게 수정되지 않는다는 점에서 강화 학습과 다릅니다. 이것이 두 학습 유형 간의 주요 차이점 중 하나입니다. 실제 시나리오에서 솔루션의 효과는 이 조사의 주요 초점입니다. 강화 학습 이론은 경험을 통한 학습과 관련하여 합리적인 행동을 가정하며, 그 결과 사람들이 과거로부터 어떻게 학습하여 현명한 결정을 내리는지에 대한 이해를 높이는 데 기여합니다. 이는 사람이 학습하는 방식과 비슷할 뿐만 아니라 사람이 자동차 운전을 배우는 방식과도 비슷합니다(그림 3.6 참조).

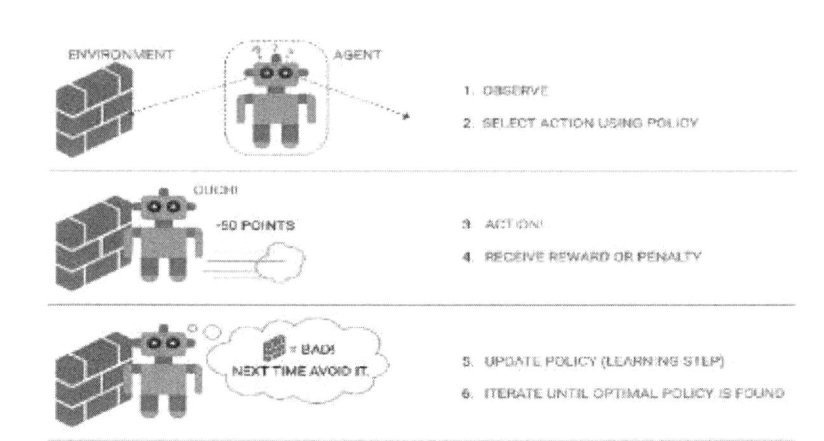

그림 3.6 강화 학습: 작동 방식

예를 들어, 딥마인드의 알파고 에이전트는 바둑의 대가가 되기 위해 도전적인 아마추어 게임에 많이 노출되었습니다. 이를 통해 인간의 적절한 플레이가 어떤 것인지에 대한 개념을 확립했습니다. 그 후, 알파고는 수백 번의 반복 대국을 통해 자신의 기력을 반성하고 매우 강력한 상대가 되기 위해 작지만 의미 있는 진전을 이루었습니다.

자율 주행 자동차는 강화 학습이라는 학습 기법을 활용합니다. 실제 환경에서 작동할 때, 자율 주행 자동차는 현재 속도, 도로 장애물, 주변 교통, 도로 정보, 운전자 제어 등 환경의 다양한 요소를 고려해야 합니다. 이러한 에이전트는 특정 환경 상태에 적합한 방식으로 행동하거나 정책을 수립하는 데 필요한 지식을 습득합니다. 이는 보상 중심의 프로그래밍을 하는 에이전트를 위한 인공지능과 머신러닝에 새로운 윤리적 난제를 제시합니다. 에이전트가 잘못된 결정을 내릴 경우, 실제 세계에서의 결과는 매우 심각할 수 있으며, 이는 인공지능 개발에 있어 중요한 윤리적 고려사항입니다.

3.8.4 데이터 마이닝

데이터 마이닝은 데이터 세트를 분석하여 새로운 정보(패턴, 상관관계 포함)를 추출하는 프로세스로, 데이터베이스에서의 지식 발견으로도 알려져 있습니다. 복잡한 알고리즘을 사용하여 데이터에서 고유한 정보를 추출하는 것이 주된 목적입니다. 데이터 마이닝은 생활과 비즈니스의 모든 측면에 적용될 수 있으며, 다음과 같은 작업을 가능하게 합니다:

- 트렌드 및 행동에 기반한 패턴 예측
- 예상 결과에 기반한 예측
- 결과 확률에 기반한 예측
- 이전에는 알려지지 않았던 사실의 발견을 통한 클러스터링
- 빅데이터 세트, 특히 구조화되지 않은 데이터 세트의 분석

데이터 마이닝은 머신러닝, 통계 및 데이터베이스 기술을 활용하여 모든 분석 이니셔티브의 중심 활동으로 자리 잡고 있습니다. 이 과정에는 대량의 데이터가 포함되며, 이를 통해 보다 설명적이고 간단한 분석 결과를 제공할 수 있습니다. 예를 들어, 의료 분야에서는 데이터 마이닝 도구를 사용하여 자주 함께 나타나는 질병이나 치료법을 식별할 수 있습니다. 또한, 데이터 마이닝은 숨겨진 관계를 찾아내어 예측을 가능하게 함으로써, 예를 들면 보험회사가 잠재적으로 문제가 될 수 있는 고객 행동의 추세를 파악하는 데 도움을 줄 수 있습니다.

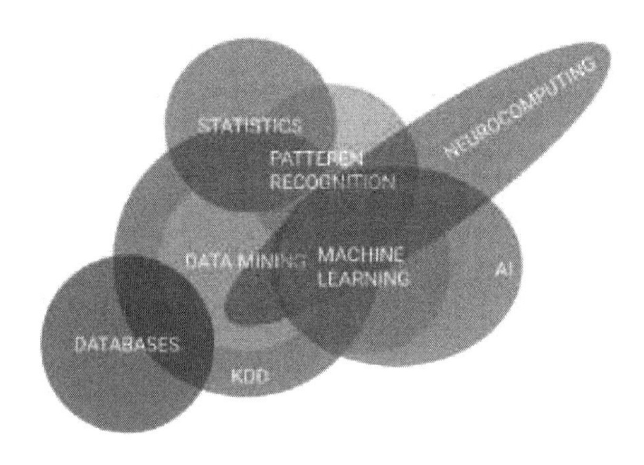

그림 3.7 데이터 마이닝과 그 광범위한 시너지 효과

데이터 마이닝은 머신러닝(Machine Learning)을 활용하여 상당한 이점을 얻을 수 있는 분야입니다. 데이터 마이닝은 진행 중인 작업

에 가장 적합한 학습 모델의 유형과 같은 중요한 의사결정에 영향을 미치는 정보를 제공합니다. 반면에 데이터 마이닝은 머신러닝에서 사용되는 접근 방식에만 국한되지 않고 다양한 추가 전략도 포함합니다. 데이터 마이닝 분야의 목표는 이전에 발견되지 않은 정보를 발굴하는 것이며, 머신러닝 분야에서는 이미 수집된 정보를 얼마나 정확하게 재현하는지에 따라 성능을 평가합니다.

예를 들어, 환자의 혈압 수치를 포함하는 데이터 세트가 있다면, 데이터 마이닝에서는 이상값 탐지(Anomaly Detection) 기술을 사용하여 이전에 발견되지 않은 이상값을 식별할 수 있습니다. 이 연구에서는 군집 분석(Clustering Analysis)을 위한 K-평균(K-Means) 알고리즘과 같은 머신러닝 기법을 활용하여 이상 데이터를 발견하고 알고리즘의 학습 과정을 지원할 수 있습니다.

데이터 마이닝과 자연어 처리(Natural Language Processing, NLP)의 기술은 서로 크게 다르지 않습니다. NLP는 데이터 마이닝에서 에이전트가 텍스트를 이해하거나 '읽는' 데 도움을 제공하기 위해 사용될 수 있는 한 방법입니다. 데이터 마이닝에서 사용되는 알고리즘의 예로는 C4.5, K-평균(K-Means), SVM(지원 벡터 머신), EM(Expectation Maximization), PageRank, AdaBoost, kNN(K-Nearest Neighbors), 나이브 베이즈(Naive Bayes) 및 CART(Classification and Regression Trees) 등이 있습니다. 데

이터 마이닝에 사용되는 또 다른 기법인 선험적 분류(Apriori)도 있습니다.

3.8.5 모수적 및 비모수적 알고리즘

알알고리즘은 사용되는 설명에 따라 모수적(Parametric) 또는 비모수적(Non-parametric)일 수 있습니다.

"비모수적"이라는 용어는 "모수적" 알고리즘과 달리 학습된 데이터를 기반으로 기능적 형태를 학습하는 알고리즘을 의미합니다. "모수적"이라는 용어는 알려진 유한한 형태로 환원할 수 있는 알고리즘을 의미합니다. 즉, 비모수적 방법을 사용할 때 모델의 복잡성은 학습 데이터의 양에 비례하여 증가합니다. 모수적 모델은 특정 구조 또는 사전 정의된 파라미터 세트를 포함합니다. 비모수 모델은 충분한 학습 리소스가 주어지면 정확도가 향상될 수 있으나, 모수적 모델보다는 처리 속도가 느릴 수 있습니다(그림 3.8 참조).

그림 3.8 파라메트릭 알고리즘과 비파라메트릭 알고리즘 비교

모수적(Parametric) 모델은 특정 수의 파라미터를 사용하여 데이터를 설명하며, 이에는 선형 회귀(Linear Regression) 및 로지스틱 회귀(Logistic Regression)와 같은 선형 모델이 포함됩니다. 이러한 모델들은 데이터와의 관계를 고정된 수의 파라미터로 모델링하는데, 예를 들어 선형 회귀에서는 데이터 간의 관계를 직선으로 나타내는 반면, 로지스틱 회귀는 이진 결과를 예측하는 데 사용됩니다.

반면, 비모수적(Non-parametric) 모델은 데이터의 구조를 미리 정의하지 않고 데이터 자체에서 패턴을 학습합니다. 이러한 모델에는 K-최근접 이웃(K-Nearest Neighbors), 신경망(Neural

Networks), 의사 결정 트리(Decision Trees)가 포함됩니다. K-최근접 이웃은 데이터 포인트의 '이웃'을 기반으로 분류 또는 회귀를 수행하며, 신경망은 복잡한 데이터 패턴을 학습하는 데 사용되며, 의사 결정 트리는 데이터를 트리 구조로 나누어 결정을 내리는 방식으로 작동합니다. 비모수적 모델은 종종 더 유연하며 복잡한 데이터 패턴을 더 잘 포착할 수 있지만, 계산 비용이 더 많이 들고 오버피팅(Overfitting)의 위험이 있습니다.

3.9 머신러닝 알고리즘의 작동 방식

지도 학습에서 컴퓨터는 레이블(정답, 즉 Y변수)이 지정된 학습 데이터를 사용하여 함수를 추론하는 작업을 수행합니다.

Y = f(x),

출력 = 함수(입력)로 이해할 수 있습니다.

변수는 입력 또는 출력을 지칭하는 데 사용할 수 있으며, 거의 대부분의 경우 입력과 출력은 벡터 형식으로 제공됩니다. 입력에서 추론하고자 하는 함수의 이름은 문자 f로 표시됩니다.

특정 형태의 치료를 고려하는 환자의 예를 들어보겠습니다. 이 시나리오에서 환자는 치료에 대한 정보를 제공받습니다. 현실에서 환자는 자신에게 권장되는 치료법이나 물질에 대한 연구 자료를 검토해야 할 수 있습니다. 예를 들어, 연구 자료가 "훌륭하다", "놀랍다", "안전하다"와 같은 긍정적인 단어로 가득 차 있다면, 그 치료법이 효과적일 가능성이 높다고 유추할 수 있습니다. 반대로 "좋지 않다", "품질이 낮다", "안전하지 않다"와 같은 부정적인 단어가 자주 등장한다면, 다른 치료법을 고려하는 것이 바람직할 것입니다. 이러한 연구는 치료 연구에서 나타나는 단어의 패턴을 분석함으로써, 연구 결과를 바탕으로 적절한 조치를 취할 수 있게 해줍니다.

머신러닝은 인간의 행동을 모델링하기 위해 다양한 알고리즘을 사용하여 인간이 어떻게 의사 결정을 내리는지 이해하고자 하는 컴퓨터 과학의 한 분야입니다. 이 분야의 주요 연구는 데이터에 액세스하고 이를 활용하여 스스로 학습할 수 있는 알고리즘(또는 컴퓨터 프로그램)을 개발하는 데 중점을 두고 있습니다. 분류와 예측은 머신러닝을 사용하기에 매우 적합한 두 가지 활동입니다. 머신러닝의 가장 일반적인 용도는 예측 분석으로, 새로운 X에 대한 Y의 예측을 생성하기 위해 Y = f(X)의 매핑을 학습하는 것을 포함합니다. 예측 분석은 머신러닝이 가장 널리 사용되는 분야입니다.

다음은 머신러닝이 실제로 어떻게 활용되는지 보여주는 몇 가지 사례입니다:

- 사기 탐지 x는 트랜잭션의 속성이며, f(x)는 트랜잭션이 사기인지 아닌지를 결정합니다.
- 질병 진단 x는 환자의 특성을 나타내고 f(x)는 환자가 질병에 걸렸는지 여부를 나타냅니다.
- 음성 인식 X는 음성 입력의 특성을 나타내고 f(x)는 음성 입력에 포함된 명령에 따라 제공되는 응답을 나타냅니다.

머신러닝 과정의 첫 번째 단계는 예시, 직접적인 경험 또는 지침의 형태로 입력 데이터를 제공하는 것입니다. 이는 기계가 데이터 내의 패턴을 인식하고 제공된 데이터를 기반으로 향후 의사 결정을 개선할 수 있도록 하는 데 목적이 있습니다. 결국, 머신러닝의 목표는 사람의 지원이나 상호 작용 없이도 프로그램이 스스로 학습하고 그에 따라 합리적인 행동을 변경할 수 있는 기능을 제공하는 것입니다.

3.10 머신러닝을 수행하는 방법

머신러닝을 수행하는 방법은 일반적인 컴퓨터 알고리즘 방법론과 비슷합니다. 여기에는 다음이 포함됩니다:

1. 학습하고자 하는 문제의 성격 파악하기
2. 데이터 준비하기

3. 교육 접근 방식 결정하기
4. 교육적 접근 방식 활용하기
5. 절차 및 결과 평가하기
6. 최적화
7. 결과 발표

3.10.1 문제 지정하기

머신러닝과 관련하여 가장 먼저 해야 할 일은 문제를 식별하는 것입니다. 이를 위해서는 당면한 문제의 성격과 이를 해결하고 분석할 수 있는 수단을 확실히 파악해야 합니다. 특히 머신러닝 프로젝트에 대한 예산 사례를 만드는 경우, 문제를 해결하려는 이유를 이해하는 것이 도움이 됩니다. 문제를 해결하려는 이유를 이해하면 노력의 우선순위를 정하는 데 도움이 되기 때문입니다. 여기에는 무엇보다도 다음 사항을 분석하는 것이 포함됩니다:

- 그 문제의 중요성은 무엇인가요?
- 노력을 통해 달성하고자 하는 목표는 무엇인가요? 가장 큰 기대치는 무엇인가요?
- 당면한 작업을 완료할 수 있는 몇 가지 방법은 무엇인가요? 이러한 데이터에 액세스할 수 있나요?
- 조사 결과는 어떤 방식으로 우리에게 유리하게 사용될 수 있

습니까?

- 이것은 예비 조사인가요?
- KPI(핵심 성과 지표)란 정확히 무엇이며, 성과를 측정하는 방법은 정확히 무엇인가요?
- 성공이란 구체적으로 어떤 모습일까요?
- 과제를 해결하는 데 필요한 기술을 사내에 보유하고 있나요?
- 현재 과제와 관련된 제약 조건은 무엇인가요? 여기에는 시간, 재정, 기술, 경험, 주제 전문성, 데이터 가용성 등이 포함될 수 있습니다.

문제에 대한 답을 얻기 위해 접근 가능한 데이터에는 예시 및 배경 정보가 포함됩니다.

3.10.2 예시

관찰과 연습을 통해 습득할 수 있는 중요한 기술 중 하나는 범주화(Categorization)입니다. 범주화는 질병의 위험 평가나 자원 수요 예측 등 예측과 관련된 업무에 특히 유용합니다. 전통적인 의료 환경에서는 진료 예약 데이터와 수기 메모, 특정 진단 등과 같은 다양한 정보 소스가 활용됩니다. 이러한 데이터를 올바르게 분석하고 해석하는 것은 중요합니다. 예를 들어, 잘못된 예시를 사용하면 실수가 확산될 수 있으며, 이는 결과적으로 잘못된 결정으로 이어질 수 있습니다.

분류 작업을 수행할 때, 데이터를 긍정적인 예시와 부정적인 예시, 즉 이분법적(Binary)으로 구분하는 것이 일반적입니다. 이러한 접근 방식은 데이터를 더 명확하게 이해하고, 적절한 분류 모델을 구축하는 데 도움이 됩니다. 예를 들어, 질병의 위험 여부를 평가할 때, 해당 질병이 있거나 없는 환자의 데이터를 비교 분석함으로써, 질병의 존재 여부를 예측하는 데 필요한 패턴을 더 잘 파악할 수 있습니다. 이러한 방법은 의료 진단, 환자 관리 및 자원 할당과 같은 중요한 결정을 내리는 데 중요한 역할을 합니다.

3.10.3 배경 정보

머신러닝과 관련된 문제의 맥락에서 이는 관련된 정보 및 공리를 의미합니다. 이는 메타데이터, 속성 또는 서로 다른 아이디어 간의 연결로 구성될 수 있습니다. 예를 들어, 제2형 당뇨병의 진단은 의학적 증거와 데이터를 기반으로 하는 경우 고혈압 예측 도구에서 고혈압 가능성과 연관될 수 있습니다. 이러한 지식은 학습한 개념을 적용하는 과정에서 활용되는 지식의 종류로 볼 수 있습니다.

3.10.4 데이터의 오류

현실 세계에서 발생한 오류가 분석에 영향을 미칠 수 있다는 사실을 염두에 두어야 합니다. 이러한 부정확성은 무엇보다도 잘못된 분류, 데이터 부족, 잘못된 배경 정보 또는 반복적인 데이터로 인해 발생할 수 있습니다. 예를 들어, 종이 문서를 디지털화하거나 기계가 텍스트를 판독할 때 모두 프로세스에 실수가 발생할 가능성이 있습니다. 이는 다른 자동화된 텍스트 판독 방법도 마찬가지입니다. 모델의 정확도는 모델에 제공되는 데이터에 정비례한다는 점을 명심하는 것이 가장 중요합니다. 사람의 실수로 인한 오류를 최대한 줄이기 위해서는 시간을 들여 데이터를 확인하는 것이 중요합니다.

3.11 데이터 준비

머신러닝 알고리즘의 학습은 제공되는 데이터에 크게 의존합니다. 알고리즘이 효과적으로 학습하려면 정확하고 신뢰할 수 있는 데이터의 제공이 필수적입니다. 이를 위해, 우선 문제를 모델링하는 데 사용될 데이터를 이해하고, 실제 세계의 상황을 반영한 데이터를 추출해야 합니다. 그 후, 데이터가 올바른 형식으로 처리되었는지, 오류나 누락된 데이터가 수정되었는지, 그리고 잘못된 데이터가 제거되었는지 확인해야 합니다. 데이터 세트의 크기가 너무 클 경우, 적절한 데이터 샘플링이 필요할 수도 있습니다.

모든 머신러닝 전문가는 데이터 준비 과정에 숙련되어야 합니다. 깨끗하고 유효한 정보를 확보하는 것은 견고하고 신뢰할 수 있는 결과를 얻기 위해 필수적입니다.

데이터 선택은 첫 단계입니다. 원시 데이터는 처음 추출될 때 가공되지 않은 형태로 존재합니다. 이 데이터를 적절히 정리하는 과정이 필요할 수 있습니다. 이 과정에는 부정확한 데이터를 제거하거나 수정하는 작업이 포함될 수 있습니다. 데이터 정리는 데이터의 품질을 향상시키고, 머신러닝 알고리즘의 학습 효율성과 정확성을 높이는 데 중요한 역할을 합니다.

3.11.1 속성 선택

"속성 선택(Attribute Selection)", 또는 "변수 선택(Variable Selection)", "기능 선택(Feature Selection)" 등 다양한 이름으로 불리는 이 개념은, 본질적으로 현재 수행 중인 예측 모델링에서 가장 중요한 원본 데이터 집합의 하위 집합을 선택하는 프로세스를 말합니다. 이는 필터링과 유사한 개념입니다. 차원 축소(Dimensionality Reduction) 절차는 새로운 속성 조합을 생성하는 반면, 특징 선택은 기존 속성에서 중요한 것들만을 선택합니다. 이것이 특징 선택이 차원 축소와 구별되는 이유입니다. 특징 선택 프로세스에서는 새로운 특성을 개발하는 대신, 어떤 특성을 유지하고 어떤 특성을 배제할지 결정합니다.

이 분야에서 경험의 중요성이 더욱 분명해집니다. 문제가 발생하는 환경을 더 깊이 이해함으로써, 해결책의 구성 요소를 효과적으로 지정할 수 있습니다.

3.11.2 데이터 변환

특히 의료 산업과 같은 많은 분야에서는 데이터의 익명화가 필요하며, 이 과정에서 특정 정보가 제거될 수 있습니다. 형식 변환도 필요할 수 있습니다. 예를 들어, 관계형 데이터베이스가 아닌 플랫 파일로 데이터를 내보내야 할 수도 있습니다. 또한, 샘플 데이터의 일부만 처리하고 싶을 수도 있으며, 디지털화된 텍스트에 오류가 있을 수 있습니다. 데이터 집합을 검토하여 오류, 편향, 불일치가 없는지 확인하는 것이 중요합니다. 특정 상황에서는 데이터를 추가로 변환해야 할 수도 있습니다. 예를 들어, 머신러닝 알고리즘이 제2형 당뇨병 진단을 '거짓일 경우 0', '제2형 당뇨병 진단일 경우 1'이라는 정수로 입력받는다면, '제2형 당뇨병' 또는 '제2형 당뇨병 없음'으로 명시된 의료 기록을 정수 형식으로 변환해야 합니다. 이는 1형 당뇨병 진단에도 적용됩니다. 또한, 단위 변환(Scale Transformation)도 가능한 데이터 변환의 한 예로, 미터법에서 영국식 단위로 변환하는 것을 들 수 있습니다.

이러한 변환의 예로는 다음과 같은 것들이 있습니다:

3.11.3 집계

여기서는 "단일 속성으로 집계할 수 있는 속성"에 대해 논의하고 있습니다. 예를 들어, 특정 환자의 보건 교육 참석 기록은 각 참석을 개별적으로 표현하는 대신 전체 참석 횟수를 집계하여 집계할 수 있습니다. 이는 각 출석을 개별적으로 표시하는 대안보다 더 바람직할 수 있습니다.

3.11.4 분해

이것은 머신러닝 기법에 유리하게 속성을 분할하는 관행을 나타냅니다. 예를 들어, 환자의 병력 기록에서 환자가 아시아계인 것을 나타내는 정보가 있을 수 있습니다. 하지만 제2형 당뇨병 위험 같은 특정 기준을 더 정확하게 예측하기 위해서는 환자의 모국어나 출생지 같은 추가 정보를 알고 있는 것이 더 유용할 수 있습니다.

3.11.5 스케일링

데이터는 다양한 수준의 정보와 함께 다양한 품질을 가질 수 있습니다. 예를 들어, 체중은 킬로그램으로, 키는 밀리미터로 측정될 수 있으며, 임상 지표는 전혀 다른 척도를 사용할 수 있습니다. 스팟 체크, 서식 지정, 변환 등의 데이터 준비 작업을 통해 깨끗하고 일관된 데이터를 생성하는 것이 중요합니다.

머신러닝 학습에 사용되는 데이터의 질은 학습의 질에 직접적인 영향을 미칩니다. 데이터가 왜곡되어 있거나(즉, 모집단을 대표하지 않는 경우) 불완전한 경우, 학습 결과도 왜곡될 수 있습니다. 데이터 세트를 검토할 때 인간의 오류로 인한 실수가 발생하지 않도록 주의해야 하며, 데이터의 버전 관리가 충분히 이루어지고 있는지 확인하는 것이 중요합니다.

3.11.6 가중치

특정 속성의 중요도 또는 영향력은 "가중치(Weight)"로 나타낼 수 있습니다. 일반적으로 양수 가중치는 예측 값이 증가하도록 하며, 음수 가중치는 예측 값이 감소하도록 합니다. 가중치는 모델이 어떤 속성을 더 중요하게 고려해야 하는지를 나타내며, 모델의 예측 정확도에 영향을 미칠 수 있습니다.

3.11.7 얼마나 많은 데이터가 필요한가요?

안타깝게도 이 문제는 여러 가지 요인에 따라 달라지기 때문에 정답은 없습니다. 모델을 학습시킨 다음 실제 환경에서 사용할 때 어떤 종류의 결과가 나오는지 확인하는 것이 얼마나 많은 데이터가 필요한지를 조사하는 한 가지 방법입니다. '학습 곡선'은 다양한 요인에 의해 영향을 받을 수 있습니다. 문제 자체의 복잡성과 솔루션 알고리즘의 복잡성이 모두 요인입니다. 이는 결과적으로 필요한 데이터의 양에 영향을 미칩니다. 알고리즘의 정교함 수준과 제공되는 데이터의 품질에 따라 모델이 실제 세계에서 정확성을 갖춘 결과물을 생성할 수 있는지 여부가 결정됩니다.

데이터의 양과 사용 가능성을 고려하는 것은 머신러닝 프로젝트에서 중요한 고려사항입니다. 의학 분야에서 무작위 대조 임상시험은 특정 장소에서 한 번에 천 명 이상의 개인을 평가하는 경우가 드물지만, 다양한 출처에서 축적된 데이터를 활용할 수 있습니다. 수술과 관련된 데이터의 경우, 모델 학습에 필요하지 않은 데이터가 포함될 수도 있지만, 일반적으로 더 큰 데이터 세트에 접근할 수 있습니다.

비선형 및 비모수적(Non-parametric) 알고리즘은 정확도를 향상시키기 위해 더 많은 데이터를 필요로 합니다. 이러한 알고리즘은 데이터에서 복잡한 패턴을 추출할 수 있으나, 충분한 데이터가 없으면 오버피팅(Overfitting)이 발생할 위험이 있습니다. 따라서, 데이터의 유효성이 중요합니다. 데이터에 편향이나 분산이 존재할 경우, 이는 모델의 성능에 부정적인 영향을 미칠 수 있습니다. 따라서 현실적으로 가능한 한 많은 데이터를 사용하여 모델을 정확하게 훈련하고 검증하는 것이 필수적입니다. 이를 통해 모델이 더 일반화되고 신뢰할 수 있는 결과를 제공할 수 있습니다.

3.12 학습 방법 선택하기

"어떤 알고리즘을 사용해야 할까?"라는 질문은 머신러닝을 처음 시작하는 사람들이 흔히 하는 질문입니다. 알고리즘 선택은 데이터의 양, 품질, 유형, 작업 시간 제한, 접근 가능한 리소스, 데이터 사용 동기 등 여러 가지 기준에 따라 결정됩니다. 머신러닝에 대한 다양한 접근 방식에는 각각 고유한 데이터 표현 방식이 있기 때문에 학습 기법을 "정답의 표현"이라고도 합니다.

데이터를 기반으로 어떤 전략이 가장 큰 결과를 가져올지 미리 결정하기는 거의 어렵습니다. 그렇다고 해서 실 기반 데이터 분석이 실제로 모든 부분에서 성공적인 성과를 거둘 수 있다는 의미는 아닙니다. 하지만 특정 문제를 해결하는 데 사용할 수 있는 일반적인 알고리즘이 있습니다. 이러한 알고리즘은 온라인에서 제공되는 4장에서 설명합니다.

3.13 학습 방법 적용하기

일반적으로 머신러닝과 관련된 작업은 여러 컴퓨터 언어로 수행되며, 그 중 가장 일반적인 언어는 R, Python, MATLAB 및 SQL입니다. Java와 C는 더 많이 사용되는 프로그래밍 언어입니다.

- 통계 분석은 R 프로그래밍 언어가 일반적으로 사용됩니다. 다양한 머신러닝 알고리즘을 제공할 뿐만 아니라 통계적 방법과

그래프를 사용하여 데이터를 이해하고 조사할 수 있는 기능을 제공합니다.

- Python은 머신러닝에 매우 적합한 프로그래밍 언어입니다. 데이터 분석 및 머신러닝 분야에서는 NumPy 및 SciPy와 같은 확장 기능이 특히 유용합니다.
- MATLAB은 많은 대학 1학년 학생들이 시작하는 프로그래밍 언어입니다. 상당한 규모의 머신러닝 라이브러리로 구성되어 있기 때문에 범위가 넓어 신속한 프로토타이핑에 유용합니다.
- 표준 관계형 데이터베이스 관리 시스템은 SQL(구조화된 쿼리 언어)이라는 언어를 사용하여 관리할 수 있습니다.

3.13.1 머신러닝 알고리즘을 처음부터 코딩해야 하나요?

리소스 및 값과 관련하여 여러 가지 선택을 할 수 있으며, 이 모든 것이 전략에 영향을 미칩니다. 매우 구체적이고 복잡한 작업과 비교할 때 개념 증명 프로젝트는 짧은 시간이 소요될 수 있지만, 후자의 경우 여러 가지 기술을 조합해야 할 가능성이 높습니다. scikit-learn, SciPy, Pandas, Matplotlib, TensorFlow, Keras 등과 같은 학습 라이브러리에서 제공하는 미리 만들어진 알고리즘을 구현하는 것은 머신러닝 알고리즘을 실행하는 데 사용할 수 있는 방법 중 하나입니다. 이 방법은 전적으로 실현 가능합니다.

데이터 과학 팀을 구성할 때 파이썬(Python)이나 R과 같은 프로그래밍 언어에 능숙한 인력을 활용하는 것은 머신러닝 프로젝트를 수행하는 데 흔히 사용되는 접근법입니다. 머신러닝에 대한 전문 지식을 가진 팀원은 기초 단계에 있는 팀원보다 훨씬 더 큰 영향을 미칠 수 있습니다. 엔지니어는 업무 경험을 통해 특정 문제에 대해 적절한 머신러닝 접근 방식을 파악하게 되며, 이러한 경험은 시간, 리소스 및 탐색 기회의 손실을 방지하는 데 유용할 수 있습니다. 컴퓨터 과학에 대한 탄탄한 기초를 가진 엔지니어는 머신러닝의 많은 원리를 이미 잘 이해하고 있을 것입니다. 선택한 프로그래밍 언어는 사용 가능한 API(애플리케이션 프로그래밍 인터페이스) 및 표준 라이브러리에 영향을 미칠 수 있으며, 수학과 통계, 논리에 대한 깊은 이해를 위해서는 미리 만들어진 알고리즘 대신 직접 알고리즘을 구현하는 것이 도움이 될 수 있습니다.

시간 제약으로 인해 엔지니어링에 대한 열정을 쏟을 수 없는 경우가 많습니다. 구글 AI, 마이크로소프트 애저, IBM 왓슨 등과 같은 다양한 클라우드 기반 서비스를 통해 알고리즘 처리가 가능합니다. 이러한 서비스는 사용자가 제출한 데이터에 대해 다양한 머신러닝 전략을 실험할 수 있는 그래픽 사용자 인터페이스를 제공합니다. 클라우드 기반 서비스 제공업체의 수가 증가하고 있으며, 이러한 서비스는 비용 효율적으로 이용할 수 있습니다. 이러한 서비스를 사용할 때의 이점 중 하나는 다양한 모델을 실험하고 각 시도의 결과를 비교하여 해결하려는 문제에 대한 가장 효과적인 솔루션을 결정할 수 있다는 것입니다.

대부분의 서비스는 API 또는 웹 서비스 구성 기능을 제공하여 일반적인 프로그래밍 기술을 가진 사용자도 호스팅된 모델과 상호작용하는 인터페이스를 개발할 수 있습니다. 오픈 소스가 전 세계적으로 인기를 얻고 있으므로, GitHub, Reddit 및 기타 머신러닝 전용 온라인 커뮤니티에서 이미 사용 중인 구현을 찾아볼 수 있습니다.

API(애플리케이션 프로그래밍 인터페이스)를 사용하면 소프트웨어 구성 요소 간에 통신이 가능하며, 특히 사내 개발 팀과 클라우드 기반 머신러닝 서비스 제공업체 간의 인터페이스를 제공하는 데 유용합니다. 머신러닝 프로젝트에서는 다양한 공개 API를 활용하여 이점을 얻을 수 있습니다.

머신러닝 API를 통합할 때는 프로세스 전반에 걸쳐 신중하고 세심한 주의를 기울여야 하며, 오픈 소스 환경에서는 인기도와 복원력이 분명하게 표시되는지 확인해야 합니다. 포괄적인 문서와 기능을 갖춘 시스템을 선택하는 것이 중요합니다. GitHub의 현재 상태, 검색 엔진의 인기도, 대화 등은 이러한 시각적 표시의 예입니다.

3.13.2교육 및 테스트 데이터

생성된 데이터에서 테스트 세트와 훈련 세트를 선택하는 것은 머신러닝 모델 개발의 중요한 부분입니다. 이 방법은 모델을 훈련하는 데 사용되는 데이터(훈련 세트)와 모델의 성능을 평가하는 데 사용되는 데이터(테스트 세트)를 분리합니다.

머신러닝 전략을 테스트하고 모델링할 때, 다음과 같은 두 가지 주요 용어를 이해하는 것이 중요합니다:

- 신호(Signal): 데이터 세트의 표면 아래에 있는 실제 패턴이나 정보를 나타냅니다.
- 노이즈(Noise): 데이터 세트에서 무작위이거나 중요하지 않은 패턴으로 정의되며, 종종 의미 없는 정보를 의미합니다.

특정 머신러닝 전략에 따라 하나의 결과가 나올 수도 있고, 다른 전략은 여러 결과를 제공할 수 있습니다. 가설(Hypothesis) 또는 학습된 모델로서의 결과를 수집하고 평가하는 것이 일반적입니다.

가설의 예측 정확도(Predictive Accuracy), 이해도(Understandability), 유용성(Utility)을 평가하여 그 타당성을 결정합니다. 오컴의 면도날 원칙에 따르면, 모든 요인이 동일할 때 가능한 가장 간단한 솔루션을 선택해야 합니다.

- 예측 정확도: 모델이 분류 작업을 얼마나 정확하게 수행하는지를 나타냅니다.
- 이해도: 인간이 결과물을 얼마나 쉽게 이해할 수 있는지를 의미합니다.
- 유용성: 문제에 대한 모델의 가치를 나타냅니다. 예를 들어, 가장 효과적인 약물 조합이 인체에 해로울 수 있으므로, 이 경우 유용성은 정확성이나 이해도보다 우선시될 수 있습니다.

이러한 평가 과정을 마친 후, 가장 적합한 후보 가설이 선택됩니다.

데이터를 학습용과 테스트용으로 나누는 방법에는 여러 가지가 있으며, 이는 모델의 성능을 정확하게 평가하고 일반화할 수 있도록 하는 데 중요한 역할을 합니다.

3.13.3 홀드백 기법

홀드백 기법은 활용할 수 있는 간단한 훈련 접근 방식입니다. 이 전략은 데이터 세트의 나머지 데이터를 사용하여 모델을 학습하고 검증하는 동안 모델 검증 및 훈련에 사용할 데이터의 일부를 유보하는 것을 수반합니다. 대부분의 경우 테스트 결과는 모델이 얼마나 성공적이거나 정확한지 알려줍니다.

3.13.4 n배 교차 검증

n-배 교차 검증(n-fold cross-validation)은 데이터 세트를 n개의 동일한 크기(또는 배)의 여러 예제 그룹, 즉 '폴드(fold)'로 나누는 방법입니다. 이 방법에서는 각 반복에서 한 폴드를 제외한 나머지 폴드를 사용하여 모델을 학습시키고, 제외된 폴드를 사용하여 모델을 테스트합니다. 이 과정은 모든 폴드가 한 번씩 테스트 세트로 사용될 때까지 반복됩니다. 따라서, 각 폴드는 학습과 테스트 모두에 사용되게 됩니다. 일반적으로 3, 5, 7, 10 폴드 교차 검증이 자주 사용됩니다.

n-배 교차 검증의 목표는 훈련 데이터 세트의 크기와 테스트 데이터 세트의 대표성 사이의 적절한 균형을 찾는 것입니다. 이 방법은 데이터 세트의 모든 부분이 모델 학습에 사용될 수 있도록 하여 데이터의 활용도를 극대화합니다. 교차 검증은 모델이 데이터의 특정 부분에 과적합(overfitting)하는 것을 방지하는 데 도움이 되므로 머신러닝 커뮤니티에서 자주 사용됩니다.

교차 검증은 머신러닝 모델의 성능을 더 객관적으로 평가할 수 있게 해주며, 모델이 다양한 데이터 샘플에 대해 얼마나 잘 일반화되는지를 파악하는 데 도움을 줍니다. 또한, 이는 머신러닝 엔지니어가 과적합의 위험을 줄이기 위해 자주 사용하는 전략입니다.

3.13.5 몬테카를로 교차 검증

몬테카를로 교차 검증과 n-배 교차 검증은 매우 유사합니다. 이는 데이터 세트를 테스트 데이터와 학습 데이터로 무작위로 분할하는 것을 수반합니다. 모델의 예측 정확도는 모델이 학습 데이터에 맞게 조정된 후 테스트 데이터를 활용하여 결정됩니다. 그런 다음 모든 분할에 대한 결과의 평균을 구합니다.

3.13.6 다양한 알고리즘 시도하기

예측 모델을 분석하는 과정에서 다양한 솔루션을 실험하는 것은 매우 중요합니다. 여러 솔루션을 평가할 때, 그들의 정확성(Accuracy), 이해도(Understandability), 그리고 유용성(Utility)을 기준으로 삼아야 합니다. 이러한 기준을 사용하면 가장 적합한 솔루션을 선택하는 데 도움이 됩니다.

- 정확성: 모델이 얼마나 정확하게 예측하는지, 즉 예측된 결과가 실제 결과와 얼마나 잘 일치하는지를 나타냅니다.

- 이해도: 모델의 결과를 사용자가 얼마나 쉽게 이해할 수 있는지를 의미합니다. 복잡한 모델보다는 간단하고 명확한 모델이 종종 선호됩니다.

- 유용성: 모델이 실제 문제 해결에 얼마나 효과적인지를 나타냅

니다. 예를 들어, 높은 정확도를 가지지만 실제 상황에 적용하기 어려운 모델은 유용하지 않을 수 있습니다.

대부분의 머신러닝 소프트웨어는 다양한 알고리즘 접근 방식을 지원합니다. 따라서 특정 작업에 가장 적합한 알고리즘을 찾기 위해 다양한 알고리즘을 실험해 보는 것이 좋습니다. 실험을 통해 각 알고리즘이 제공하는 결과를 비교하고, 문제에 가장 적합한 해결책을 결정할 수 있습니다. 이 과정은 머신러닝 모델의 성능을 최적화하고, 실제 환경에서의 적용 가능성을 높이는 데 중요한 역할을 합니다.

3.14 방법 및 결과 평가하기

머신러닝에서 제공되는 데이터의 구조는 모델의 성공 수준에 큰 영향을 미칩니다. 예를 들어, AI 시스템이 환자의 병력을 검토하는 것은 환자의 신체 검사와는 다릅니다. 대신 환자와 관련된 정보가 시스템에 입력되며, 이 정보의 각 부분을 '특징(Feature)'이라고 합니다. 특징 집합이 완전하게 형성되어 있지 않아도 신뢰할 수 있는 결과를 제공할 수 있습니다.

머신러닝에서 알고리즘의 목표는 적절한 일반화를 달성하는 것입니다. 즉, 훈련 단계에서 사용할 수 없었던 데이터에 대해 모델이 높은 정확도를 달성하는 것을 말합니다. '일반화(Generalization)'는 이 과정을 나타내는 용어입니다.

3.14.1 알고리즘 정확도 평가

지도 학습에서 자주 발생하는 문제 유형 중 하나는 이진 분류입니다. 이 경우 문제의 목표는 알려지지 않은 입력을 두 가지 범주(긍정과 부정) 중 하나로 분류하는 방법을 학습하는 것입니다. 이진 분류 에이전트가 새로운 데이터를 잘못 분류하는 경우, 이를 '오탐(False Positive)'이라고 합니다.

의학 분야에서는 오탐보다는 '위양성(False Negative)'을 덜 문제시하는 경향이 있습니다. 예를 들어, 실제로는 질병이 없는데 질병이 있다고 진단받는 것보다, 실제로 질병이 있는데 질병이 없다고 진단받는 것이 더 바람직하다고 여겨집니다.

가설의 예측 정확도는 테스트 데이터 세트에서 적절하게 예측된 이벤트의 비율을 계산함으로써 평가할 수 있습니다. 예를 들어, 250명의 환자 중 133명을 긍정으로, 100명 중 98명을 음성으로 정확하게 진단한 경우 정확도는 (133 + 98) / 250 = 92.4%입니다. 정확도는 모델이 얼마나 잘 일반화할 수 있는지를 평가하는 기준입니다.

$$(133 + 98)/250 = 92.4\%$$

이렇게 하면 알 수 없는 사례를 정확하게 분류할 확률은 100점 만점에 92%입니다. 정확도는 일반화를 평가하는 기준입니다. 과소 적합과 과대 적합은 모두 모델 성능 저하로 이어지며, 이는 정확도에 좋지 않습니다. 두 접근 방식 모두 최적은 아닙니다. 모델을 테스트할 때 분류 정확도가 92%인데, 한 번도 본 적이 없는 데이터에 대해 테스트할 때 정확도가 30%에 불과하다면, 그 모델은 훈련에서 미지의 데이터로 일반화가 잘 되지 않는다고 할 수 있습니다.

모델이 훈련 데이터에 과도하게 적합하게 되는 경우 '과적합(Overfitting)'이 발생합니다. 이 경우 모델은 데이터에 존재하는 노이즈를 학습하게 되며, 새로운 데이터에 대해서는 잘 작동하지 않습니다. 의사 결정 트리와 같은 일부 알고리즘은 과적합의 위험이 있으며, 트리밍(Trimming)이나 단순화를 통해 이를 개선할 수 있습니다.

모델이 한 번도 본 적이 없는 테스트 세트보다 학습된 데이터 세트에서 더 나은 성능을 보인다면 모델은 과적합일 가능성이 높습니다. 교차 검증은 과적합에 대한 점검 방법으로 사용할 수 있는 방법입니다. 또한 추가 데이터로 훈련하면 알고리즘이 가설을 더 잘 추론하는 데 도움이 될 수 있습니다.

- "더 많은 데이터가 더 나은 결과를 낳는다"는 생각은 잘못된 생각입니다. 데이터가 많으면 많은 상황에서 도움이 될 수 있습니다. 그러나 데이터가 많다고 해서 양질의 데이터가 보장되는 것은 아닙니다.
- 노이즈가 포함된 데이터를 추가하는 것은 과적합 사례를 줄이는 데 도움이 되지 않습니다.
- 따라서 데이터가 정확하고 오류가 없는지 확인하는 것이 가장 중요합니다.

데이터 유출(Data Leakage)은 모델이 훈련 중에 예측하려는 정보를 이미 포함하고 있는 데이터를 사용하는 경우 발생합니다. 이로 인해 모델은 실제보다 더 높은 성능을 보이게 되며, 이는 잘못된 일반화로 이어질 수 있습니다. 예를 들어, 이러한 종류의 모델은 "2형 당뇨병 환자는 2형 당뇨병에 걸렸다"는 결론에 도달할 수 있습니다.

머신러닝 시스템에서 데이터가 유출되고 있을 수 있으며, 이는 머신러닝 시스템이 정반대로 보이는데도 불구하고 우수한 성능을 보이는 이유를 설명할 수 있습니다. 이 경우 이 가능성을 조사해야 합니다.

교차 검증(Cross-Validation)은 과적합을 방지하고 모델의 일반화 능력을 검증하는 데 사용될 수 있는 방법입니다. 또한, 더 많은 데이터로 훈련하면 알고리즘이 가설을 더 잘 추론하는 데 도움이 될 수 있지만, 데이터의 품질이 중요합니다. 오류가 없고 정확한 데이터를 사용하는 것이 중요하며, 노이즈가 많은 데이터를 추가하는 것은 과적합을 줄이는 데 도움이 되지 않습니다.

3.14.2 편향과 분산

머신러닝 기반 지도학습의 주된 목표는 데이터 세트의 신호를 포착하면서 노이즈를 최소화하는 것입니다. 지도 학습 알고리즘은 훈련 데이터 세트와 다른 맥락에서도 지식을 적용할 수 있어야 하며, 이를 위해서는 편향(Bias)과 변동성(Variance) 사이의 균형을 찾는 것이 중요합니다. 이 균형을 찾는 것을 '편향성-변동성 트레이드오프(Bias-Variance Tradeoff)'라고 합니다.

3.14.3 바이어스(Bias)

'바이어스'는 모델이 잘못된 입력으로 인해 학습한 결과로 발생하는 부정확성을 의미합니다. 데이터 세트가 임의적이거나 편향된 순서로 제공될 수 있으며, 이는 모델이 실제 올바른 값(즉, 실제 신호)에서 벗어나는 정도를 '편향'으로 정량화합니다.

● 낮은 바이어스: 데이터 세트의 실제 신호를 더 잘 이해할 수 있

습니다.

- 높은 바이어스: 데이터 세트에서 파생된 실제 신호를 덜 이해합니다.
- 높은 바이어스는 모델이 충분히 학습되지 않았거나 과도하게 단순화된 경우를 나타낼 수 있습니다.

3.14.4 분산(Variance)

분산은 훈련 세트의 변동에 대한 모델의 민감도를 나타내며, 오차를 표현합니다.

- 낮은 분산: 데이터 세트에 기반한 모델과 유사한 결과를 제공합니다.
- 높은 분산: 데이터 세트에 기반한 모델과 상당히 다른 결과를 생성합니다.

다트판의 예를 들어 편향과 분산을 설명할 수 있습니다(그림 3.9). 다트판의 '과녁'이 정확한 모델을 상징한다고 가정하고, 각 다트 던지기가 훈련 데이터의 변동을 고려한 모델의 예측을 나타낸다고 생각해봅시다. 각 다트 던지기는 새로운 모델을 시도하는 것과 유사합니다. 충분한 데이터로 학습된 모델은 정확한 예측을 할 수 있으며, 잘못된 예측은 비정상적이거나 중복된 데이터 사용의 결과일 수 있습니다. 다트보드에서 이를 시각적으로 확인할 수 있습니다.

이러한 개념들은 모델이 과소적합(underfitting)이나 과대적합(overfitting)을 피하면서 정확한 일반화를 달성하는 데 도움을 줍니다. 모델이 학습 데이터에만 너무 적합해지면 새로운 데이터에 대해 잘 작동하지 않게 되므로, 편향과 분산 사이의 균형을 찾는 것이 중요합니다.

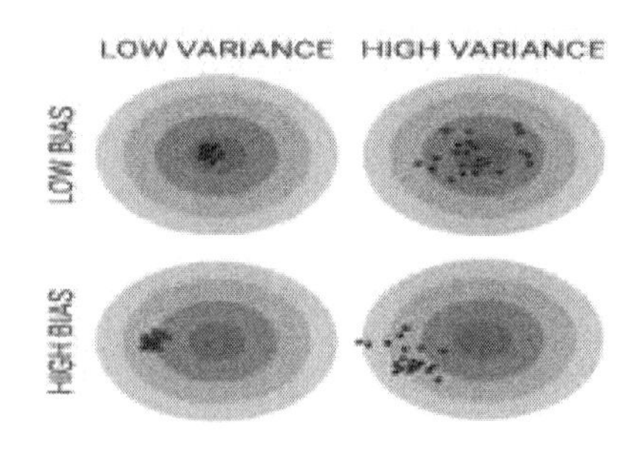

그림 3.9 편향과 분산 예시

머신러닝 알고리즘을 선택하고 조정하는 과정에서 엔지니어는 편향(Bias)과 분산(Variance) 사이의 최적의 균형점을 찾아야 합니다. 편향이 낮은 알고리즘은 데이터와 잘 일치할 수 있는 유연성을 제공하지만, 너무 유연하면 각 데이터 세트를 다르게 해석하여 높은 수준의 분산을 초래할 수 있습니다. 알고리즘의 복잡성은 다양한 방법으로 단순화할 수 있으며, 이러한 방법들은 4장에서 더 자세히 다루어집니다.

편향-분산 트레이드오프는 많은 지도 학습 툴킷에서 자동으로 조절되거나 사용자가 조절할 수 있는 파라미터를 통해 제어됩니다. 편향이 낮은 알고리즘과 비교해 볼 때, 분산이 낮은 알고리즘은 일반적으로 전반적인 복잡성 수준이 낮습니다. 분산이 낮은 알고리즘으로 생성된 모델은 신뢰할 수 있으나 평균적으로 예측의 정확도가 낮을 수 있습니다. 이는 저분산 알고리즘의 구조가 단순하거나 유연하지 않기 때문입니다. 이 범주에는 선형 회귀, 나이브 베이즈 등의 알고리즘이 포함됩니다.

저편향 알고리즘은 일반적으로 더 복잡하고 적응성이 높은 구조를 가지고 있으며, 전반적으로 정확하지만 항상 신뢰할 수 있는 것은 아닙니다. 이는 의사 결정 트리, K-최근접 이웃과 같은 비모수적(non-parametric) 알고리즘을 의미합니다.

프로젝트에서 전체 오류를 줄이기 위해 편향과 분산 사이의 균형점을 찾는 것이 중요합니다. 이 균형점을 찾는 것은 모델이 학습 데이터에 너무 맞춰져 있지 않으면서도 충분히 정확한 예측을 할 수 있도록 하는 데 도움이 됩니다.(그림 3.10 참조).

총 오류 = 바이어스^2 + 분산 + 환원 불가능한 오류

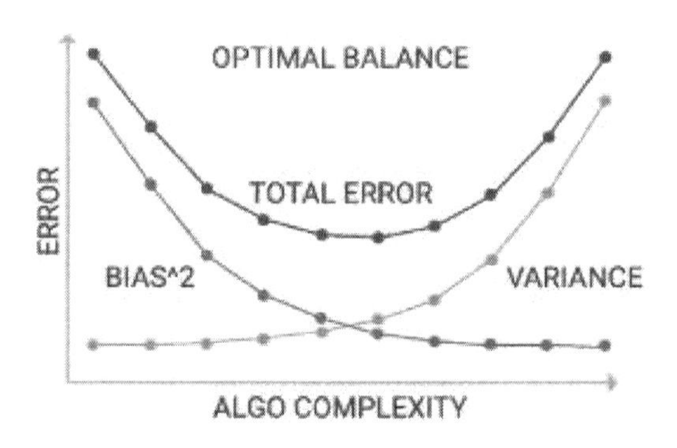

그림 3.10. 최적의 알고리즘 균형 찾기

"감소 불가능한 오류"라는 용어는 사용되는 데이터 세트나 모델에 관계없이 감소할 수 없는 오류를 의미합니다. 훈련 데이터에서 발생하는 노이즈는 다음과 같습니다. 실제 데이터에는 항상 어느 정도의 노이즈가 존재하기 때문에 이는 피할 수 없는 현상입니다.

3.14.5 성능 측정

알고리즘을 분석하는 과정에서 사용할 수 있는 다양한 방법론이 있으며, 각각은 모델의 성능을 평가하는 데 독특한 관점을 제공합니다. 여기에는 다음과 같은 개념들이 포함됩니다:

- 정확도(Accuracy): 모델이 정확하게 예측한 케이스의 비율을 나타내며, 전체 예측 중 올바른 예측의 비율입니다.

- 정밀도(Precision) 및 재현율(Recall): 정밀도는 양성으로 예측된 사례 중 실제로 양성인 사례의 비율을 나타내며, 재현율은 실제 양성인 사례 중 모델이 양성으로 올바르게 예측한 비율을 나타냅니다.

- 제곱 오차(Squared Error): 예측값과 실제값 간의 차이의 제곱을 나타내며, 회귀 모델의 성능을 평가하는 데 자주 사용됩니다.

- 가능성(Likelihood): 주어진 모델이 관측된 데이터를 생성할 확률을 나타냅니다. 높은 가능성은 데이터에 모델이 잘 맞는다는 것을 의미합니다.

- 사후 확률(Posterior Probability): 주어진 데이터에 기반하여 사건이 발생할 조건부 확률을 나타냅니다.

- 비용(Cost): 잘못된 예측으로 인한 비용 또는 손실을 나타내며, 일반적으로 비즈니스 문제나 의사 결정 문제에서 중요한 요소입니다.

- 엔트로피(Entropy) 및 K-L 발산(Kullback-Leibler Divergence): 엔트로피는 시스템의 불확실성을 측정하며, K-L 발산은 두 확

률 분포 간의 차이를 측정하는 데 사용됩니다.

이러한 개념들은 모델의 다양한 측면을 평가하고, 어떤 경우에는 특정 문제에 대한 모델의 적합성을 이해하는 데 도움이 됩니다. 예를 들어, 민감도가 높은 의료 진단에서는 재현율이 특히 중요할 수 있습니다. 반면 비용 민감 모델에서는 잘못된 예측으로 인한 비용을 고려하는 것이 중요할 수 있습니다.

4.1 머신러닝 프로젝트 정의하기

Tom Mitchell의 머신러닝에 대한 정의는 명확하고 이해하기 쉽습니다. 그의 정의에 따르면, 머신러닝은 특정 작업(Task, T)에 대한 성능(Performance, P)이 경험(Experience, E)을 통해 향상되었을 때 이루어진다고 합니다. 이 개념은 데이터 수집 및 활용(E), 완수해야 할 작업(T), 그리고 작업 결과를 평가하는 방법(P)을 명확히 이해하는 데 도움을 줍니다.

머신러닝을 개선하기 위해 노력하는 동안 이 개념을 활용하여 수집 및 사용되는 데이터(E), 완료해야 하는 작업(T), 이러한 작업의 결과를 평가하는 방법(P)을 더 명확하게 이해할 수 있습니다.

4.1.1 작업(Task, T)

작업은 머신러닝 모델이 수행해야 할 특정 작업을 말합니다. 이는 모델이 학습해야 할 기능을 나타냅니다. 예를 들어, 로봇 청소기가 청소하는 작업이 할당될 수 있습니다. 작업은 종종 세부적인 구성 요소로 분류됩니다.

4.1.2 성능(Performance, P)

머신러닝 모델의 기능은 성능 지표를 통해 정량화되고 평가될 수 있습니다. 성능을 평가하는 데 사용되는 비용 함수는 모델이 특정 작업을 수행할 때의 정확도를 평가합니다. 오류율은 모델이 잘못된 출력을 제공하는 비율로서, 모델의 성능을 측정하는 지표로 사용됩니다. 목표는 극단적인 최소값 또는 최대값이 아니라 가능한 한 낮은 오류율을 달성하는 것입니다.

4.1.3 경험(Experience, E)

"경험"은 모델이 학습에 사용하는 레이블이 지정된 데이터의 양을 의미합니다. 이는 머신러닝 모델에 필요한 감독의 양을 나타냅니다. Mitchell의 개념은 머신러닝 프로젝트를 계획하는 데 유용합니다.

이러한 요소들은 현재 해결해야 할 문제(T), 수집해야 할 데이터(E), 결과를 평가하는 방법(P)에 대한 이해를 돕습니다. 예를 들어, 병원 입원을 예측하는 알고리즘은 이전 입원 기록(E)을 기반으로 최대 응급 입원 횟수(T)를 예측할 수 있습니다.

성능 지표(P)는 예측의 정확도로, 모델이 실제 세계에서 적용될수록 더 많은 데이터를 수집하고 더 정확한 예측을 생성할 수 있습니다. 성능은 단일 구성 요소에만 의존하는 것이 아니라, 다양한 요소의 결합으로 평가됩니다. 예를 들어, 병원 입원 피크 예측 시스템은 정확도뿐만 아니라 리소스 사용이나 비용과 같은 추가 정보도 제공할 수 있습니다. 표 4-1에는 작업의 예시적인 예와 함께 각 경험 및 인스턴스와 연결된 경험 및 성과 지표가 나와 있습니다.

표 4-1. 구성 요소별 학습 문제 이해

문제 작업		성능 경험	
수술 봉합 방법 배우기	환자의 머리를 꿰매는 것	정확성(지각된 통증 및 /또는 시간이 특징일 수 있음)	환자의 머리를 꿰매고 성과 측정에 대한 피드백
이미지 인식	이미지를 통해 사람의 체중을 인식	체중 예측의 정확성	사람의 이미지와 각각의 체중에 대한 훈련 데이터세트
환자에게 약물 전달에 사용되는 로봇 팔	올바른 약을 올바른 환자 패킷으로 옮기십시오.	올바르게 배치된 약물의 비율	훈련 사례, 실제 경험
질병의 위험예측	진단 비율 제2형이 정확하게 진단될 가능성 당뇨병 환자		환자 건강 기록의 훈련 데이터 세트, 예측 및 피드백의 실제 경험

머신러닝은 다양한 분야에서 매우 다양한 질문에 대한 답을 찾는 데 사용됩니다. 예를 들어, "2형 당뇨병에 걸릴 가능성이 있는가?", "이 이미지에서 이것은 어떤 물체인가?", "교통 체증을 피할 수 있는가?", "이 조언을 받아들일 수 있는가?"와 같은 질문들이 이에 해당합니다.

머신러닝은 이러한 각각의 문제 영역에 유용할 수 있으나, 현재로서는 모든 상황에 완벽하게 적용되는 전문화된 알고리즘이 존재하지 않습니다. 이는 의료 분야나 다른 산업 분야에 상관없이 마찬가지입니다.

통계학자 조지 박스는 "모든 모델은 오류이지만, 일부는 유용하다"라는 격언을 통해 모델의 한계와 가능성에 대해 언급했습니다. 완벽한 모델은 존재하지 않으며, 머신러닝의 목적은 최대한 정확한 예측을 내놓는 것이 아니라 학습하는 방법을 배우는 것입니다. 이러한 접근 방식은 통계의 기본 원리에 기반을 두고 있으며, 실제 세계에서 확장 가능하고 유용한 예측을 제공하기 위해 설계되었습니다.

머신러닝 모델을 효과적으로 작동시키기 위해서는 사용되는 데이터 세트에 통계적으로 유의미하고 대표적인 무작위 샘플이 포함되어야 합니다. 그렇지 않으면 노이즈 속에서 존재하지 않는 패턴을 인식하고 잘못된 결론을 내릴 위험이 있습니다. 과적합은 모델이 학습 데이터를 단순히 기억에 저장하고 새로운 데이터에 직면했을 때 성능이 떨어지는 문제를 말합니다. 반면에, 데이터가 부족하면 모델이 제대로 학습되지 않아 잘못된 예측을 제공할 수 있습니다.

머신러닝의 궁극적인 목표는 지도 학습이든 비지도 학습이든 일반화하는 능력을 개발하는 것입니다. 이는 이전 경험을 바탕으로 새로운 상황에서 성공적으로 수행할 수 있는 능력으로 정의됩니다.

4.2 머신러닝을 위한 커먼 라이브러리

파이썬이 머신러닝 및 데이터 과학 분야에서 점차 인기를 끌고 있다는 것은 맞습니다. 파이썬은 그 사용의 용이성, 강력한 라이브러리, 그리고 커뮤니티의 광범위한 지원 덕분에 데이터 과학자들과 머신러닝 엔지니어들 사이에서 널리 채택되고 있습니다. GitHub와 같은 플랫폼에서는 파이썬 라이브러리들이 오픈 소스로 공개되어 있으며, 이를 통해 사용자들은 코드를 자유롭게 사용하고, 개선하고, 공유할 수 있습니다.

또한, GitHub과 같은 사이트에서는 라이브러리의 인기도와 견고성을 평가할 수 있는 여러 지표를 제공합니다. 이러한 지표에는 스타 수, 포크 수, 이슈 및 풀 리퀘스트의 개수, 그리고 커뮤니티의 활동성 등이 포함됩니다. 이런 지표들은 특정 라이브러리가 얼마나 널리 사용되고, 유지 관리가 잘 되고 있는지를 가늠하는 데 도움을 줍니다.

파이썬의 가장 인기 있는 머신러닝 및 데이터 과학 라이브러리로는 NumPy, Pandas, Scikit-learn, TensorFlow, Keras 등이 있습니다. 이들은 데이터 처리, 분석, 모델링 및 예측과 관련된 다양한 작업을 수행하는 데 필요한 풍부한 기능을 제공합니다.

- Git 버전 관리 시스템은 GitHub 서비스의 기반입니다. Git은 스트림형 스토리지 전략을 사용합니다. 파일은 Git에 의해 스냅샷으로 만들어지며, 이 스냅샷에 대한 참조도 저장됩니다. Git에는 커밋, 수정, 스테이징의 세 가지 상태가 있으며, 이는 각각 데이터의 로컬 파일 시스템 저장소, 로컬 파일 변경 사항 및 커밋을 위해 태그가 지정된 파일에 해당합니다. GitHub를 활용하면 메타데이터 사용의 이점을 확인할 수 있습니다.
- 기본 Python 확장 라이브러리인 NumPy는 수치 Python으로 알려져 있습니다. 벡터 연산, 수학 연산, 선형 대수 및 난수 생성을 위해 N차원 배열 객체를 빠르게 사용할 수 있게 해줍니다. 이 라이브러리가 없으면 기본 배열 연산은 훨씬 더 느리게 실행됩니다.

- SciPy는 NumPy를 기반으로 하는 과학 처리 패키지입니다. 특수 함수, 신호 및 이미지 처리, 일반 미분 방정식 방법, 선형 대수 루틴을 지원합니다.
- Matplotlib라는 Python 라이브러리는 이와 유사한 데이터 플로팅 및 보기 방법을 제공합니다. 데이터 처리를 위한 일반적인 도구는 MATLAB입니다. 그러나 Matplotlib의 유용성과 단순성 덕분에 Python은 MATLAB과 경쟁할 수 있었습니다.
- 판다스는 데이터를 집계, 수정, 표시하는 프로그램입니다. 판다에서 1차원 배열을 시리즈(Series)라고 하고 다차원 배열을 데이터 프레임(Data Frame)이라고 합니다.
- Scikit-learn에는 머신러닝 및 이미지 처리 도구가 포함되어 있습니다. SciPy를 기반으로 하는 이 라이브러리는 클러스터링, 분류 및 회귀 방법을 지원합니다. 이 챕터에서 다루는 나이브 베이즈, 의사 결정 트리, 랜덤 포레스트, K-평균 및 서포트 벡터 머신을 비롯한 수많은 알고리즘이 이 범주에 속합니다.
- NLTK라고도 하는 자연어 툴킷은 자연어 처리에 사용되는 라이브러리 그룹입니다. 감성 분석 및 요약에 필수적인 토큰화, 형태소 분석, 태깅, 구문 분석 및 분류는 NLTK가 제공하는 전문가 시스템 구성 요소 중 일부에 불과하며, 비정형 텍스트에 사용하기 위한 라이브러리는 Genism이라고 합니다.

- 오픈 소스 데이터 마이닝 및 통계 도구인 스크랩은 처음에 웹 사이트 스크래핑을 위해 만들어졌습니다.
- 기계 학습에 중점을 둔 오픈 소스 데이터 계산 라이브러리인 텐서플로우(TensorFlow)는 구글 알파벳에서 지원합니다. 이 라이브러리를 사용하면 다층 신경망을 빠르게 훈련할 수 있습니다. 많은 Google의 지능형 플랫폼이 TensorFlow를 사용합니다.
- TensorFlow는 신경망 구축 라이브러리 Keras의 기반입니다.

4.3 지도 학습 알고리즘

지도 학습 시나리오의 목적은 예측 함수, 즉 가설 f(x)를 미세 조정하는 것입니다. 이 과정에서 입력 데이터 x를 수학적으로 표현하는 방법을 활용합니다. 예를 들어, x가 하루 중 시간을 나타낼 수 있으며, f(x)는 환자가 병원에서 대기하는 시간을 예측할 수 있습니다. 이러한 입력은 일반적으로 다양한 데이터 포인트의 벡터로 표현됩니다.

지도 학습에서는 각 인스턴스에 레이블 y가 부여되며, 모델 학습에 이 (x, y) 쌍이 사용됩니다. 학습 데이터 세트의 표기법은 "(x(i), y(i); i = 1, ..., N)"이며, 여기서 x는 입력을, y는 출력을 나타냅니다. 모델의 형태는 간단히 f(x) = ax + b로 표현될 수 있으며, 여기서 a와 b는 모델의 매개변수입니다.

모델의 목적은 매개변수 a와 b를 최적화하여 예측 f(x)를 가능한 한 정확하게 만드는 것입니다. 이는 데이터에서 패턴을 찾고, 이를 통계적 분석으로 확인하여 가설을 도출함으로써 달성됩니다. 모델의 오차율을 계산하고, 이를 통해 예측의 정확도를 향상시키기 위해 a와 b를 조정합니다.

특징 선택에는 필터 방법과 래퍼 방법이라는 두 가지 주요 접근 방식이 있습니다. 필터 방법은 데이터의 주요 특성을 기반으로 분석을 수행하며, 래퍼 방법은 머신러닝 알고리즘을 사용하여 여러 특징 하위 집합을 평가한 후 가장 높은 정확도를 제공하는 하위 집합을 선택합니다.

대수(큰 수)의 법칙에 따라, 여러 번의 실험을 통해 결과는 궁극적으로 평형점에 도달할 것으로 예측됩니다. 이는 머신러닝에서도 적용되며, 여러 번의 반복 학습을 통해 모델의 정확도는 일정 수준에 도달할 것으로 예상됩니다.

최종 목적은 시스템에서 매개변수 a와 b의 최적 값을 찾는 것이며, 이를 통해 모델은 경험을 통해 학습하고 효과적으로 작동할 수 있습니다. 지도 머신러닝의 주요 초점은 모델의 오류를 최소화하고 가능한 한 정확한 예측을 개발하는 것입니다. 이를 통해 분류 기반 시스템과 회귀 기반 시스템과 같은 다양한 지도 머신러닝 방법론이 사용됩니다.

4.3.1 분류

분류는 객체(또는 X)를 미리 정해진 불연속적인 범주 모음에 할당하는 프로세스입니다. 이 과정은 매핑 함수 f(또는 레이블, y)를 사용하여 수행됩니다. 분류 알고리즘은 특성(또는 속성)을 기반으로 항목을 평가하여 이진 클래스나 다중 클래스에 할당하는 방법을 결정합니다.

학습 과정에서는 다양한 항목 특성을 포함하는 입력 벡터가 제공됩니다. 예를 들어, '당화혈색소, 7.8%' 및 '당뇨병'과 같은 레이블이 데이터 포인트에 할당될 수 있습니다.

분류 알고리즘은 이러한 데이터를 학습하여 분류 능력을 키웁니다. 분류 문제에서는 패턴 인식을 위해 데이터에 레이블을 지정하는 것이 필요하며, 알고리즘의 분류 정확도는 모델이 예측한 사례를 얼마나 정확하게 분류하는지로 평가됩니다. 대표적인 분류 알고리즘으로는 의사 결정 트리, 나이브 베이즈, 로지스틱 회귀, 서포트 벡터 머신, kNN(k-최근접 이웃) 등이 있습니다.

예를 들어, 의료 분야에서는 환자의 임상 데이터를 바탕으로 특정 질병을 진단하는 것이 분류 알고리즘의 전형적인 적용 사례가 될 수 있습니다. 이 경우 알고리즘이 환자의 다양한 건강 지표를 분석하여 해당 질병의 유무를 결정합니다.

이와 같이 분류 알고리즘은 미리 정의된 범주로 데이터를 할당하는 데 중요한 역할을 하며, 많은 실제 응용 분야에서 중요한 기술입니다. 다음은 분류 알고리즘의 일반적인 적용 사례입니다:

- 환자의 병력(예: 망막병증 여부)을 바탕으로 환자 진단을 제안하는 것.
- 이미지를 분류하여 질병 식별(예: 사진에서 환자의 과체중 여부 판단).
- 병원에서 입원이 가장 많은 시간대 식별, 환자의 병원 재입원 위험도 추정.
- 환자에게 가장 적합한 치료 과정 추천.

4.3.2 회귀 회귀를 사용하여 연속 변수의 값을 예측하기

회귀를 기반으로 한 시스템의 성능은 시스템이 값을 예측할 때 잘못된 예측 횟수를 계산하여 평가할 수 있습니다. 성능 평가를 위해 사용되는 몇 가지 통계적 방법으로는 결정 계수(R^2), 평균 절대 오차(MAE), 상대 절대 오차(RAE), 평균 제곱근 오차(RMSE) 등이 있습니다.

다양한 회귀 접근법 중에는 선형 회귀(Linear Regression), 회귀 트리(Regression Trees), 서포트 벡터 머신(Support Vector Machines), K-최근접 이웃 분석(K-Nearest Neighbors Analysis), 퍼셉트론(Perceptron) 등이 있습니다.

분류와 회귀는 서로 상호 교환 가능한 두 가지 주요 접근 방식입니다. 예를 들어, 환자의 당화혈색소(HbA1c) 수치를 연속적인 값으로 처리할 수 있습니다. 만약 연속 측정값이 6.9% 이상이면, HbA1c 6.5%를 기준으로 당뇨병으로 분류할 수 있습니다. 반면에 HbA1c가 6.5% 미만인 경우에는 비당뇨병으로 분류할 수 있습니다.

시계열 데이터는 시간에 따라 순서대로 배열된 데이터의 형태를 특징으로 합니다. 시계열 데이터를 분석함으로써, 시간적 순서에 따른 추가적인 정보를 얻을 수 있습니다. 시계열 회귀는 이러한 시간적 특성을 고려하여 복잡한 문제를 해결하는 데 사용됩니다. 이러한 시계열 데이터의 분석은 다양한 산업 및 응용 분야에서 널리 사용되고 있으며, 그 중요성은 계속 증가하고 있습니다.

다음은 회귀 방법이 활용되는 일반적인 상황의 예입니다:

- 이전 혈당 값에서 환자의 당화혈색소(HbA1c)를 추정하여 병원 재입원 전 일수를 예측(시계열 예측 또는 시계열 회귀)
- 건강 문제가 발생할 가능성 예측.
- 임상 데이터를 기반으로 환자 사망률 위험 추정.

4.4 의사 결정 트리

의사결정 트리(Decision Tree)는 의사결정 프로세스를 그래픽으로 표현한 것입니다. 중심점에서 바깥쪽으로 확장되며, 특성을 나타내는 내부 노드(Node)와 결과를 나타내는 가지(Branch)로 구성됩니다. 의사결정 트리는 분류(Classification) 문제 해결에 유용하며, 각 분기는 다른 의미 집합을 나타냅니다.

예를 들어, 제2형 당뇨병 위험을 분류하는 의사결정 트리는 다음과 같은 정보를 포함할 수 있습니다(그림 4.1과 표 4-2):

- 건강 상태
- 체질량 지수(BMI)
- 인종
- 위험도

표 4.2 제2형 당뇨병 위험

기록	건강에 해로운	BMI	민족성	결과
사람 1	예	〉25	인도 사람	높은 위험
사람 2	예	〈25	인도 사람	낮은 위험
사람 3	예	〉25	코카서스 사람	높은 위험
사람 4	아니오	〈25	코카서스 사람	낮은 위험
사람 5	아니오	〉25	중국인	중간 위험

데이터에 결함이 없으면 의사결정 트리는 100% 정확도로 데이터 세트를 분류할 수 있습니다. 하지만 실제 환경에서 이는 어려울 수 있으며, 과적합(Overfitting)의 신호일 수 있습니다.

의사결정 트리는 예제 데이터를 통해 분류를 학습하며, 다음과 같은 단계를 포함합니다:

1. 모델 기초부터 시작
2. 모든 예시가 같은 클래스에 속할 때까지 반복
3. 최적의 분할을 위해 기능 평가
4. 분기 값을 사용해 결과 결정
5. 반복
6. 리프 노드 생성

의사결정 트리의 핵심은 루트 노드(Root Node)와 의사 결정 노드(Decision Node)의 위치를 결정하는 것입니다. 대표적인 의사결정 트리 알고리즘으로는 다음과 같은 것들이 있습니다:

CART (Classification and Regression Tree)
ID3 (Iterative Dichotomiser 3)
C4.5 (Successor of ID3)

의사결정 트리는 학습한 정보를 명확하고 간결하게 표현하는 장점이 있습니다(그림 4.1 참조). 이는 인간의 의사결정 방식을 모방하며, 결과를 규칙의 형태로 캡슐화합니다. 의사결정 트리는 변별력 있는 특징의 우선순위를 설정하고 대규모 데이터 세트를 효율적으로 나타낼 수 있습니다. 하지만, 의사결정 트리의 깊이가 제한되지 않으면 과적합의 위험이 있습니다.

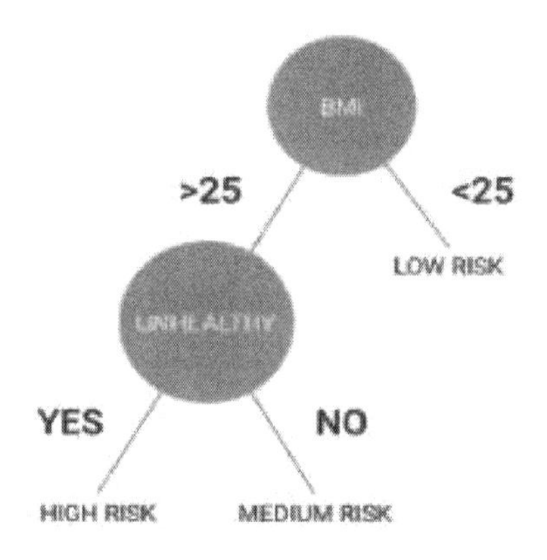

그림 4.1. n = 2 노드의 의사 결정 트리

의사 결정 트리 모델링에서 깊이를 얕게 설정하거나 중요도가 낮은 특징부터 제거하여 가지치기를 하는 것은 과적합을 방지하는 효과적인 방법입니다. 차원 축소 방법 또한 모델의 복잡도를 줄이는 데 도움이 됩니다.

과적합은 머신러닝에서 일반적으로 마주하는 문제로, 모든 알고리즘에서 발생할 수 있습니다. 이를 방지하기 위해 여러 기법이 사용될 수 있으며, 무작위 숲(Random Forest)이나 앙상블 기법은 효과적인 해결책 중 하나입니다. 가지치기를 통해 불필요한 분기를 제거함으로써 모델을 단순화하고 예측의 정확도를 향상시킬 수 있습니다.

모델의 성능 평가는 다음과 같은 지표를 사용하여 이루어집니다:

- True Positive (TP): 실제 클래스와 예측 클래스 모두 '예'인 경우.
- False Positive (FP): 예측 클래스는 '예'이지만 실제 클래스는 '아니오'인 경우.
- True Negative (TN): 예측 클래스와 실제 클래스 모두 '아니오'인 경우.
- False Negative (FN): 실제 클래스는 '예'인데 예측 클래스가 '아니오'인 경우.
- 정확도 (Accuracy): 모델이 올바르게 분류한 총 예시의 비율 = (TP + TN) / (TP + TN + FP + FN).
- 정밀도 (Precision): 올바르게 예측된 양성의 비율 = TP / (TP + FP).
- 재현율 (Recall): 실제 양성 중 올바르게 예측된 비율 = TP / (TP + FN).

이러한 지표들은 모델의 예측 능력과 신뢰성을 평가하는 데 중요합니다.

일반적인 머신러닝 기법은 분류이며, 널리 사용되는 의사 결정 트리 기법에는 ID3(Iterative Dichotomizer 3), C4.5(Classification 4.5), 그리고 결과 트리를 사용하여 후속 샘플을 분류할 수 있는 CART(분류 및 회귀 트리)가 있습니다.

4.4.1 ID3(Iterative Dichotomizer 3)

Python의 Scikit-Learn, Decision-Tree-ID3 방법

ID3(Iterative Dichotomizer 3)는 의사 결정 트리 학습에서 널리 사용되는 알고리즘 중 하나입니다. 로스 퀸란이 개발한 ID3는 정보 이득을 기반으로 하며, 클로드 섀넌의 정보 이론에 근거합니다. 이 알고리즘은 데이터 세트의 불순도 또는 무질서도를 나타내는 엔트로피를 사용하여 정보 이득을 계산합니다.

데이터 세트의 엔트로피 값은 데이터 세트가 얼마나 불순하거나 무질서한지를 나타냅니다. 임의의 범주 "c1,... cn"으로 분류된 임의의 분류 C와 ci의 비율이 파이인 인스턴스 집합 S가 주어졌을 때 샘플 S의 엔트로피는 다음과 같습니다:

$$H(S) \sum_{x \in X} -p(x)\log_2 p(x)$$

정보 이득은 엔트로피를 사용하여 계산됩니다. 이 값은 예제 S와 관련하여 속성 A에 대해 주어지며, 속성 A가 취할 수 있는 값은 집합 T의 총합을 나타내는 {t1, ... tn}입니다.

$$IG(A,S) = H(S) - \sum_{t \in T} p(t)H(t)$$

ID3는 강력한 분류 알고리즘이지만 몇 가지 제한 사항이 있습니다. 예를 들어, 결측값을 직접적으로 처리할 수 없으며, 연속 변수에 대해 최적화되지 않았으며, 과적합의 위험이 있습니다.

ID3를 기반으로 한 또 다른 알고리즘인 C4.5는 일부 이러한 제한을 극복하고, 연속 변수 처리 및 결측값 처리 기능을 개선합니다. 또한, CART(Classification and Regression Trees)는 분류 및 회귀 문제 모두에 사용될 수 있는 또 다른 유명한 의사 결정 트리 알고리즘입니다.

Python의 Scikit-Learn 라이브러리에는 이러한 알고리즘을 구현하는 여러 도구가 포함되어 있어, 데이터 과학자들이 이러한 기법을 쉽게 적용할 수 있습니다.

C4.5와 CART는 의사 결정 트리를 학습하는 두 가지 주요 알고리즘입니다. 이들은 앙상블 학습 방법과 함께 머신러닝에서 널리 사용됩니다.

4.4.1.1 C4.5:

C4.5는 ID3 알고리즘의 후속 버전으로, 로스 퀸란에 의해 개발되었습니다.

- 이 알고리즘은 이득 비율을 사용하여 가장 유익한 특성을 선택합니다. 이득 비율은 정보 이득과 속성의 분할 정보 사이의 비율을 고려합니다.
- C4.5는 연속형 및 범주형 속성 모두를 처리할 수 있으며, 데이터를 효율적으로 분류합니다.
- 과적합을 방지하기 위해 가지치기를 사용합니다. 가지치기는 트리의 복잡성을 줄이고 일반화 능력을 향상시키는 데 도움이 됩니다.

4.4.1.2 CART (Classification And Regression Trees):

- CART는 분류 및 회귀 문제 모두에 사용될 수 있습니다.
- 이 알고리즘은 지니 불순도를 비용 함수로 사용하여 최적의 분할을 찾습니다. 지니 불순도는 클래스 불균형을 평가하는 데 사

용됩니다.

- CART는 이진 트리 형태로 구현되며, 각 노드는 두 개의 자식 노드를 가집니다.

4.5. 앙상블 학습:

앙상블 학습은 여러 학습 모델을 결합하여 단일 학습 모델보다 더 나은 예측을 생성하는 기법입니다. 앙상블에는 배깅과 부스팅이 포함됩니다.

4.5.1 배깅 (Bootstrap Aggregating):

- 배깅은 여러 개의 학습자가 각각의 데이터 부분 집합에서 학습하여 예측을 결합하는 방법입니다.
- 각 모델은 원본 데이터 세트에서 부트스트랩 샘플(재표본추출)을 사용하여 훈련됩니다.
- 최종 예측은 모든 개별 모델의 예측을 평균화하거나 다수결로 결정합니다.
- 무작위 포리스트는 배깅의 한 예로, 여러 결정 트리가 결합되어 더 강력한 예측을 생성합니다.

각기 다른 이러한 기법과 알고리즘은 특정 문제나 데이터 세트에 따라 다르게 적용될 수 있습니다. 선택된 알고리즘은 데이터의 특성, 예측해야 할 문제의 종류, 그리고 성능 요구 사항에 따라 달라질 수 있습니다.

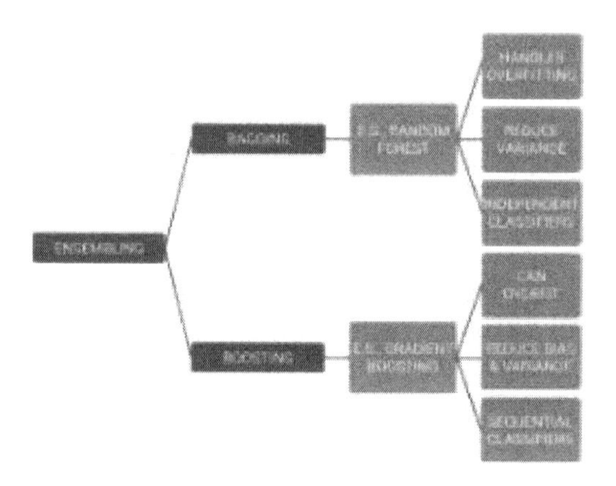

그림 4.2. 배깅과 부스팅 비교

모델의 평균 예측은 평균, 다수결 규칙 또는 통계적 방법을 사용하여 결정됩니다. 배깅의 개념은 무작위 포레스트 의사 결정 트리(그림 4.3 참조)로 확장되며, 이 트리는 무작위로 특성을 선택하고 학습자 예측 간의 상관 관계를 줄여줍니다.

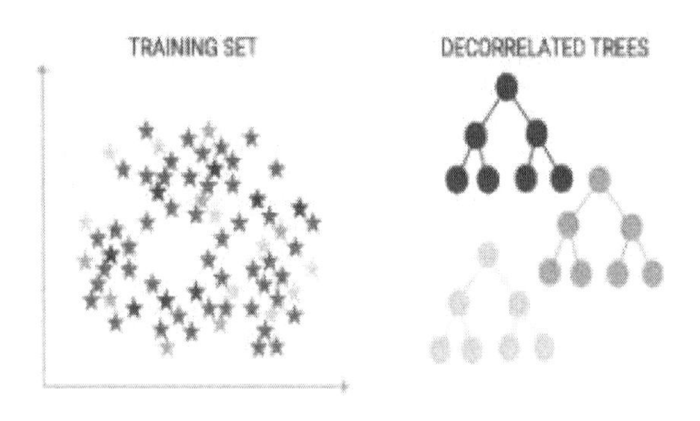

그림 4.3. 랜덤 포리스트 의사 결정 트리

랜덤 포레스트와 부스팅 방법은 머신러닝에서 중요한 앙상블 학습 기법입니다. 각기 다른 접근 방식을 통해 모델의 정확도를 높이고 과적합을 방지하는 데 도움이 됩니다.

4.5.2 **랜덤 포레스트** (Random Forest):

- 랜덤 포레스트는 여러 의사 결정 트리를 결합하여 과적합을 감소시키고 예측의 정확도를 향상시킵니다.
- 각 트리는 데이터 세트의 부트스트랩 샘플과 무작위로 선택된 특성을 사용하여 학습됩니다.
- 분류 문제의 경우 최종 예측은 각 트리의 예측을 다수결로 결합하여 이루어집니다. 회귀 문제의 경우 평균 예측값을 사용합니

다.

- 랜덤 포레스트는 결측값 처리에 강하고 다양한 데이터 유형을 처리할 수 있는 능력이 있습니다.

4.5.3 부스팅 (Boosting):

- 부스팅은 여러 약한 학습자를 강한 학습자로 변환하는 앙상블 기법입니다.
- 이 과정에서 각 모델은 이전 모델의 실수로부터 학습하여 점차적으로 개선됩니다.
- 부스팅은 예측 정확도를 향상시키기 위해 편향과 분산을 줄이는 데 중점을 둡니다.

4.5.4 그라디언트 부스팅 (Gradient Boosting):

- 그라디언트 부스팅은 각 단계에서 손실 함수를 최소화하기 위해 모델을 훈련합니다.
- 이 기법은 이전 트리의 오류를 반영하여 후속 트리를 구축합니다.
- XGBoost는 그라디언트 부스팅의 한 형태로, 높은 성능과 빠른 처리 속도로 인기가 있습니다.

4.5.5 적응형 부스팅 (AdaBoost):

- AdaBoost는 잘못 분류된 샘플에 가중치를 부여하여 다음 모델이 이러한 샘플에 더 집중하도록 합니다.
- 이 방법은 데이터에 연결된 가중치를 조정하면서 연속적인 모델을 훈련합니다.
- AdaBoost는 일반적으로 단순한 의사 결정 트리를 사용하여 복잡하지 않으면서도 효과적인 모델을 생성합니다.

4.6. 앙상블 기법의 장점과 단점

각 앙상블 기법은 특정 문제와 데이터 세트의 특성에 따라 선택됩니다. 랜덤 포레스트는 일반적으로 빠르고 견고한 결과를 제공하는 반면, 부스팅 방법은 복잡한 문제에 대해 더 정교한 모델을 제공할 수 있습니다. 그러나 부스팅은 랜덤 포레스트에 비해 과적합에 더 민감할 수 있습니다.

4.7 선형 회귀

Python을 사용한 Scikit-Learn을 통한 선형 모델링, 특히 선형 회귀에 대한 탐구는 연속적인 통계적 방법론의 탁월한 예시입니다. 이 방법론은 예측 변수(x, 또한 설명 요인 또는 독립 변수로 알려짐)과 응답 변수(y, 종속 변수로도 불림) 간의 관계를 분석합니다.

선형 회귀의 핵심은 입력 변수의 선형 조합을 활용하여 응답 변수 y를 추정하는 데 있으며, 이는 잔차(오차) 또는 잔차 분산을 최소화하는 것을 목표로 합니다. 이를 위해 데이터 세트 전체에 걸쳐 최적의 적합선을 그려 나갑니다.

$$\min \sum (y_i - \hat{y}_i)^2$$

선형 회귀에서 yi는 관측된 실제 응답 값을 의미하며, ŷi는 해당 응답 변수의 예측된 값입니다. 이 둘 사이의 차이는 실제 관측 값과 예측된 값 사이의 잔차 또는 불일치를 대변합니다. '기준 변수' 및 '예측 변수'는 예측을 구성하는 변수를 지칭하며, '절편'은 최적 적합선이 Y축과 교차하는 지점을 나타냅니다.

본 방법은 예측 변수가 하나인 경우를 '단순 선형 회귀'로, 두 개 이상의 예측 변수가 존재하는 경우를 '다중 선형 회귀'로 분류합니다.

$$Y = \beta_a + \beta_1 X$$

$$\beta_1 = \frac{\sum_{i=1}^{m} (x_i - \overline{x})(y_i - \overline{y})}{\sum_{i=1}^{m} (x_i - \overline{x})^2}$$

$$\beta_0 = \overline{y} - \beta_1 \overline{x}$$

예측 변수 x와 출력 변수 y에 대해, B0과 B1은 최적 적합선을 조정하는 추정 계수입니다. 여기서 B0는 편향 또는 절편(선이 Y축을 교차하는 지점)을, B1은 x의 단위 변화 당 y의 변화율(기울기)을 나타냅니다.

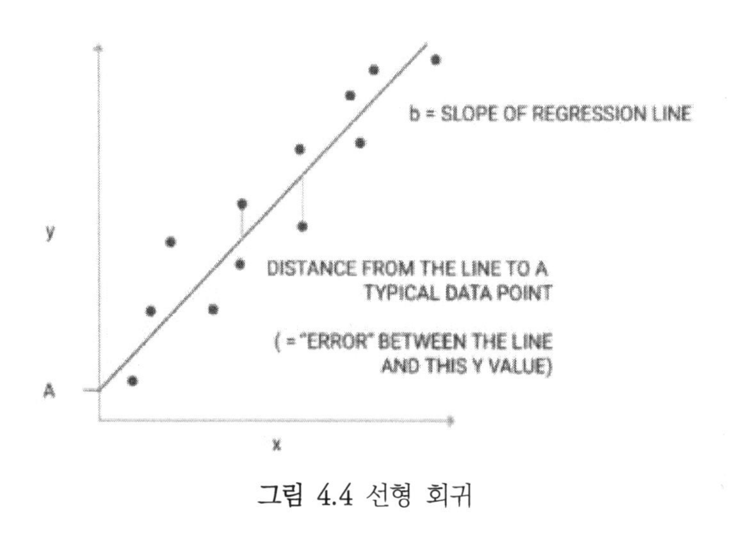

그림 4.4 선형 회귀

모델에서 매개변수를 학습한 후, 새로운 입력 X에 대한 y값을 예측하는 데 이를 활용할 수 있습니다. 매개변수 추정에는 최소제곱법과 경사 하강법이 주로 사용됩니다. 일반 최소제곱법은 데이터 포인트 각각과 회귀선 사이의 제곱 거리 합을 최소화하는 최적 적합선을 찾는 것을 목표로 합니다. 계수 값은 반복적으로 개선되며, 학습률은 중요한 하이퍼파라미터로 작용합니다.

선형 회귀의 주요 한계는 모델의 단순성으로 인해 데이터의 복잡한 상관관계를 포착하지 못할 수 있다는 점입니다. 또한 과적합을 초래할 수 있는 데이터 노이즈에 취약합니다. 변수 간 비선형적 상호작용을 포착하지 못하는 경우도 있습니다. 이러한 문제를 해결하기 위해 변수 변환을 고려할 수 있습니다. 선형 회귀는 모든 변수가 동일한 분산을 가진다는 등분산성 가정을 필요로 합니다.

선형 회귀의 이러한 특성들은 다양한 머신러닝 방법을 채택하는 중요성을 부각시킵니다.

4.7 로지스틱 회귀

로지스틱 회귀, 또는 로지트 회귀는 데이비드 콕스에 의해 1958년에 소개된 이진 분류 문제에 주로 사용되는 모델입니다. 이 모델의 출력은 0과 1 사이의 확률이며, 선형 회귀와 달리 불연속 값 또는 분류 문제에 적용됩니다. 로지스틱 함수 h(x) = 1/(1 + e^(-x))는 입력 x를 로그 변환한 뒤 생성됩니다. 이 확률은 이진 분류로 전환되기 위해 특정 임계값을 사용합니다.

로지스틱 회귀의 훈련은 b0와 b1 매개변수를 식별하여 예측값과 관측값 간의 차이를 최소화하는 것을 목표로 합니다. 이를 위해 최대 우도 추정법이 사용됩니다. 로지스틱 회귀는 변수 간의 선형적 관계가 있는 경우 효과적이지만, 과적합 문제를 해결하기 위해서는 상관 관계가 높은 변수를 제거하는 것을 고려해야 합니다

로지스틱 회귀는 모든 연속 값을 취하여 기본 클래스에 대해 0과 1 사이의 확률 값으로 매핑할 수 있는 S자형 곡선(그림 4.5 참조)인 시그모이드 함수를 사용합니다.

시그모이드 함수: 1/(1 + e^-값), 여기서 e는 오일러의 수이고 값은 변환이 필요한 값입니다.

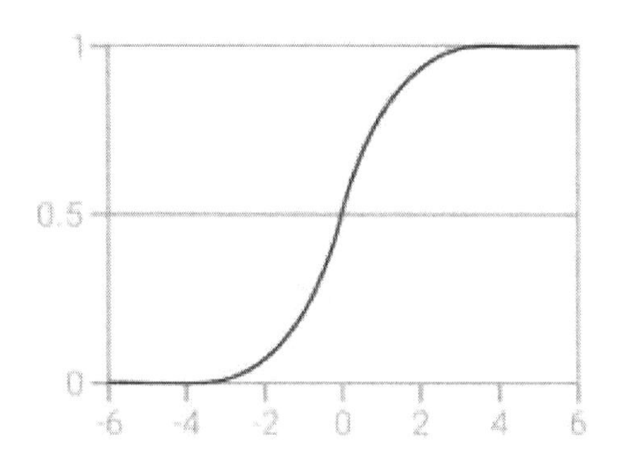

그림 4.5 로지스틱 함수

로지스틱 회귀는 P(x) = e ^ (b0 + b1*x)/(1 + e^(b0 + b1*x)) 방정식을 사용하며, 이는 ln(p(x)/1-p(x)) = b0 + b1*x)로 변환할

수 있습니다. 선형 회귀와 마찬가지로, b0과 b1은 학습 데이터에서 학습한 값입니다.

피부 표면에 생긴 유두종(양성 종양)의 암(악성 종양) 여부를 알려주는 모델을 예시로 들어보겠습니다. 입력 변수인 x는 종양의 크기, 깊이 또는 질감을 설명하는 데 사용될 수 있으며, 양성 종양은 기본값인 y = 1로 표시됩니다. 여러분들이 아시다시피 로지스틱 함수는 각 인스턴스의 x 값에 0에서 1 사이의 확률을 할당하며, 이 값은 0에서 1까지 다양합니다. 암이 양성일 가능성이 0.5보다 크면 종양은 양성으로 간주됩니다.

로지스틱 회귀의 훈련 단계의 목표는 예측값과 관측값 사이의 차이를 가장 작게 만드는 b0 및 b1 파라미터를 식별하는 것입니다. 이 목표를 달성하기 위해 로지시특 회귀분석에서는 최대 가능성 추정이라는 반복적인 방법이 사용됩니다. 최대 가능성 추정을 사용하여 결과 값을 예측할 수 있는 능력이 더 이상 증가하지 않을 때까지 계수를 반복적으로 변경합니다. 각 예측 변수에 대한 이상적인 가중치로 임의의 값으로 시작합니다. 이 값은 무작위로 선택됩니다. 최종 계수는 확률 예측에서 발생하는 부정확성을 줄이는 것을 목표로 하는 숫자로 구성됩니다.

선형 회귀와 매우 유사한 논리적 회귀는 연구 대상 변수와 찾고자 하는 결과 사이의 연결이 선형이라는 가정에서 시작됩니다. 데이터를 선형 모델로 변환하기 전에 특징 감소가 필요할 가능성이 있습니다. 로지스틱 회귀 모델에서 발생하는 과적합 문제는 서로 유의미한 연관성이 있는 변수를 제거함으로써 피할 수 있습니다. 결론적으로, 데이터가 대표성이 없거나 데이터 간에 강한 상관관계가 있는 경우 계수가 수렴하지 않을 수 있습니다.

4.8 파이썬 메서드에서 SVM Scikit-Learn: SVC 및 선형 SVC

서포트 벡터 머신(SVM)은 비확률적인 이진 선형 분류기로서, 회귀 및 분류 문제를 해결하는 데 사용될 수 있습니다. 특히 자연어 처리(NLP)에서 감정 분석과 주제 모델링, 손글씨 숫자 인식 및 이미지 인식 문제에 효과적으로 적용됩니다.

SVM의 기본 원리는 서포트 벡터로 정의된 두 클래스 사이의 최대 마진을 갖는 하이퍼플레인을 찾는 것입니다. 서포트 벡터는 하이퍼플레인에 가장 가까운 데이터 포인트로, 제거 시 하이퍼플레인의 위치가 변경됩니다. 데이터 분류의 안정성은 데이터 포인트와 하이퍼플레인 간의 거리인 마진으로 측정됩니다.

SVM의 핵심 요소 중 하나는 커널링 기법을 사용하여 입력 데이터를 더 높은 차원의 특성 공간으로 매핑하는 것입니다. 커널 트릭은 데이터를 더 많은 차원으로 매핑하여 데이터 분류가 가능한 하이퍼플레인을 생성하는 데 활용됩니다. 예를 들어, 2차원 공간에서의 데이터 분리가 불가능한 경우를 가정하면, 커널 기법을 사용하여 데이터를 3차원 공간으로 매핑함으로써 적절한 하이퍼플레인을 설정할 수 있습니다 (그림 4.6).

SVM은 소규모 데이터 세트에 효과적이며, 수치 입력을 처리할 수 있습니다. 그러나 모델의 복잡성이 증가함에 따라 이해와 해석이 어려워질 수 있으며, 훈련 시간도 데이터 세트의 크기와 함께 증가할 가능성이 있습니다. 노이즈가 많은 데이터에서는 성능이 저하될 수 있습니다.

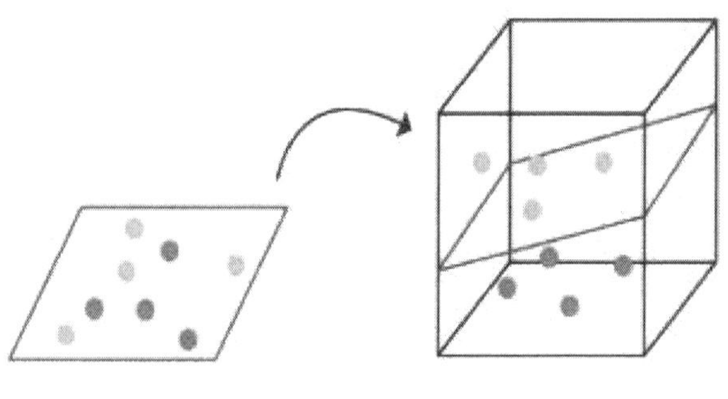

그림 4.6 SVM 시각화

SVM을 표현하는 데 SVM(서포트 벡터 합)을 사용할 수 있습니다 (그림 4.7 참조).

$$f(x) = \sum_i \alpha_i y_i (\mathbf{x}_i^{\mathsf{T}} \mathbf{x}) + b$$

SUPPORT VECTORS

그림 4.7. 서포트 벡터에 대한 합으로 표현된 SVM

4.9 나이브 베이즈 (Naive Bayes)

파이썬과 사이킷-런(Scikit-Learn)에서는 가우시안(Gaussian), 다항식(Multinomial), 베르누이(Bernoulli) 나이브 베이즈 모델을 활용할 수 있습니다.

나이브 베이즈 정리는 이전에 발생한 이벤트를 기반으로 새로운 이벤트의 발생 확률을 추정하는 데 사용됩니다. 이 방법은 변수들이 상호 독립적이라는 가정 하에 작동하며, 이는 현실 세계의 많은 상황에서는 잘못된 가정일 수 있습니다. 그럼에도 불구하고, 나이브 베이즈 분류기는 차원이 큰 데이터 세트에서 유용하게 활용됩니다.

예를 들어, 이 방법을 사용하여 특정 임계값에 따라 범주를 결정할 수 있습니다:

- P(B|A) = 사후 확률은, 데이터 A가 주어졌을 때 가설 B가 참일 확률을 나타냅니다. 여기서 P(B|A) = P(A|B) * P(B) / P(A).
- P(A|B) = 조건부 확률: 가설 B가 참일 때 데이터 A가 발생할 확률.
- P(A) = 클래스의 사전 확률.
- P(B) = 예측 변수의 사전 확률.

P(B)의 사전 분포와 P(A)의 가능성이 주어진 경우, 사후 확률 P(B|A)는 학습 데이터를 사용하여 계산될 수 있습니다. 클래스에 대한 결정은 각 범주에 속할 확률을 계산하여 가장 높은 확률을 갖는 범주를 선택함으로써 이루어집니다.

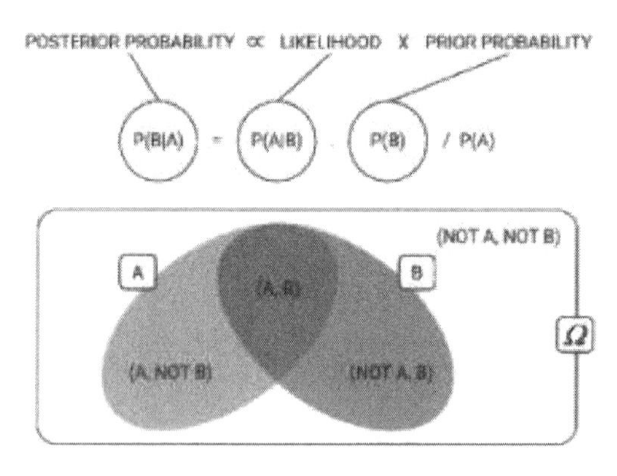

그림 4.8. 사후 확률

표 4-3. 결과 가능성

기록	건강에 해로운	결과
사람 1	예	높은 위험
사람 2	예	낮은 위험
사람 3	예	높은 위험
사람 4	아니오	낮은 위험

이 표는 환자의 건강 상태에 따른 질병 위험 가능성을 계산하는 예를 보여줍니다. P(고위험|건강하지 않음) 및 P(저위험|건강하지 않음)을 계산한 후, 가장 높은 확률을 가진 결과로 건강하지 않음 = 예로 결정합니다.

P(high risk|unhealthy)
= (P(high risk|unhealthy) * P(high risk))/P(unhealthy) =
(2/2 * 2/4)/(3/4) = 0.66

나이브 베이즈 모델은 간단한 구성과 대규모 데이터 세트에서의 유용성으로 인해 복잡한 분류 시스템보다 우수한 성능을 발휘할 수 있습니다.

4.10 K-최근접 이웃(KNN: K-Nearest Neighbors)

사이킷-런(Scikit-Learn)을 사용한 K-최근접 이웃 분류기

K-평균 클러스터링과 K-최근접 이웃은 서로 다른 알고리즘으로, KNN은 훈련 데이터 세트를 직접 저장하고 새로운 샘플에 대한 분류를 유추 학습을 통해 수행하는 비모수적인 접근 방식입니다. 이 알고리즘은 데이터 포인트 간의 거리를 계산하여 가장 가까운 이웃을 찾고, 다수결 투표를 통해 클래스 레이블을 할당합니다.

유클리드 거리 공식은 N차원 공간에서 두 점 A와 B 사이의 거리를 계산하는 데 사용됩니다. 이 공식은 다음과 같습니다:

$$d(A,B) = \sqrt{\sum_{i=1}^{n}(a_i - b_i)^2}$$

이 알고리즘은 다음과 같이 작동합니다:

1. 두 점 사이의 거리를 계산합니다.
2. 가장 가까운 이웃을 찾습니다.
3. 다수결로 클래스 레이블을 결정합니다.

분류 문제에서는 k개의 가장 유사한 사례 중 가장 빈번한 클래스가

선택됩니다. 고차원 데이터에 대해서는 적합하지 않으며, 누락된 데이터가 있을 경우에는 벡터 간 거리를 계산할 수 없어 효과적이지 않습니다.

4.11 신경망 (Neural Networks)

인공 신경망은 자연스러운 생물학적 메커니즘, 즉 뇌의 병렬 아키텍처에서 영감을 받은 대안적인 컴퓨팅 패러다임입니다. 이러한 네트워크는 다차원 데이터 모델링뿐만 아니라 숨겨진 패턴을 발견하는 데도 효과적이며, 분류와 예측이 필요한 다양한 문제에 적용됩니다. 신경망은 순방향 전파를 통해 예측을 생성하고, 이를 실제 결과와 비교하는 방식으로 작동합니다.

신경망의 예로는 퍼셉트론(Perceptron), 완전 연결 신경망(Fully Connected Neural Networks), 합성곱 신경망(Convolutional Neural Networks), 순환 신경망(Recurrent Neural Networks), 장단기 기억 신경망(Long Short-Term Memory Networks), 자동 인코더(Autoencoders), 심층 신념 네트워크(Deep Belief Networks), 생성적 적대 신경망(Generative Adversarial Networks) 등이 있습니다. 대부분의 신경망은 역전파(Backpropagation)를 통한 학습에 참여합니다.

인공 신경망(ANN)은 다음과 같은 다양한 작업에 활용됩니다:

- 음성 인식
- 문헌 번역 및 디지털화
- 얼굴 인식
- 질병 분류: 예를 들어, 신경망은 신장, 눈, 간 등 손상된 장기의 이미지를 분석하여 질병을 예측할 수 있습니다.

인공 신경망은 감독, 비감독, 강화 학습 환경에서 작업을 수행하는 방법을 학습할 수 있습니다.

4.11.1 퍼셉트론

퍼셉트론은 인공 신경망의 기본 구성 요소로, 여러 입력을 받아 하나의 출력값(보통 1 또는 -1)을 생성합니다. 각 노드의 출력은 입력의 가중치 합 S를 통해 결정되는 퍼셉트론의 활성화 함수에 따라 결정됩니다(그림 4.9 참조). 가능한 활성화 함수는 선형, 임계값, 단계 함수, 시그모이드 함수 등이 있습니다.

- 선형(예: 가중치 합)
- 가중 합산값이 미리 정해진 수준을 초과할 때만 활성화되는 임계값 함수
- S가 임계값 미만일 때 반대값(종종 -1)을 출력하는 단계 함수

- 역전파가 활성화된 시그마 함수(1/(1 + e - s)

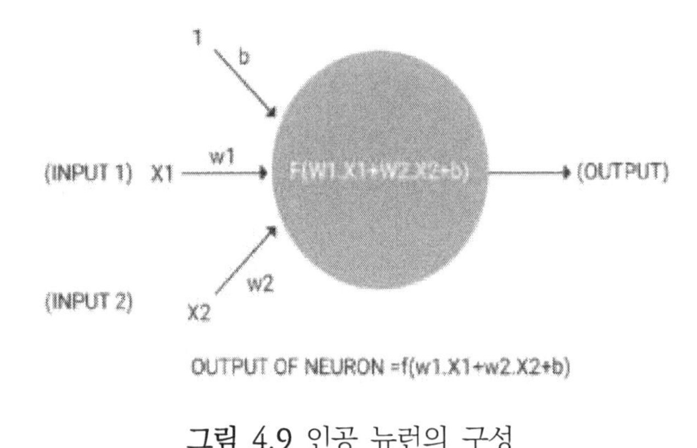

그림 4.9 인공 뉴런의 구성

퍼셉트론은 수상 돌기를 통해 정보를 수신한다는 사실은 실제 뉴런과 유사한 한 가지 방법입니다(그림 4.10). 퍼셉트론은 실제 뉴런과 유사하게 다수의 입력을 받고, 입력 신호가 일정 임계값을 넘을 때만 활성화되어 출력을 생성합니다. 각 퍼셉트론은 바이어스와 유사한 선형 방정식 y = ax + b와 비슷한 형태의 바이어스를 가집니다. 예측을 개선하기 위해 이 선형 방정식은 조정됩니다.

$$a = f\left(\sum_{i=0}^{N} w_i x_i\right)$$

여기서 1은 x0이고 b = w0입니다.

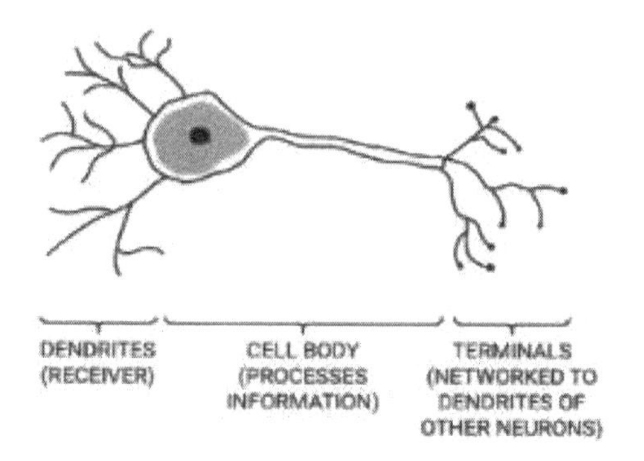

그림 4.10. 생물학적 뉴런의 구성

4.11.2 인공 신경망

인공 신경망은 하나 이상의 숨겨진 레이어를 포함할 수 있으며(그림 4.11), 피드포워드 네트워크는 가장 간단한 형태의 토폴로지 중 하나입니다. 역전파는 출력에서 발생한 오류를 네트워크로 다시 전파하는 과정으로, 각 뉴런의 가중치는 전체 모델의 오류를 최소화하는 방향으로 조정됩니다.

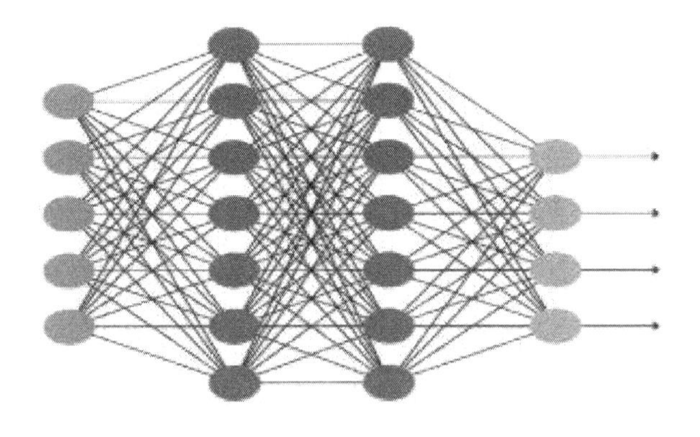

그림 4.11 인공 신경망의 구성

뉴런의 훈련은 신경망 모델의 주요 학습 과제로, 각 에포크는 순방향 및 역방향 전파를 통한 훈련 반복을 의미합니다. 네트워크의 학습 속도는 데이터의 변수 수와 맞춰져 있으며, 바이어스 노드는 다양한 형태로 존재할 수 있습니다. 인공 신경망의 뉴런은 종종 레이어로 배열되며, 각 레이어는 원시 데이터에 서로 다른 변환을 적용합니다.

4.12 딥러닝 (Deep Learning)

딥러닝은 다층적인 신경망을 활용하는 고급 학습 방법론입니다. 이러한 심층 인공 신경망(Deep Neural Networks, DNN)의 훈련에는 상당한 시간과 처리 리소스가 필요합니다. 인공 신경망 모델의 성능은 항상 전통적인 지도 학습 방법론보다 우수한 것은 아니지만, 최근 컴퓨터 하드웨어의 발전으로 인해 더 널리 사용되고 있습니다. 예를 들어, 알파벳의 심층 신경망은 여러 인간 챔피언을 물리친 바둑의 강력한 플레이어를 생성하는 데 사용되었습니다. 딥러닝은 고전적인 보드 게임 바둑을 통해 그 가능성을 입증하고 있습니다(그림 4.12 참조).

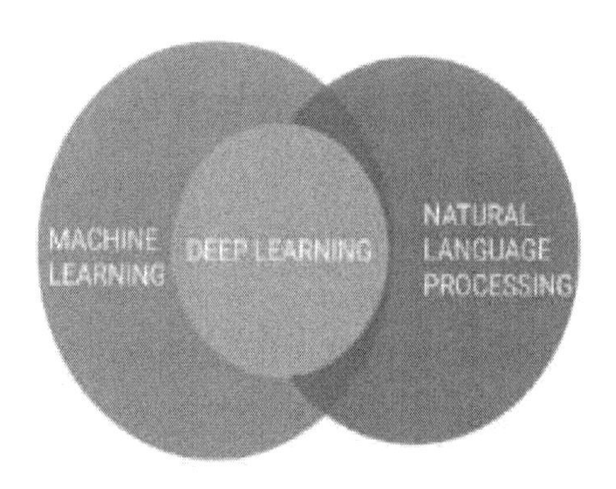

그림 4.12 딥러닝: 어디에 위치할까요?

인공 신경망에는 다양한 종류가 있으며, 그 중 몇 가지 예는 다음과 같습니다.

4.12.1 피드포워드 신경망 (Feedforward Neural Networks)

피드포워드 신경망은 입력의 가중치 합을 출력으로 전달하는 구조입니다(그림 4.13). 입력 합계가 특정 임계값을 초과하면, 신경망은 활성화되어 출력(보통 1)을 생성합니다. 그렇지 않을 경우, 일반적으로 -1을 출력합니다.

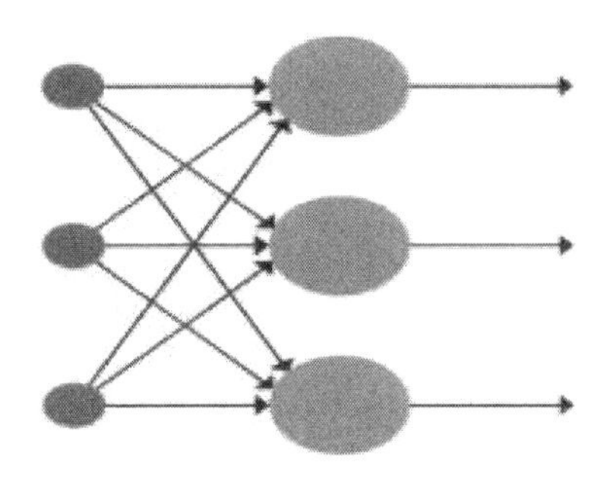

그림 4.13 피드포워드 신경망

4.13 순환 신경망 (Recurrent Neural Networks, RNN) - 장단기 메모리 (Long Short-Term Memory, LSTM)

순환 신경망은 이전 계층의 예측을 "기억"하여 네트워크 입력에 다시 "피드백"하는 구조입니다. 각 노드는 자체 메모리를 가지며, 순차적인 정보를 처리하면서 작동합니다(그림 4.14 참조).

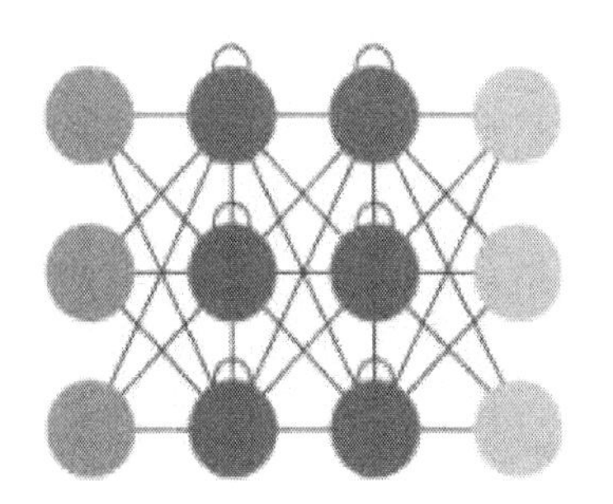

그림 4.14 순환 신경망

4.13.1 컨볼루션 신경망 (Convolutional Neural Networks, CNN)

컨볼루션 신경망은 컴퓨터 비전, 자연어 처리, 지리 데이터, 음성 인식 등 다양한 분야에서 활용됩니다. CNN은 특정 문제의 다양한 측면을 처리하기 위해 서로 다른 컨볼루션 레이어를 사용합니다.

4.13.2 모듈형 신경망 (Modular Neural Networks)

모듈형 신경망은 신경망이 협력하는 개념에 기반합니다. 이러한 네트워크는 인간의 두뇌처럼 작동합니다.

4.13.3 방사형 기저 신경망 (Radial Basis Function Networks, RBF)

방사형 기저 신경망은 원점으로부터의 거리에 따라 값이 달라지는 방사형 기저 활성화 함수를 사용합니다(그림 4.15 참조).

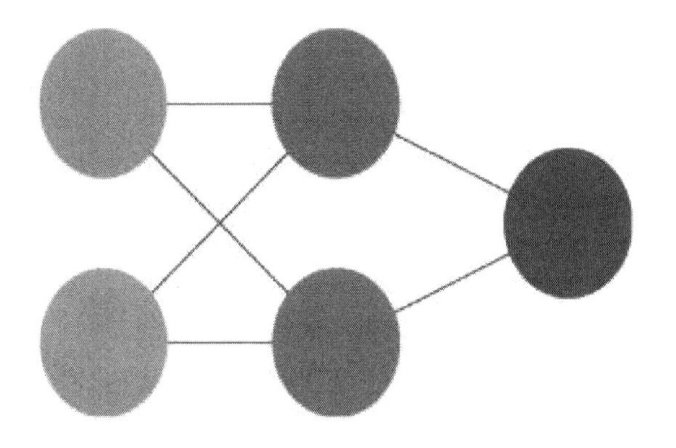

그림 4.15 방사형 기저 신경망

딥러닝의 장점은 학습 데이터로부터 복잡한 선형 및 비선형 모델을 생성할 수 있다는 점입니다. DNN은 데이터의 복잡한 상관관계를 학습할 수 있지만, 과적합에 취약할 수 있으므로 적절한 조정이 필요합니다. 또한, 신경망은 특히 의료 분야에서 '블랙박스' 역할을 하며, 사용자 친화적인 인터페이스를 제공하지 않는다는 비판을 받기도 합니다. 가중치와 편향의 해석이 어려워 모델의 결정 과정을 이해하기가 어렵습니다.

지도 학습 작업에 대한 과적합을 방지하기 위한 뉴런의 상위 제약 조건은 일반적으로 다음과 같이 표현됩니다.

Nh=Ns(α *(Ni + No)),

where

Ni = number of input neurons;

No = number of output neurons;

Ns = number of samples in training dataset; and α = an arbitrary scaling factor.

4.14 비지도 학습

일부 출력 레이블(y)이 주어지면 준지도 학습(semi-supervised learning)이 가능합니다. 예를 들어, 부분적으로 레이블이 지정된 데이터를 사용하여 당뇨병성 망막증을 예측하는 모델을 학습하는 경우, 이는 준지도 학습의 예가 됩니다. 만약 안구 스캔 중 일부만 올바르게 분류된 결과(예: 망막병증이 아닌 경우)가 있다면, 모델 학습에 충분한 데이터가 부족할 수 있습니다. 더 많은 레이블이 지정된 데이터가 모델에 제공될수록 시스템의 정확도는 향상될 것입니다.

시간, 비용, 전문 지식의 관점에서 볼 때, 비지도 학습(unsupervised learning)은 리소스 집약적일 수 있습니다. 일반적으로 데이터 라벨링을 강화하면 모델의 정확도가 크게 향상될 수 있습니다.

클러스터링(clustering)과 연관성(association)은 비지도 학습의 두 가지 주요 요소입니다.

4.14.1 클러스터링

클러스터링은 데이터 내에 숨겨진 패턴을 발견하는 과정입니다. 의료 분야에서의 몇 가지 응용 사례로는 다음과 같은 것들이 있습니다:

- 약물 또는 상태에 따른 치료 그룹 생성
- 모션 센서를 사용한 활동 감지
- 프로필의 유사성을 기반으로 한 환자 그룹화
- 청구 또는 거래에서의 불규칙성 또는 이상값 식별

4.14.2 K-평균

Python의 Scikit-Learn을 사용한 K-평균 클러스터링 알고리즘은 데이터 내에서 k개의 관련 그룹을 찾는 것을 목표로 합니다(그림 4.16 참조). 반복적인 K-평균 접근 방식은 각 학습 데이터를 클러스터 중 하나에 할당한 후 지정된 k개 클러스터의 중심을 찾습니다. 데이터 포인트와 중심점 사이의 거리는 데이터 포인트가 속한 그룹을 식별하는 데 사용됩니다. 클러스터를 식별하는 데 사용되는 속성 값 집합을 클러스터 중심(centroid)이라고 합니다.

$$\underset{c_i \in C}{\arg\min}\ dist(c_i, x)^2 ,$$

여기서 ci는 집합 C의 구심점 모음이고 거리(dist)는 표준 유클리드 거리입니다.

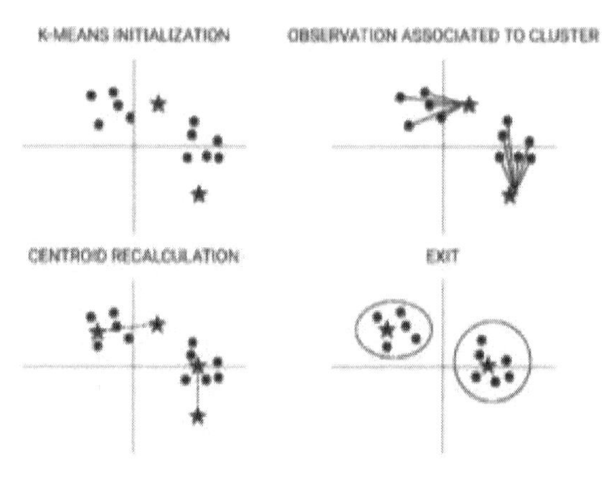

그림 4.16 K-평균 클러스터링

클러스터링은 데이터 조사 전에 그룹을 미리 정의하는 대신, 모델이 자연스럽게 형성된 그룹을 식별하도록 돕습니다. K-평균 알고리즘의 주요 단계는 다음과 같습니다:

1단계: k 값을 지정합니다. 이 예에서는 k = 2를 사용합니다.

- 각 데이터 요소를 k = 2 그룹에 무작위로 할당합니다.
- 각 클러스터의 중심을 식별합니다.

2단계: 각 데이터 요소를 가장 가까운 클러스터 중심에 할당합니다.

3단계: 새 클러스터의 중심을 재계산합니다.

4단계: 클러스터 중심이 더 이상 변하지 않을 때까지 2단계와 3단계를 반복합니다.

4.14.3 연결

데이터의 변수 간 연관성을 가장 잘 설명하는 규칙은 연관 규칙 학습(association rule learning) 기법을 사용하여 추출합니다. 이러한 규칙을 통해 발견된 연관성은 대규모 다차원 데이터 세트의 분석 및 최적화에 활용될 수 있습니다.

예를 들어, 온라인 소매점의 장바구니 데이터는 연관 규칙 학습에 이상적인 사례입니다. 고객이 피자를 구매할 때 와인을 함께 구매하는 경향이 있는 것처럼, 상추를 구매할 때 토마토, 오이, 양파를 함께 구매하는 경향을 분석할 수 있습니다. 이러한 트랜잭션 데이터를 분석하여 연관성을 예측할 수 있습니다. 음식, 의류, 심지어 질병과 같은 다양한 요소들이 종종 함께 나타나며, 연관 규칙 학습은 이러한 연관성을 파악하는 데 목적을 둡니다.

특히 의료 분야에서 연관 증상을 이해하는 것은 질병과 이상 징후를 예측하고 진단하는 데 도움이 될 수 있습니다. 약물 상호 작용 및 관련 환자 동반 질환 경로를 분석하여 잠재적인 부작용을 파악하면 치료 및 치료 옵션을 개선할 수 있습니다.

연관 규칙 학습에서 이해해야 할 세 가지 중요한 메트릭은 다음과 같습니다:

지원(Support)

지원은 절대 빈도의 값을 나타냅니다. 데이터 세트 T의 트랜잭션 중 X와 Y가 함께 발생하는 비율을 지원이라고 합니다. 이는 특정 항목 집합에 대한 수요 수준을 나타내며, 해당 항목 집합이 포함된 완료된 트랜잭션의 비율로 측정됩니다.

sup = Pr(X U Y) = 카운트(X U Y)/총 트랜잭션 수

신뢰도(Confidence)

신뢰도는 조건부 확률로 표현됩니다. 데이터 세트 T에서 X가 있는 트랜잭션 중 일정 비율에 Y도 포함되어 있으면, 해당 연관 규칙은 높은 신뢰도를 가진 것으로 간주됩니다. 이는 X가 발생했을 때 Y가 발생할 확률을 나타냅니다.

conf = Pr(Y|X) = count(X U Y)/count(X)

상승도(Lift)

상승도는 Y의 발생 확률을 고려하여 X가 발생했을 때 Y가 발생할 가능성을 계산합니다.

상승도 = 지지(X U Y)/지지(X) * 지지(Y)

연관 규칙은 X가 발생했을 때 Y가 발생할 가능성을 설정합니다. 이러한 연관 규칙의 장점은 다양한 비즈니스 분야에 적용할 수 있다는 것입니다. 연관성 및 데이터 구조를 분석하기 위해 다양한 연관 규칙 마이닝 알고리즘이 사용됩니다.

4.14.4 아프리오리(Apriori)

가장 널리 사용되는 연관 규칙 마이닝 알고리즘 중 하나는 Apriori 입니다. 이 방법은 패턴 마이닝이나 공통적으로 발생하는 특성이나 사물을 식별하는 데 자주 사용됩니다. 잠재적인 특징 패턴을 발견하는 데 효과적이며, 바스켓 분석에 자주 활용됩니다. 일반적으로 트랜잭션 데이터베이스는 공통 관계를 마이닝하고 연관 규칙을 제공하는 데 사용됩니다.

n개의 항목 집합이 Apriori 분석의 기초를 형성합니다. 필요한 임계값 지원 및 신뢰도를 만족하는 모든 잠재적 후보 항목 집합 또는

빈번한 항목 집합은 이 방법으로 계산됩니다. Apriori 속성에 따르면, 항목 집합의 모든 하위 집합도 마찬가지로 빈도가 높아야 합니다.

빈번한 하위 집합은 상향식 Apriori 기법을 사용하여 한 번에 한 항목씩 식별하고 증가시킵니다.

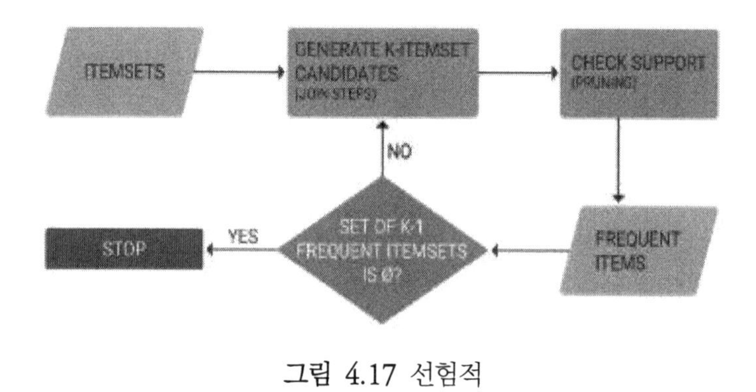

그림 4.17 선험적

선험적 접근 방식 선험적 접근 방식은 다소 간단합니다(그림 4.17 참조):

- 최소 지원의 원칙(sup)을 적용하여 데이터 집합 T에서 빈번한 항목 집합이 최소 지원을 갖는 모든 빈번한 항목 집합 k를 찾습니다.
- 빈번한 k 항목 집합을 사용하여 선택 영역을 확장하여 k + 1

항목의 빈번한 집합을 식별합니다.

• 항목 집합의 최대 크기는 항목 수인 k입니다.

4.15 차원 축소 알고리즘

데이터가 많을수록 좋지만, 데이터 세트에 수많은 변수가 포함되어 있을 경우, 중요한 신호를 추출하기 어려워질 수 있습니다. 차원 축소 방법은 희소값, 결측치, 적절한 특성 찾기, 리소스 효율성, 해석 용이성 등 다양한 이유로 데이터 과학자에게 유용합니다. 차원 축소 알고리즘(Dimensionality Reduction Algorithm, DRA)은 데이터 집합의 차원 수를 줄이는 것을 목표로 합니다. 특정 의사결정에 필요한 중요한 정보를 유지하면서 차원을 감소시키는 것이 중요합니다:

휴대폰은 통화, 문자, 걸음 수, 소모 칼로리, 오른 층수, 인터넷 사용량 등 많은 데이터를 수집합니다. 이 중에서 휴대폰 사용 분석에 가장 유용한 정보는 무엇일까요?

브랜드는 소셜 미디어에서 댓글, 좋아요, 팔로우, 감정, 기분 등의 상호 작용과 참여 데이터를 수집합니다. 건강에 대한 태도를 분석하는 데 가장 유용한 정보는 무엇일까요?

의료 건강 기록은 데이터로 가득 차 있지만, 그 중 일부만 질병의 위험이나 경과를 예측하는 데 유용합니다. 향후 질병 또는 부작용 위험을 이해하는 데 도움이 되는 정보는 무엇일까요?

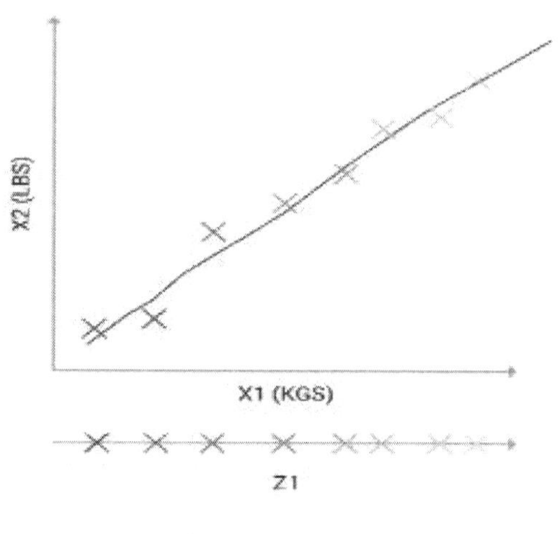

그림 4.18 치수 감소

차원 축소는 데이터 집합의 차원 수를 줄이면서도 관련 데이터를 정확하게 표현하는 프로세스입니다. 예를 들어, 데이터 집합의 cm와 인치 사이의 관계는 그림 4.18에 그래픽으로 표시됩니다. 이 2차원 표현을 1차원 표현으로 축소하면 시각화를 통해 이해도를 높일 수 있습니다. N차원 데이터를 k차원으로 압축하여 내재된 관계를 표현하고, 가치 있는 차원을 결정하거나 통합하거나 새로운 차원을 설정할 수 있습니다.

차원 축소는 머신러닝 작업에서 매우 유용하며 다양한 이점을 제공합니다:

- 원래 데이터 집합과 비교했을 때, 더 적은 수의 차원으로 더 빠르게 계산을 수행할 수 있습니다.
- 기본적으로 차원 축소 방법은 필요한 저장 공간의 양을 줄여 줍니다.
- 데이터를 3차원 미만으로 축소하면 시각화 및 이해도가 향상됩니다.
- 중복 데이터가 제거되어 머신러닝 모델의 성능이 향상됩니다.
- 노이즈가 제거되어 모델 성능이 향상됩니다.

4.16 차원 축소 기법

차원 축소는 다양한 방법으로 수행할 수 있습니다:

4.16.1 누락된/무효 값

누락된 데이터와 결측값은 자체적으로 큰 문제가 아닐 수 있지만, 결측값의 비율이 증가하면 변수를 삭제하거나, 누락된 데이터를 무시하거나, 예측값을 계산해야 할 필요가 있습니다. 대부분의 데이터 과학자는 속성에 50% 이상의 빈 값 또는 null 값이 있는 경우 변수를 제거하는 것이 좋다고 합니다. 이 임계값은 상황에 따라 다를 수 있습니다.

4.16.2 낮은 분산

서로 매우 유사한 데이터 속성에 포함된 정보의 양은 적습니다. 따라서 낮은 분산 임계값을 설정하고 차원을 삭제할 수 있습니다. 분산은 범위에 따라 달라지므로 데이터 정규화를 우선적으로 수행해야 합니다.

4.16.3 높은 상관관계

비슷한 품질의 데이터 패턴은 유사한 정보를 반영할 가능성이 높습니다. 관련 데이터의 운반은 다중 공선성의 예이며, 이는 모델 성능을 저해할 수 있습니다. 피어슨의 제품-모멘트 계수는 연속 데이터 간의 선형 상관관계를 측정하는 데 사용됩니다. 이 계수는 두 변수 간의 선형 상관관계를 나타냅니다. 불연속형 데이터의 피어슨 카이제곱 값은 그룹 간에 관찰된 변화가 우연에서 비롯된 것일 가능성을 결정합니다.

4.16.4 랜덤 포레스트 의사 결정 트리

랜덤 포레스트 의사 결정 트리의 앙상블을 사용하는 것은 주요 특성을 찾는 데 효과적인 방법입니다. 랜덤 포리스트 의사 결정 트리는 특성이 다른 특성보다 더 효과적으로 분할되는지 여부를 결정할 수 있습니다. 특정 특성이 이상적인 분할 노드로 자주 선택되면 해당 특성을 유지하는 것이 좋습니다.

4.16.5 역방향 특징 제거

역방향 특징 제거는 모델을 n개의 서로 다른 속성으로 학습시키는 프로세스입니다. 각 사이클에서 n개의 속성으로 시작한 후, 모델은 n-1개의 속성으로 n번 훈련됩니다. 오류율이 가장 적게 상승하는 특성이 제외되고, 알고리즘은 남은 n-1개의 속성으로 절차를 반복합니다. 이 과정은 계산 비용이 상당합니다.

4.16.6 포워드 특징 구성

포워드 특징 구성은 단일 속성으로 시작하여 해당 속성의 가능한 모든 조합을 평가하여 성능 이득이 가장 높은 속성을 결정하는 방법입니다. 이 방법은 제한된 차원 집합에 사용하지 않는 한 계산 비용이 많이 듭니다.

4.16.7 주성분 분석(PCA)

주성분 분석(PCA)은 데이터의 특성 간에 존재할 수 있는 최대 분산을 결정하기 위해 반복 계산을 수행하는 기법입니다. 모든 구성 요소는 분석에 사용된 변수의 직교 선형 조합입니다(그림 4.19). 직교성에 따라 구성 요소 간에는 상관관계가 없습니다.

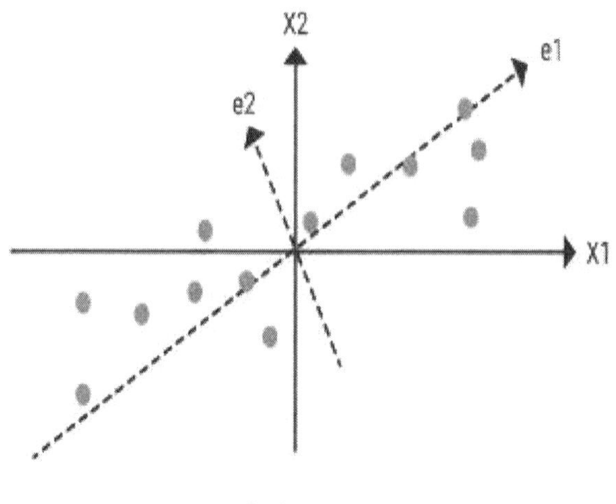

그림 4.19. PCA

분산이 가장 큰 원래 차원의 선형 조합이 첫 번째 주성분이 되며, 분산이 가장 큰 선형 조합이 n-1 주성분과 직교하는 경우 n 번째 주성분이 됩니다.

4.17 자연어 처리(NLP)

자연어 처리(NLP)는 인공지능의 하위 분야로, 특정 문제 집합에 초점을 맞춥니다. NLP는 컴퓨터 및 기타 전자 장치가 음성 및 서면 텍스트를 포함한 다양한 형태의 인간 언어를 분석, 해석 및 생성하는 기능을 다룹니다. 전산 언어학 분야는 언어학을 컴퓨터 기술을 사용하여 연구하는 분야로, 여기에는 NLP가 하위 분야로 포함됩니다.

- 데이터 세트에서 정형 및 비정형 데이터 검색.
- 질문 답변: 인간의 자연어를 이해하여 효과적으로 상호 작용하는 것.
- 가상 비서나 음성 인식 소프트웨어와의 상호작용을 위한 인간의 자연어 이해.
- 문서 검토를 통한 중요한 결론 도출.
- 진단과 관계의 차이점 인식.
- 이미지-텍스트 인식(예: 간판이나 메뉴 읽기).
- 감정과 분위기를 이해하기 위한 텍스트 구문 분석.
- 토픽 모델링: 문서에서 논의되는 내용 파악.
- 기계 번역: 하나의 인간 언어를 다른 인간 언어로 자동 변환.
- 소셜 미디어 또는 포럼 게시물에서 감정 해석.

언어의 자연스러운 모호함과 발음, 표현, 지각의 복잡성으로 인해 자연어 해석은 어렵습니다. 인간 언어에는 규칙이 있지만, 이러한 규칙은 자주 위반됩니다. NLP는 의미를 결정할 때 언어 구조를 고려합니다. 단어, 구문, 문장, 문서 등은 모두 아이디어를 전달하는 데 사용됩니다.

NLP 툴킷에서는 모델 생성을 위한 다양한 텍스트 처리 및 데이터 마이닝 기법을 사용할 수 있습니다. NLP 활동은 비정형 데이터의 특성으로 인해 계산 리소스와 시간 측면에서 많은 비용이 소요될 수 있습니다. 딥러닝과 신경망은 NLP 작업에 활용될 수 있습니다.

- NLP는 대부분의 데이터가 비정형 데이터인 자연어를 해석하고 이해하는 데 강력한 기술입니다.
- NLP를 시작하기 전에 몇 가지 기본 용어를 배우는 것이 중요합니다:
- 토큰화: 텍스트 말뭉치를 더 작은 부분(토큰)으로 분해하는 프로세스.
- 어간 제거: 단어에서 접미사('ing', 'ly', 'es', 's' 등)를 제거하는 규칙 기반 절차.
- 형태소화: 사전 조사 및 형태소 분석을 통해 단어의 어근을 파악하는 작업.
- 구문: 문장에서 단어와 구의 구조적 기능을 파악하는 것.
- 화용론: 다양한 문맥에서 문장의 사용 및 해석에 대한 연구.
- 의미론: 단어의 의미와 이를 연결하여 의미 있는 구와 문장을 형성하는 방법에 대한 연구.

이 챕터에서는 NLP의 기본 개념과 절차를 소개하고, 데이터 세트에서 특정 접근 방식을 사용하여 특정 값을 얻는 방법을 설명합니다.

4.18 NLP 시작하기

NLP 모델이 입력 문장에서 유용한 출력을 생성하려면 몇 가지 필수 요소가 있어야 합니다(그림 4.20 참조).

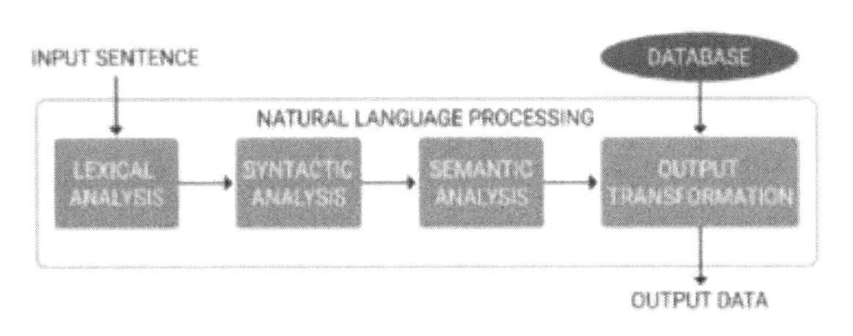

그림 4.20 NLP 작동 방식

4.19 전처리: 어휘 분석

데이터 환경과 무관한 언어 코퍼스는 노이즈로 해석될 수 있습니다. 입력 텍스트를 정리하고 표준화하는 것은 NLP의 첫 번째 단계로, 노이즈가 없는지 확인하고 분석할 수 있도록 준비합니다.

노이즈를 줄이기 위한 방법으로는 맞춤법 및 문법 검사 외에도 다음과 같은 방법이 사용됩니다.

4.19.1 노이즈 제거

방해가 되는 단어(노이즈 토큰)의 사전을 만들고 텍스트를 파싱하여 노이즈 사전의 토큰과 일치하는 단어를 제외합니다. 예를 들어, 'the', 'a', 'of', 'this', 'that' 등과 같은 단어가 제거됩니다.

4.19.2 어휘 정규화

'팔로우'라는 용어에는 '팔로잉', '팔로우', '팔로워' 등 다양한 철자가 있습니다. 이 단어들은 문맥상 유사합니다. 어휘 정규화는 접미사와 접두사를 제거하는 어간화 및 단어 구조와 문법적 연결 고리를 활용하는 형태소 분석을 통해 차원을 줄입니다.

4.19.3 포터 스템머

파이썬에서 NLTK 라이브러리를 사용하는 포터 스템머는 정보 검색의 효율성을 높이기 위해 널리 사용되는 방법입니다. 이 알고리즘은 많은 영어 단어가 공통의 조상을 가지고 있다는 아이디어에 기반하며, 스템밍은 단어에서 빈번한 형태론적 및 굴절 어미를 제거하는 과정입니다. 이를 통해 관련 단어를 공통의 어근 형태로 줄일 수 있습니다.

예를 들어, "가장 친한 친구가 위험에 처해 있다는 사실에 불안감을 느꼈습니다."라는 문장에서 '문제', '고민', '골칫거리'와 같은 단어는 모두 '문제'라는 어근을 공유합니다. 포터 스템머는 이러한 단어들을 '문제'라는 어간으로 처리하여 관련 단어를 함께 그룹화할 수 있습니다. 이를 통해 특정 용어의 빈도를 보다 정확하게 통계적으로 나타낼 수 있지만, 어간화 과정에서 단어의 의미론적 의미가 손실될 수 있습니다.

4.19.4 개체 표준화

텍스트 말뭉치에는 어휘 사전에 등재되지 않은 단어가 포함될 수 있습니다. 예를 들어, 트위터에서 사용자가 다른 사용자의 메시지를 리트윗하는 것을 언급할 수 있습니다. 준비된 사전이나 정규 표현식을 사용하여 약어, 해시태그, 은어, 구어체 등을 처리할 수 있습니다.

4.20 구문 분석

텍스트를 분석하기 위해서는 먼저 텍스트를 구성 요소로 분해하는 것이 필요합니다. 구문 분석은 텍스트의 문장을 파싱하여 단어 연관성을 파악하고 구문 구조를 지정하는 프로세스입니다. 문맥 자유 문법 방식은 구문 분석에 자주 사용되는 간단하고 널리 사용되는 문법 스타일입니다.

예시: "철수는 제2형 당뇨병을 조절하는 데 어려움을 겪고 있는 환자를 관찰했습니다."

구문 분석을 통해 문장의 주어, 목적어, 잡음 및 특성을 식별하고 단어 간의 의존성을 이해할 수 있습니다.

4.20.1 의존성 구문 분석

스탠포드 방법을 사용하는 NLTK 툴킷의 의존성 구문 분석기는 문장을 형성하기 위한 단어의 구조적 배열을 분석합니다. 구조 간의 관계 또는 종속성은 의존성 구문 분석을 사용하여 트리 구조로 표현됩니다(그림 4.21 참조).

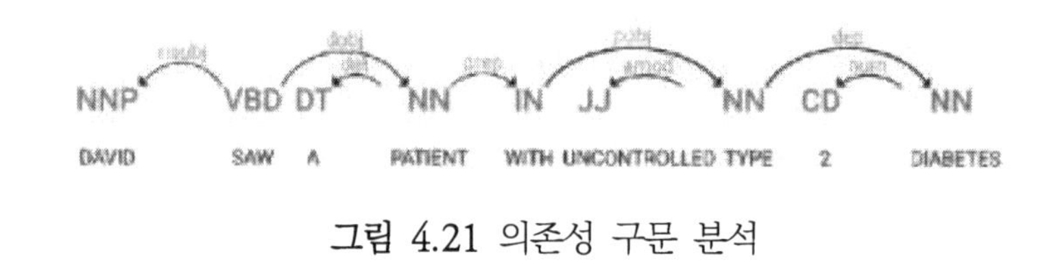

그림 4.21 의존성 구문 분석

종속성 문법은 이진 및 비대칭인 토큰 관계를 검사합니다. 이를 위해 NLTK의 스탠포드 파서가 자주 사용됩니다.

4.20.2 품사 태깅

NLTK 툴킷을 사용한 단어 토큰화 기법을 통해 문장의 각 단어 또는 토큰을 품사(POS) 태그와 연결하는 것을 품사 태깅이라고 합니다. 이러한 태그는 문장 분석, 질문에 대한 정답 선택 또는 관련 내용을 이해하는 데 활용할 수 있습니다(그림 4.22 참조).

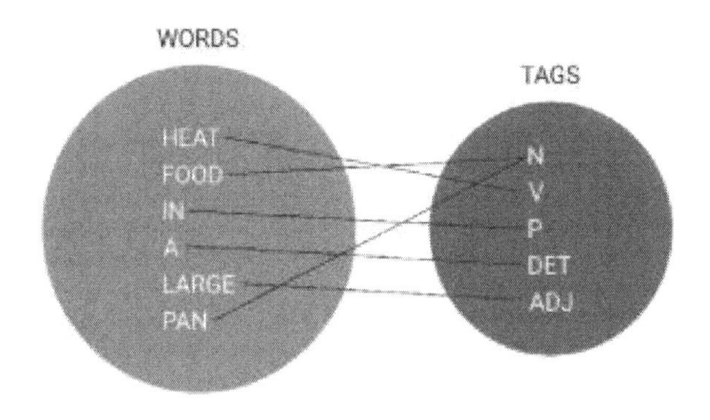

그림 4.22 품사 태깅

품사 태깅은 문장의 모호성을 줄이고, 단어의 기능을 식별하며, 정규화를 지원하고, 중지 단어를 제거하는 데 유용합니다.

1. 모호성 줄이기

문장의 구조를 고려할 때, 일부 문장은 여러 가지 의미를 가질 수 있습니다. 예를 들어, "기차에서 책(book)을 읽을 수 있었습니다." 라는 문장과 "제 기차표를 예약(book)해 주시겠습니까?"라는 문장에서 'book'이라는 단어는 각각 다른 의미를 가집니다. 품사 태깅에 따르면 첫 번째 문장에서 '책'은 명사로, 두 번째 문장에서는 동사"예약하다"로 사용됩니다.

2. 기능 식별

품사 태깅(POS)는 단어의 문맥에 따라 다양한 품사를 구분하여 각 단어의 용도를 명확히 하고, 이를 통해 더 강력한 언어 모델을 개발할 수 있습니다.

3. 정규화

품사 태깅은 단어의 문맥에 따라 다양한 종류의 말을 구별하여 용법을 명확히 하고, 이를 통해 더 정확한 언어 처리를 가능하게 합니다.

4. 중지 단어 제거

품사 태깅을 사용하면 텍스트에서 중단어(stop words)를 제거할 수 있으며, 이는 텍스트 분석 과정에서 매우 유용합니다.

4.20.3 의미 분석

NLP에서 의미 분석은 텍스트의 정확한 의미나 사전적 정의를 파악하는 데 필요한 까다로운 단계입니다. 단어, 구, 문장 및 전체 텍스트의 의미는 문맥과 관련된 단어 및 문장 구조에 대한 지식을 바탕으로, 그 목적과 결과를 고려하여 결정됩니다.

5.1 모델 개발 및 워크플로

그림 5.1은 머신러닝 모델을 성공적으로 배포하기 전에 수행해야 하는 다양한 개발 및 평가 단계를 보여줍니다.

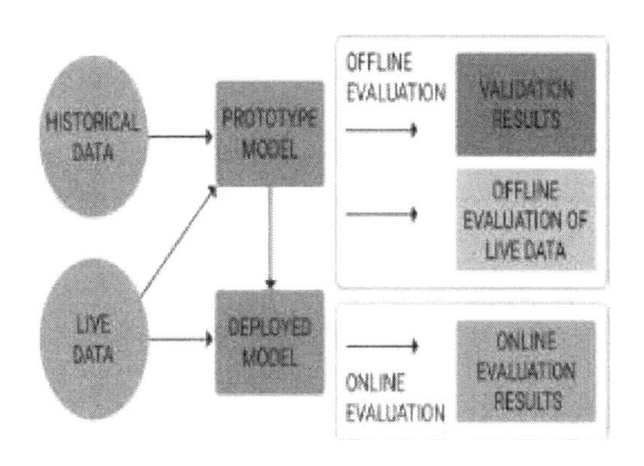

그림 5.1. 모델 개발 및 워크플로

초기 단계는 프로토타입 단계로, 이 단계에서는 과거 데이터를 기반으로 여러 모델을 평가하여 가장 성공적인 모델을 결정함으로써 프로토타입을 구축합니다. 모델의 하이퍼파라미터를 조정하는 것은 필수적인 단계로, 이 장의 다음 섹션에서 자세히 설명됩니다. 이상적인 프로토타입 모델을 결정한 후에는 모델을 검증하고 검토합니다. 3장에서 언급된 바와 같이, 모델을 검증하기 전에 데이터 집합을 학습, 테스트 및 검증 집합으로 분류해야 합니다. 무작위 데이터 세트는 존재하지 않으며, 예측 불가능성은 데이터 세트를 분할하는 방식에 따라 달라질 수 있습니다. 데이터에 편향이 있는지 주의 깊게 살펴봐야 합니다. 모델이 현업에서 자신 있게 사용할 수 있을 정도로 검증되면 배포됩니다. 그 후에는 하나 이상의 성과 측정값을 사용하여 모델의 성능을 평가하는 경우가 많습니다.

머신러닝 모델의 성능을 평가하는 방법에는 오프라인과 온라인(또는 라이브)의 두 가지 접근 방식이 있습니다.

5.2 모델 평가에 두 가지 접근 방식이 있는 이유는 무엇인가요?

배포된 머신러닝 모델은 과거 데이터와 실시간 데이터의 두 가지 소스를 사용합니다. 많은 머신러닝 모델은 데이터 분포가 고정되어 있다고 가정하지만, 실제로 데이터 분포는 시간이 지남에 따라 자주 변경됩니다. 이를 분포 이동이라고 합니다. 예를 들어, 개인의 병력을 기반으로 처방약의 잠재적 부작용을 알려주는 시스템을 생각해 보세요. 인종, 질병 프로필, 지역, 의약품 인기도, 새로운 치료법과 같은 인구통계학적 변수에 따라 약물의 부작용은 달라질 수 있습니다. 환자 데이터를 기반으로 한 중요한 부작용의 분포는 시간이 지남에 따라 급격하게 변할 수 있으므로, 모델이 분포의 변화를 인식하고 필요에 따라 조정하는 것이 중요합니다. 이는 실제 데이터를 기반으로 한 모델의 성능을 평가하고, 과거 데이터를 사용하여 모델을 테스트하고 검증하는 데 사용된 유효성 검사 측정값을 사용하여 평가하는 경우가 많습니다.

실제 데이터에 대해 테스트했을 때 성능이 허용 범위 내에 있으면 모델이 여전히 데이터에 적합한 것으로 간주됩니다. 모델 성능이 저하된다는 것은 데이터가 모델에 맞지 않기 때문에 모델을 다시 학습해야 한다는 것을 의미합니다.

오프라인 평가는 과거의 고정된 분산 데이터 세트에서 학습하고 평가한 메트릭을 사용하여 모델을 측정합니다. 오프라인 훈련 단계에서는 정확도 및 정밀도-회상률과 같은 메트릭이 자주 사용됩니다. 홀드백 접근 방식과 n배 교차 검증은 오프라인 평가 절차의 예입니다.

모델이 설치되면 메트릭은 "온라인"으로 평가됩니다. 가장 중요한 결론은 이러한 기준이 모델이 실제로 사용될 때 성능을 평가하는 데 사용되는 기준과 동일하지 않을 수 있다는 것입니다. 예를 들어, 새로운 약리학 요법에 대해 학습하는 모델은 훈련 및 검증 과정에서 정확성을 위해 노력할 수 있지만, 온라인에 배포할 때는 예산이나 치료 가치와 같은 비즈니스 목표를 고려해야 할 수 있습니다. 특히 디지털 시대에는 온라인 평가가 다변량 테스트를 통해 가장 성능이 우수한 모델을 식별하는 데 도움이 될 수 있습니다.

피드백 루프는 시스템이 의도한 대로 작동하도록 보장하고 사용 맥락에서 모델을 더 잘 이해하는 데 필수적입니다. 이 작업은 사람 에이전트가 자동으로 수행하거나 모델 사용자 또는 상황에 맞는 지능형 에이전트가 수행할 수 있습니다.

머신러닝 모델의 평가는 학습된 데이터 세트와 통계적으로 구별되는 데이터 세트를 기반으로 하는 것이 중요합니다. 이는 훈련 데이터 세트의 평가가 모델이 데이터 세트에 적응한 후의 실제 성능에 대해 지나치게 낙관적일 수 있기 때문입니다. 이전에 탐색하지 않은 데이터로 모델을 테스트하면 일반화 오류를 더 정확하게 추정할 수 있습니다. 새로운 데이터를 찾는 것은 어려울 수 있으므로 기존 컬렉션에서 이전에 발견되지 않은 데이터에 액세스하는 것이 중요합니다. 3장에서 다룬 n-배 교차 검증 방법과 같은 기법이 이를 위해 유용합니다. 알고리즘의 선택은 데이터의 선택보다 덜 중요한 경우가 많으며, 모델은 더 나은 기능을 사용할수록 더 나은 성능을 발휘합니다.

Python용 scikit-learn 패키지와 R용 metrics 패키지에는 모두 설명한 평가 메트릭이 포함되어 있습니다.

5.3 평가 지표

머신러닝 문제는 다양한 메트릭을 사용하여 평가할 수 있습니다. 분류, 회귀, 클러스터링, 연관 규칙 마이닝, 자연어 처리 등 다양한 머신러닝 애플리케이션에 적용할 수 있는 메트릭이 있습니다.

5.3.1 분류

분류 문제는 입력을 특정 카테고리로 분류하거나 레이블을 지정하는 것입니다. 성능을 평가하기 위해 정확도, 정밀도-재현율, 혼동 행렬, 로그 손실, AUC(곡선 아래 면적) 등 다양한 기법을 사용할 수 있습니다.

1. 정확도

모델의 정확한 예측 능력을 확인하는 가장 간단한 방법은 정확도입니다. 정확도는 올바른 예측의 비율로 계산됩니다.

2. 혼동 매트릭스(confusion matrix)

정확도라는 일반적인 통계는 클래스 간의 차이를 고려하지 않습니다. 따라서 오분류나 그에 따른 처벌을 고려하지 않습니다. 예를 들어, 잘못 양성으로 판정된 의료 오진의 결과(예: 환자가 실제로는 유방암에 걸리지 않았는데 유방암에 걸렸다고 하는 경우)는 잘못 음성으로 판정된 의료 오진의 결과(예: 환자가 실제로는 유방암에 걸리지 않았는데 유방암에 걸렸다고 하는 경우)와는 매우 다릅니다. 혼동 행렬에서는 모델에 의해 생성된 정확한 분류와 잘못된 분류가 모두 해부되어 적절한 레이블에 할당됩니다.

- 실제 분류와 예측된 분류가 모두 '예'인 경우 참 양성(TP)으로 간주됩니다.
- 예측된 클래스가 '예'이지만 실제 클래스가 '아니오'인 경우 거짓 양성(FP)으로 간주됩니다.
- 실제 클래스와 예측된 클래스가 모두 '아니오'인 경우 참 음성(TN)으로 간주됩니다.
- 예측된 클래스가 '아니오'이지만 실제 클래스가 '예'인 경우 거짓 음성(FN)으로 간주됩니다.

예를 들어, 유방암 예후에 대한 예측을 생성하는 모델의 경우, 혼동 행렬은 표 5-1과 같습니다: 이 모델의 예측은 환자가 유방암으로 사망할 것이라는 것입니다.

표 5-1. 혼동 매트릭스

	예측: 긍정적	예측: 부정적
긍정적으로 분류됨	20	5
부정적으로 분류됨	10	10

이 혼동 행렬에 따르면 긍정적 분류의 정확도는 80% (20/25), 부정적 분류의 정확도는 40% (10/25)입니다. 이 두 측정값은 모델의 총 정확도 60% (30/50)와 다릅니다. 혼동 행렬은 모델의 전반적인 품질에 대한 추가적인 정보를 제공합니다. 따라서 정확도는 다음과 같이 계산됩니다:

정확도 = (올바르게 예측된 관측)/(총 관측) = (TP + TN)/(TP + TN + FP + FN)

3. 클래스별 정확도(Class-Specific Accuracy)

클래스별 정확도는 각 클래스의 정확도를 고려한 정확도의 변형입니다. 예를 들어, 이전 예에서의 정확도는 (80% + 40%)/2 = 60% 입니다. 한 클래스에 다른 클래스보다 더 많은 인스턴스가 있는 왜곡된 문제에서 클래스별 정확도는 유용합니다. 가장 많은 예제를 가진 클래스가 계산을 지배할 수 있으므로, 모델 구조를 고려할 때 단순한 정확도만으로는 충분하지 않을 수 있습니다.

4. 로그 손실

연속 확률을 예측하는 문제에서는 로그 손실 또는 로그 손실이 사용됩니다. 로그 손실은 실제 레이블 분포와 예측 사이의 엔트로피를 고려하여 정확도 신뢰도에 대한 확률적 척도를 제공합니다. 이진 분류 문제에 대한 로그 손실은 다음 공식을 사용하여 결정할 수 있습니다:

$$Log-loss=-\frac{1}{N}\sum_{i=1}^{N}y_i\log p_i+(1-y_i)\log(1-p_i)$$

여기서 Pi는 i번째 데이터 포인트가 어떤 클래스에 속할 확률이고, yi는 실제 레이블(0 또는 1)입니다.

5. 곡선 아래 면적(AUC)

곡선 아래 면적(AUC)은 정탐과 오탐의 비율을 설명하는 데 사용됩니다. AUC를 통해 분류기의 민감도와 특이도를 모두 평가할 수 있습니다. AUC는 오탐이 포함된 경우에도 올바른 양성 분류의 수를 강조합니다.

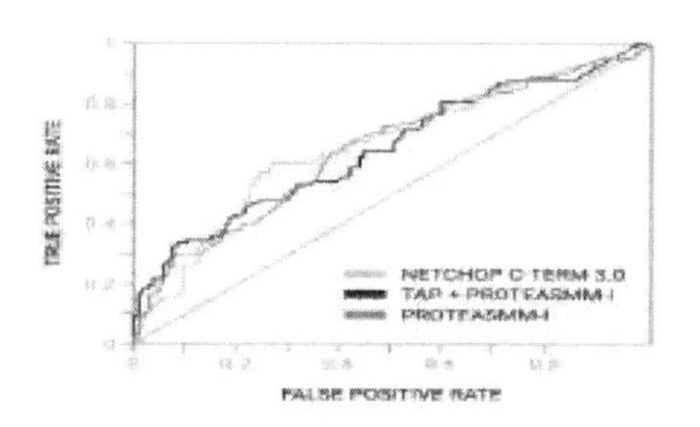

그림 5.2. ROC 곡선

그림 5.2는 수신기 동작 특성(ROC) 곡선을 나타냅니다. 곡선 아래 영역이 클수록 바람직하며, 이는 높은 AUC를 의미합니다. 그림 5.2에서 테스트 A의 AUC가 테스트 B의 AUC보다 크므로 테스트

A가 더 우수합니다. ROC 곡선은 모델의 민감도와 특이도 사이의 절충점을 나타냅니다.

6. 정밀도, 회수율, 특이도 및 F-값

모델의 유용성을 평가하기 위해 정밀도(Precision)와 재현율(Recall)이라는 두 가지 지표를 조합하여 사용합니다. 정밀도는 실제로 관련성이 있는 개체의 비율을 나타내며, 재현율은 모델이 관련성이 있을 것으로 예측하는 항목의 수를 측정합니다.

- 정확도: TP/TP + FP = (올바르게 예측된 긍정)/(총 예측된 긍정)
- 재현율: TP/TP + FN = (올바르게 예측된 양성)/(총 올바르게 예측된 양성 관찰)

그림 5.3에 표시된 것처럼 측정되는 특이도(Specificity)는 모델이 부정확한 분류를 얼마나 잘 반환하는지를 측정합니다.

특이도: (올바르게 예측된 부정)/(총 부정 관찰) = TN/TN + FP

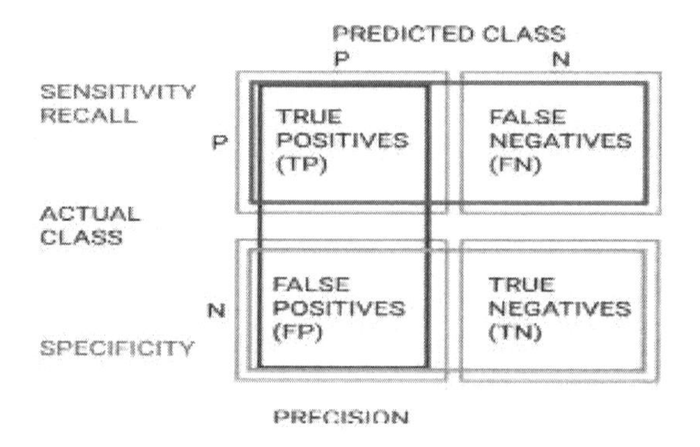

그림 5.3. 특이도 분류 다이어그램

F-값(F-Score)은 정밀도와 재현율의 조화 평균을 나타냅니다:

$$F = \frac{1}{\frac{1}{2}\left(\frac{1}{p} + \frac{1}{r}\right)} = \frac{2pr}{p+r}$$

여기서 p는 정밀도를, r은 재현율을 나타냅니다.

7. 회귀

회귀 머신러닝 모델의 출력은 연속형 변수이며, 이러한 문제에 대해 가장 많이 사용되는 평가 지표는 평균제곱오차(RMSE)입니다.

8. RMSE

평균제곱근오차(RMSE)는 예측한 값과 실제로 달성한 값의 평균 차이를 합산하여 계산됩니다. RMSE는 실제 값을 나타내는 벡터와 예측된 값 사이의 평균 유클리드 거리로 간주할 수 있습니다. RMSE가 이상값의 영향을 받을 수 있다는 사실은 비판의 대상이 되어 왔습니다.

$$RMSE = \frac{\sqrt{\sum_i (y_i - \hat{y_i})^2}}{2}$$

여기서 yi는 실제 값을 나타내고 y^i는 예측 값을 나타냅니다.

9. 오차 백분위수(Error Percentiles)

이상값에 덜 취약한 오차의 백분위수(또는 사분위수)는 더 신뢰할 수 있는 평가 방법입니다. 실제 데이터에 이상값이 자주 존재하기 때문에, 평균보다는 중앙값 절대 백분위수 오차(Median Absolute Percentage Error, MAPE)에 초점을 맞추는 것이 유리합니다.

MAPE=median(||yi-y^i)/()yi||)

여기서 yi는 실제값을 나타내고 y^i는 예측값을 나타냅니다.

데이터 집합의 중앙값을 사용하면 이상값이 MAPE에 미치는 영향을 줄일 수 있습니다. 회귀 추정치의 정확성을 이해하기 위해 특정 문제에 대한 예측에 대한 임계값 또는 백분율 차이를 정의할 수 있습니다. 임계값은 문제의 유형에 따라 다릅니다.

5.3 왜곡된 데이터 집합, 이상값 및 회귀 데이터

데이터 과학자는 항상 적절한 회의론을 가지고 데이터를 평가해야 합니다. 왜곡된 데이터 집합, 불균형한 클래스 인스턴스 및 이상값은 모두 데이터의 신뢰성을 떨어뜨릴 수 있으며, 모델 성능에 부정적인 영향을 미칠 수 있습니다. 한 클래스에 다른 클래스보다 더 많은 예시가 있는 경우, 모델의 성능이 저하될 수 있습니다. 데이터의 이상값 및 기타 불규칙성은 성능 측정에 사용되는 메트릭을 왜곡할 수 있습니다. 오차 백분위수를 사용하는 것은 극단적인 이상값의 영향을 완화하는 효과적인 방법입니다. 적절한 데이터 정리와 이상값 제거, 변수 정규화를 통해 이상값에 대한 민감도를 줄일 수 있습니다.

5.4 매개변수 및 하이퍼파라미터

파라미터와 하이퍼파라미터는 일반적으로 같은 의미로 사용되지만,

이 두 개념은 서로 다른 용도로 사용됩니다. 머신러닝 모델은 학습 과정에서 데이터 세트의 속성에 따라 여러 모델 파라미터를 학습하고 조정합니다. 모델 파라미터는 모델의 특성, 데이터 세트의 특성 및 현재 작업의 목적에 따라 변경될 수 있습니다. 예를 들어, NLP 예측기에서는 단어 빈도, 문장 길이, 각 구문 내의 명사 또는 동사 분포 등이 모델 파라미터로 간주될 수 있습니다.

하이퍼파라미터는 학습 중에 얻지 못한 변수로, 모델 생성 프로세스의 목적에 따라 설정됩니다. 하이퍼파라미터는 머신러닝 모델의 전반적인 성능에 큰 영향을 미칠 수 있으며, 모델의 아키텍처를 지정하고 모델의 유용성과 유연성에 영향을 미칩니다. 예를 들어, 신경망에서는 숨겨진 레이어의 수, 크기, 가중치, 학습 속도 등이 하이퍼파라미터로 간주될 수 있고, 의사 결정 트리에서는 트리의 높이와 총 잎 수 등이 하이퍼파라미터입니다. 서포트 벡터 머신에서는 오분류 페널티 조건이 하이퍼파라미터에 해당합니다.

5.5 하이퍼파라미터 튜닝

하이퍼파라미터 튜닝 또는 최적화는 최적의 하이퍼파라미터 세트를 선택하는 프로세스입니다. 최적화된 하이퍼파라미터를 사용하면 모델의 예측 정확도를 향상시킬 수 있습니다. 하이퍼파라미터를 향상시키는 방법은 모델에 대한 학습을 실행한 후 전반적인 정확도를 평가하고 필요한 개선 사항을 적용하는 것입니다. 다양한 하이퍼파라미터 값을 테스트하여 최적의 하이퍼파라미터를 식별할 수 있습니다.

5.6 하이퍼파라미터 튜닝 알고리즘

하이퍼파라미터 조정은 머신러닝 모델을 훈련하는 과정과 유사하며, 최적화에 초점을 맞춥니다. 그리드 검색과 무작위 검색은 하이퍼파라미터 튜닝의 가장 일반적인 두 가지 접근 방식입니다. 그리드 검색은 하이퍼파라미터 그리드를 최적화하기 위한 기본적이고 효과적인 방법이지만, 많은 리소스가 필요합니다. 무작위 검색은 계산 비용이 낮고, 그리드 검색과 거의 비슷한 성능을 보여줍니다. 그리드 검색과 무작위 검색은 병렬화가 가능하며, 더 복잡하고 노동 집약적인 방법을 사용하여 하이퍼파라미터를 조정할 수 있습니다. 예를 들어, 베이지안 최적화, 파생물이 없는 최적화, 랜덤 포레스트 스마트 튜닝 등이 있습니다.

5.6.1 그리드 검색(Grid Search)

그리드 검색은 하이퍼파라미터 그리드를 최적화하기 위한 기본적이고 효과적인 접근 방식입니다. 이 방법은 많은 리소스를 필요로 합니다. 프로그램은 각 하이퍼파라미터에 대한 분석을 수행한 후 그 결과에 따라 가장 우수한 결과를 선택합니다. 예를 들어, 하이퍼파라미터가 의사결정 트리(Decision Tree)의 잎 수(n = 2에서 100까지)인 경우, 그리드 검색은 그리드의 각 값(즉, 그리드의 점)을 평가하여 가장 효과적인 하이퍼파라미터를 찾습니다. 하이퍼파라미터로 작업할 때, 특히 최소값과 최대값을 결정할 때 교육받은 추측에 의존하는 것이 일반적입니다. 이상적인 값이 최대값이나 최소값에 가까워지면 모델의 하이퍼파라미터를 더욱 향상시키기 위해 그리드를 적절한 방향으로 확장합니다.

5.6.2 무작위 검색(Random Search)

무작위 검색은 그리드 검색의 한 유형으로, 무작위 샘플을 기반으로 그리드 포인트에 대한 평가가 수행됩니다. 일반 그리드 검색과 비교할 때, 이 검색은 계산 비용이 상당히 낮습니다. 버그스트라(Bergstra) 등의 연구에 따르면, 무작위 검색은 그리드 검색과 거의 비슷한 성능을 보여줍니다. 그리드 검색보다 무작위 검색을 선호하는 이유는 전자의 사용 편의성과 후자의 더 나은 성능 때문입니다. 그리드 검색과 무작위 검색은 병렬화가 가능합니다. 하이퍼파라미터를 조정하기 위해 더 복잡하고 노동 집약적인 방법을 사용할 수 있습니다. 예를 들어, 베이지안 최적화(Bayesian Optimization), 파생물이 없는 최적화(Derivative-Free Optimization), 랜덤 포레스트 스마트 튜닝(Random Forest Smart Tuning) 등이 있습니다.

5.7 다변량 테스트(Multivariate Testing)

다변량 테스트는 가장 적합한 모델을 선택하기 위한 유용한 방법입니다. 통계적 가설 검정(Statistical Hypothesis Testing)은 귀무가설(Null Hypothesis)과 대안 가설(Alternative Hypothesis)을 구별하기 위해 사용됩니다. 귀무가설은 새 모델이 성과 측정값의 평균값에 아무런 영향을 미치지 않는다는 가설입니다. 대안 가설은 새 모델이 성과 지표의 평균값에 영향을 미친다는 가설입니다.

다변량 테스트를 수행하는 동안 비교 가능한 모델을 서로 비교하거나 새 모델을 최근에 개발된 오래된 레거시 모델과 비교합니다. 다양한 성능 메트릭을 분석한 후 앞으로 사용할 모델을 결정합니다. 테스트 절차는 다음과 같습니다:

1. 모집단을 나누어 무작위 대조군(Control Group)과 실험군(Experimental Group)을 만듭니다.
2. 제안된 이론과 관련하여 집단이 어떻게 행동하는지 추적합니다.
3. p값(P-Value) 및 관련 성과 측정값을 계산합니다.
4. 앞으로 사용할 모델을 선택합니다.

이 과정은 비교적 간단해 보이지만 고려해야 할 몇 가지 주요 사항이 있습니다.

5.7.1 평가에 어떤 지표를 사용해야 하나요?

모델을 평가하는 동안 사용 사례를 통해 어떤 지표를 활용하는 것이 가장 효과적인지 알 수 있습니다. 이러한 예측 결과와 더불어 False Positive과 False Negative의 의미를 모두 고려해야 합니다. 모델이 0.001%만 발생하는 이벤트를 예측하려고 시도하는 경우, 모델의 정확도가 99.999%라고 주장할 수 있지만 이는 확인할 수 없습니다. 따라서, 여러분들은 적절한 지표를 염두에 두고 모델을 구축할 필요가 있습니다.

5.7.2 상관관계는 인과관계와 같지 않음

상관관계(Correlation)와 인과관계(Causation)는 동일하지 않습니다. 두 변수 간에 상관관계가 있다고 해서 한 변수가 다른 변수의 원인이라는 것을 의미하지 않습니다. 상관관계는 변수 간의 연관성의 정도를 나타내며, 인과관계는 한 이벤트가 다른 이벤트의 원인과 결과로 연결되는 방식을 설명합니다.

5.7.3 어느 정도의 변화가 실제 변화로 간주되나요?

사용 사례에 따라 귀무 가설이 기각되기 전에 필요한 수정의 정도를 결정합니다. 따라서 전문가들은 프로젝트 초기에 허용 가능한 값을 설정하고 이를 고수할 필요가 있습니다.

5.7.4 검정 유형, 통계적 검정력(Statistical Power) 및 효과 크기 (Effect Size)

검정에는 크게 단일 꼬리 검정(Single-Tailed Test)과 양 꼬리 검정(Double-Tailed Test) 두 종류가 있습니다. 새 모델이 이전 모델보다 개선된 모델인지 확인하기 위해 단일 꼬리 검정법을 사용합니다. 이는 모델이 기준선에서 하락했는지 여부를 나타내지 않습니다. 따라서 단일 꼬리 검정은 설계상 본질적으로 편향될 수 있습니다. 양 꼬리 검정을 사용하면 모델을 평가하여 양 또는 음의 방향으로 이동할 가능성을 결정합니다.

테스트에서 발견된 차이가 테스트 외부 세계의 차이와 일치할 가능성을 나타내는 것이 연구의 통계적 검정력입니다.

두 그룹 간의 차이는 실험 그룹과 대조 그룹의 평균 차이를 표준 편차로 나누어 효과 크기를 계산합니다.

5.7.5 지표의 분포 확인

다변량 테스트에서는 평균 차이의 통계적 유의성을 분석하기 위해 t-검정(T-Test)이 널리 활용됩니다. t 값은 샘플 데이터의 표준 편차와 관련하여 차이가 얼마나 중요한지 추정합니다. 그러나 t-검정은 가정에 의존하므로 모든 측정값이 이러한 기대에 부합하지 않을 수 있습니다. 예를 들어, t-검정은 데이터가 정규 분포(Normal

Distribution)를 갖는다고 가정합니다. 데이터가 정규 분포를 따르지 않는 경우, 비모수 검정(Nonparametric Test)을 사용해야 합니다. 예를 들어, 윌콕슨-만-휘트니 검정(Wilcoxon-Mann-Whitney Test)과 같은 비모수 검정 방법이 적합합니다.

5.7.6 적절한 p 값 결정하기

통계학에서 증거의 강도는 p값(P-Value)으로 표시됩니다. p값은 귀무 가설(Null Hypothesis)에 대한 증거를 제공하며, 이해관계자가 추론할 수 있는 유용한 통계로 사용됩니다.

p값이 0.05 이하면 귀무가설에 대한 강력한 증거가 있으므로 귀무가설을 거부해야 하고, p값이 0.05 이상이면 귀무가설에 대한 약한 증거가 있으므로 귀무가설을 유지하는 것이 정당합니다.

5.7.7 얼마나 많은 관찰이 필요한가요?

프로젝트의 통계적 검정력에 따라 필요한 관찰 횟수가 결정됩니다. 이는 프로젝트 시작 시 결정하는 것이 이상적입니다.

5.7.8 다변량 테스트는 얼마나 오래 실행해야 하나요?

다변량 테스트에 필요한 시간은 지정된 통계적 검정력에 도달하기 위해 충분한 데이터를 수집하는 데 필요한 시간과 일치해야 합니다. 단기간의 사용자 반응이 장기적인 반응을 나타내지 않는 신규성 효과는 테스트 기간을 결정할 때 고려해야 합니다.

5.7.9 데이터 분산

대조군과 실험군이 무작위로 나뉘지 않았을 경우, 편향이 발생할 수 있습니다. 이 경우 웰치 t 검정(Welch's T-Test)과 같은 다른 검정법을 적용할 수 있습니다.

5.7.10 분포 드리프트(Distribution Drift) 발견하기

모델을 실행한 후 지속적인 성능 모니터링을 수행하는 것이 중요합니다. 모델을 기준선과 비교하여 평가하고 데이터 드리프트와 시스템 진화를 고려해야 합니다. 이는 종종 배포된 라이브 모델의 데이터를 오프라인 성능 통계와 비교하는 방식으로 수행됩니다.

5.7.11 모델 변경 사항 기록하기

머신러닝 모델에 적용된 모든 변경 사항을 기록하고 각 변경 사항에 대해 메모하세요. 버전 관리 소프트웨어를 활용하면 소프트웨어 변경 사항이 자동으로 감지되고 추적됩니다. 이는 기술 거버넌스를 제공하며, 완전한 롤백 및 백업 기능을 갖춘 소프트웨어 배포를 가능하게 합니다.

6.1 윤리란 무엇인가요?

윤리(Ethics) 또는 도덕 철학(Moral Philosophy)은 사람들의 행동과 의사 결정을 안내하는 도덕적 행동 규범 또는 일련의 도덕적 원칙을 말합니다. 옳고 그른 행동을 구분하는 개념을 도덕성(Morality)이라고 합니다. 예를 들어, 직원들이 준수해야 하는 직업적 행동 기준은 직장 내 윤리(Workplace Ethics)를 자주 전달합니다.

6.1.1 데이터 과학 윤리란 무엇인가요?

데이터 과학 윤리(Data Science Ethics)는 데이터 공유, 개인정보 보호, 의사 결정 등의 문제와 관련된 윤리의 하위 집합입니다. 데이터 과학 윤리는 크게 세 가지 범주로 나뉩니다:

- 데이터 윤리(Data Ethics): 데이터의 생성, 수집, 사용, 소유권, 보안 및 전송이 이 데이터 과학 윤리 영역에서 주로 논의되는 주제입니다.
- 인텔리전스 윤리(Intelligence Ethics): 이 데이터 과학 윤리 주제에서는 데이터를 사용하여 생성하는 예측 분석의 결과 또

는 결과를 다룹니다.

- 실천 윤리(Practice Ethics): 플로리디(Floridi)와 타데오(Taddeo)는 '실천 윤리'라는 용어를 만들어냈는데, 이는 혁신과 시스템의 도덕성을 지칭하는 것으로, 발전하는 문제를 지시합니다.

6.1.2 데이터 윤리

세상에는 스마트폰보다 더 많은 사람이 존재하며, 매일 애플리케이션, 웨어러블, 센서, 휴대폰, 태블릿 및 기타 디지털 기기가 수백만 개의 데이터 포인트를 생성합니다. 현재 약 72억 대의 휴대폰이 사용되고 있으며, 매년 1억 1,200만 개의 웨어러블이 구매되고, 모바일 디바이스에서 다운로드할 수 있는 헬스케어 앱은 10만 개가 넘습니다. IBM은 매일 2.5경 바이트(2.5×10^18) 이상의 속도로 새로운 데이터가 생성되는 것으로 추정합니다. 모든 측면에 데이터가 존재합니다. 게다가 데이터는 가치가 있습니다.

페이스북과 케임브리지 애널리티카(Cambridge Analytica)의 데이터 유출 사건과 같은 유명한 데이터 유출 사건으로 인해 데이터의 윤리적 처리에 대한 조사가 강화되고 있습니다. 세계에서 가장 크고 존경받는 데이터 수집 기업 중 하나인 Facebook의 플랫폼에 게재된 설문조사를 통해 사용자 정보를 수집했습니다. 이 정보는

2017년 미국에서 치러진 선거 결과에 영향을 미치기 위해 유권자를 타겟팅하는 데 활용된 것으로 널리 알려져 있습니다.

첫 번째 데이터 유출이 발생한 지 2년이 넘은 후에야 보안 침해가 확인되었다는 점은 매우 우려스러운 일입니다.

오늘날의 세상에서는 거짓 정보가 진실한 뉴스보다 더 빠르게 전파될 수 있습니다. 데이터의 책임 있는 관리를 위한 대화를 시작하고 지침 원칙을 수립하기 위해서는 데이터의 수집, 활용, 수용에 대한 커뮤니티 전반의 대화가 필요합니다. 사회의 발전은 중요한 기로에 서 있습니다.

데이터의 활용은 다양한 윤리적, 도덕적 영향을 미칠 수 있으며, 이러한 영향은 각각 예시를 통해 가장 잘 설명할 수 있습니다. 이 장 전체에서는 다음과 같은 가상의 시나리오를 참조할 것입니다.

6.2 정보에 입각한 동의(Informed Consent)

사용자(또는 환자)는 정보에 입각한 동의를 하기 위해 자신의 데이터가 어떻게 사용되는지 알고 있어야 합니다. 정보에 입각한 동의를 하려면 개인이 합법적으로 권한을 부여할 수 있어야 합니다. 일반적으로 18세 이상이어야 하며 정신 건강이 양호하고 스스로 결정을 내릴 수 있는 능력이 있어야 합니다. 이상적인 동의는 자발적으로 제공되어야 합니다. 시나리오 A는 정보에 입각한 동의의 수많은 복잡성과 특정 상황(또는 사용 사례)에 따라 유익한 데이터가 어떻게 제공될 수 있는지를 강조합니다.

6.3 선택의 자유(Freedom of Choice)

"선택의 자유"라는 용어는 자신의 데이터를 공개할지 여부와 공유 대상을 스스로 결정할 수 있는 능력을 의미합니다. 이는 모든 종류의 제3자에게 자신의 데이터를 공개하기로 의식적으로 결정할 때마다 의미하는 바입니다. 예를 들어, 제2형 당뇨병을 앓고 있는 존이 다시 트럭을 운전하기 전에 혈당 수치가 적절한 범위 내에서 조절되고 있음을 증명해야 하나요? 개인이 자신의 데이터를 공개하기로 선택하든 하지 않든, 데이터에 의해 그렇지 않다는 것이 입증되지 않는 한, 향후 기회에 대한 접근이 거부될 수 있습니다. 이상적인 세계에서는 모든 사람이 자신의 데이터를 공개할지 여부를 자유롭게 선택할 수 있는 기회를 가질 수 있습니다. 하지만 이는 현실적으로 실현 가능하지도 않고 실용적이지도 않습니다.

John의 Apple Watch 데이터는 그의 재산이며 의료진이 데이터에 액세스하는 데 동의하지 않으려 한다는 사실은 윤리적 문제를 제기합니다. 존은 의료팀이 데이터에 액세스하는 것을 허락하지 않았습니다. 응급 대응팀이 존의 심박수만 활용하여 심장이 뛰고 있다는 것을 확인했다면 의사가 심방세동으로 진단하는 것이 윤리적으로 문제가 될까요? 데이터 윤리의 필수 요소인 사전 동의는 존에게 결정을 내릴 수 있는 기회를 제공합니다.

이전에는 환자가 스스로 이러한 선택을 할 필요가 없었습니다. 현대 생활이 점점 더 데이터 중심으로 변화하기 전에는 데이터를 수집할 수 있는 장치도 적었고 미래를 예측하는 정교한 기술도 상당히 부족했습니다. 이제 의료 산업에서 인공지능(AI)과 머신러닝(ML)의 발전으로 인해 건강 정보를 적극적으로 찾아 자신의 미래를 계획하고 통제하는 데 도움을 받는 사람과 무지한 상태로 계속 살기를 원하는 사람, 두 가지 범주의 사람들이 있습니다. 행복한 무지의 상태로 계속 살아가기를 원하는 사람들은 모든 것이 데이터화됨에 따라 그렇게 할 수 있는 가능성이 줄어들 것입니다.

6.4 개인의 데이터 동의를 번복할 수 있나요?

이상적인 세계에서는 개인이 자신의 데이터를 공개하기로 한 결정을 번복할 수 있어야 합니다. 그러나 현실에서는 이러한 개념이 항상 실현 가능하거나 타당하지 않을 수 있습니다. 예를 들어, 존이 자신의 데이터 사용에 대한 동의를 거부했다고 가정해 봅시다. 응급 상황에서 응급 대응팀이 존의 건강 데이터에 접근하는 것이 존의 생명을 구하는 데 기여했다면, 이는 윤리적으로 문제가 될 수 있습니다. 이 경우, 존의 동의 여부와 상관없이 응급 대응팀이 그의 데이터를 사용하는 것이 적절할 수 있습니다.

역사적으로 보면, 자유 의지와 정보에 입각한 동의는 이상적인 개념이지만, 현실에서는 항상 실현 가능하지 않습니다. 예를 들어, 2016년 독일에서 발생한 살인 사건에서 용의자의 스마트폰 데이터가 중요한 증거로 사용되었습니다. 이 사건에서는 용의자의 걸음 수와 고도 데이터가 수사에 중요한 역할을 했습니다. 이러한 경우, 개인의 데이터 동의 여부가 법적, 윤리적 문제를 제기할 수 있습니다.

이러한 사례들은 데이터 윤리와 관련된 복잡한 문제들을 보여줍니다. 개인의 데이터 동의는 중요하지만, 특정 상황에서는 이를 무시할 수밖에 없는 경우도 있습니다. 따라서 데이터 윤리는 매우 미묘하고 복잡한 영역이며, 각각의 경우에 따라 신중한 판단이 필요합니다.

6.5 대중의 이해

페이스북(Facebook)과 케임브리지 애널리티카(Cambridge Analytica) 스캔들은 일반 대중이 데이터 프라이버시에 대해 얼마나 무지한지를 드러냈습니다. 미국 상원에서 마크 저커버그(Mark Zuckerberg), 페이스북 CEO에 대한 심문은 일반 대중이 기술에 대해 얼마나 무지하고 관심이 없는지를 보여주었습니다. 상원의원들은 암호화된 대화가 타겟팅 광고를 전달하는 데 사용될 수 있는지,

무료 플랫폼으로서 페이스북이 어떻게 수익을 창출하는지, WhatsApp을 통한 이메일 전송에 대해 의문을 제기했습니다. 데이터 거버넌스(Data Governance) 주제에 대한 중요한 이해관계자들의 오해와 무지는 놀라웠습니다.

데이터 사용에 대해 대중에게 알리고, 사람들이 자신의 데이터가 어떻게, 어디서, 누구에 의해 사용될 수 있는지 선택할 수 있는 기회를 제공하기 위해서는 대중의 이해와 인식을 높일 필요가 있습니다.

6.6 데이터의 소유자는 누구인가?

인류는 매일 수천 개의 데이터 포인트를 생성합니다. 스마트폰, 텔레비전, 스마트워치, 모바일 애플리케이션, 의료 기기, 비접촉식 카드, 자동차, 심지어 냉장고까지 거의 모든 기기에서 수행되는 모든 거래와 행동에 대한 데이터 흔적을 남깁니다. 그렇다면 데이터의 소유자는 정확히 누구일까요? 국제 거버넌스와 규제를 발전시키는 데 기여한 어려운 문제의 한 예는 수집된 데이터의 소유권이 누구에게 있는지에 대한 문제입니다.

역사적으로 사용자 데이터는 특정 개인이 아닌 기업의 자산으로 간주되어 왔습니다.

전자 건강 기록(Electronic Health Records, EHR)은 머신러닝을 통한 예측 분석을 가능하게 하여 결국 의료 전문가가 더 높은 수준의 진료를 제공할 수 있게 해줍니다. 환자가 이환율과 사망 위험을 줄이기 위해 병력을 숨기려고 할 가능성은 거의 없지만, 시간이 지날수록 병력을 숨기기가 더 어려워질 것입니다. 이는 폐쇄회로 텔레비전(Closed-Circuit Television, CCTV)의 사용과 유사하며, 이 경우 허가가 항상 인정되거나 명백하지는 않지만 일반적으로 실용적인 목적에 부합하는 장기적인 이점이 있는 것으로 간주됩니다. 사용자가 데이터 공유를 금지하는 경우, 일부 플랫폼에서는 해당 사용자가 서비스를 이용할 수 있는 범위를 제한하기도 합니다. 이러한 현상의 원동력은 신뢰할 수 있는 중앙 저장소에 데이터를 저장하여 거버넌스 및 개선과 데이터 보안 유지에 활용하고자 하는 조직의 요구입니다.

스마트폰 앱과 연결된 혈당 측정기를 사용하여 혈당 수치를 추적하고 기록하는 환자를 예로 들어 보겠습니다. 모바일 앱은 사용자의 혈당 측정기로부터 사용자의 혈당 수치에 대한 정보를 수신합니다. 이 정보는 사용자의 휴대폰에 표시되지만 실제로는 모바일 애플리케이션 제공업체의 데이터베이스에 저장됩니다. 정보의 사용은 이용약관(Terms of Use)의 적용을 받습니다. 현재 이용 가능한 많은 웹사이트, 모바일 앱, 커넥티드 디바이스 및 건강 서비스는 서비스를 제공하는 회사가 선택한 파트너와 함께 익명화 및 집계된 방식으로 또는 일부 경우에는 식별 가능한 방식으로 데이터를 사용할 수 있다고 명시하고 있습니다. 이는 다른 많은 유형의 서비스에서도 마찬가지입니다. 데이터의 수집, 사용 및 배포는 데이터 기반 품질 개선을 뒷받침하는 프로세스에서 점점 더 중요한 측면이 되고 있습니다. 다음 범주는 다양한 종류의 공유 데이터를 구성합니다.

익명 데이터(Anonymous Data)

익명화된 데이터(Anonymized Data)는 모든 식별 특징이 제거된 데이터입니다. 누군가가 데이터의 출처를 식별할 수 있는 특징을 식별 가능한 특징(Identifiable Features)이라고 합니다. 예를 들어, 종양학과의 환자 스프레드시트에서 이름, 생년월일, 환자 번호를 제거하면 익명으로 처리됩니다.

개인 정보(Personal Information)

특정 개인을 식별하는 데 사용할 수 있는 데이터를 식별 가능한 데이터(Identifiable Data)라고 합니다. 예를 들어, 종양학과의 환자 스프레드시트에 이름, 생년월일, 환자 번호가 포함되어 있으면 추적할 수 있습니다.

결합된 데이터(Aggregated Data)

병합되어 총계가 표시되는 데이터를 집계 데이터(Aggregated

Data)라고 합니다. 종양학의 예를 들어, 병동의 스프레드시트에 10명의 환자가 포함된 경우 집계 데이터 보고에는 환자의 남녀 비율 또는 연령대가 포함될 수 있습니다. 데이터 집합에 포함된 인구의 경우 데이터는 누적 보고됩니다.

개별화된 정보(Individualized Information)

집계된 데이터는 개인화된 데이터(Individualized Data)와는 정반대입니다. 집계된 데이터는 집계되는 대신 데이터 집합에 포함된 각 개인에 대해 개별 형식으로 표시됩니다. 익명화된 데이터는 추적할 필요가 없습니다.

개인 정보의 기밀성에 대한 우려로 인해 전 세계적으로 이에 대한 반응이 일어나고 있습니다. 유럽에서는 2018년 5월부터 일반 데이터 보호 규정(General Data Protection Regulation, GDPR)이 시행되었습니다. GDPR의 제한 사항은 기업이 사용자 데이터를 사용하는 방법과 공유할 수 있는 방법을 규제합니다. 일반 데이터 보호 규정(GDPR)에 따라 조직은 회원의 옵트인 동의를 구하고 조직이 사용자의 개인 데이터를 어떻게 처리하고 배포할 것인지 사용자에게 알려야 합니다. GDPR로 알려진 이 규정은 사용자가 자신의 데이터에 대한 관리자로서의 지위를 확고히 확립했습니다. 이제 데이터 기반 시스템의 사용자는 자신에 보관된 데이터를 보고, 누가 데이터에 액세스하고 왜 액세스하는지, 데이터를 삭제하고 잊어버릴 수 있는 권리를 행사할 수 있습니다. 또한 사용자는 데이터에 액세스하는 사람과 그 이유도 확인할 수 있습니다. 일반 데이터 보호 규정은 또한 데이터를 수집하고 처리하는 개인의 역할을 정의합니다.

- 데이터 컨트롤러(Data Controller): '데이터 컨트롤러'라는 용어는 데이터를 관리, 보존 및 활용하는 사람 또는 단체를 의미합니다.
- 데이터 처리자(Data Processor): 데이터 컨트롤러를 대신하여 데이터를 관리하는 주체를 데이터 처리자라고 합니다. 이 정의는 계산기와 같은 에이전트를 데이터 프로세서로 분류하는 데 사용될 수 있습니다.
- 데이터 처리자와 컨트롤러의 차이점과 각 당사자의 의무를 이해하는 것은 데이터를 다루는 사람들에게 도움이 됩니다.

일반 데이터 보호 규정은 현재 개인 데이터 보호가 얼마나 중요한지 잘 보여줍니다. 일반 데이터 보호 규정(GDPR)은 5억 명에 달하는 EU 거주자를 보호하기 위한 야심찬 노력의 일환으로 데이터 관리, 보안 및 행정뿐만 아니라 데이터 액세스에 대한 제한을 강화했습니다. 이 규정의 시행으로 사용자 간의 힘의 역학 관계는 효과적으로 재조정되었습니다. 대기업이 GDPR 법규를 위반하여 벌금을 부과받을 수 있는 최대 금액은 2천만 유로(약 1,760만 파운드) 또는 연간 글로벌 매출의 4% 중 더 큰 금액입니다. 안타깝게도 규제 당국은 모든 기업과 조직에 영향을 미치고 있으며, 인터넷에는 무엇이든 할 수 있도록 허가를 요청하는 사람들이 쇄도하고 있습니다. 2018년 마크 저커버그가 유럽 의회에 출석한 결과, 일반 데이터 보호 규정(General Data Protection Regulation, GDPR) 법안이 실행되는 방식에 대한 불확실성이 매우 크다는 것이 명백해졌습니다. 미국의 경우와 마찬가지로 유럽에서도 주요 인사들이 21세기에 데이터와 연결이 어떻게 작동하는지에 대한 전문 지식과 이해가 부족했습니다.

머신러닝이 사용자의 '잊혀질 권리'(Right to be Forgotten)를 고려한다는 사실은 여러 가지 흥미로운 윤리적 질문을 불러일으켰습니다. 예를 들어, 존(Jonh)의 데이터가 심각한 저혈당 가능성을 예측하는 알고리즘에 활용되는 경우, 해당 데이터를 사용하도록 학습된 머신러닝 모델에서 존의 데이터를 분리하는 것은 불가능하지는 않더라도 매우 어려울 것입니다. 존이 나중에 자신의 데이터 삭제를 요청하는 경우, 더 중요한 고려 사항이 있는 경우 존의 허가를 무시해야 할까요? 여러분들은 어떻게 생각하시나요?

또한 존이 자신의 데이터 공유를 거부하거나 질병 진단 및 예측에 사용되는 알고리즘에서 데이터를 삭제하도록 요청함으로써 비윤리적으로 행동하고 있다고 주장할 수도 있습니다. 자신의 데이터가 그러한 알고리즘을 만드는 데 유용하다면 알고리즘에서 데이터를 제거해 달라고 요청할 것이기 때문입니다.

존이 전 세계에서 유일하게 유전적 이상을 가진 환자이거나 의학 지식을 발전시키는 데 필요한 다른 이유 때문이라면 존의 데이터가 어떻게 그리고 왜 문명에 도움이 될지는 분명합니다.

6.7 데이터는 어떤 용도로 사용될 수 있나요?

데이터는 오래전부터 다양한 의사결정을 지원하는 데 사용되어 왔습니다. 고용주들은 잠재적인 근로자를 평가하기 위해 심리측정 및 파라메트릭 테스트(parametric tests)를 활용해 왔으며, 최근에는 지원자의 소셜 미디어 계정을 검토하여 회사 이미지에 해가 되는지 여부를 확인합니다. 이러한 데이터 활용은 개인의 프라이버시와 자유 의지에 대한 윤리적, 도덕적 문제를 제기합니다.

자동차 보험 분야는 데이터 기반 산업으로 발전한 좋은 예입니다. 블랙박스의 등장으로 보험료를 더욱 정확하게 결정할 수 있게 되었습니다. 이러한 데이터 활용은 "빅 브라더"(Big Brother)라는 인식을 가지고 있으며, 생명보험 및 건강보험 분야에서도 비슷한 방식이 적용되고 있습니다.

개인은 자신의 데이터가 부정직하고 악의적인 목적으로 사용될 수 있음을 인지할 책임이 있으며, 강력한 데이터 거버넌스(data governance)가 필요합니다. 일반 데이터 보호 규정(General Data Protection Regulation, GDPR)은 데이터에 대한 이해도를 높이고 데이터를 통제하기 위한 출발점으로 간주됩니다.

6.8 개인정보 보호: 누가 내 데이터를 볼 수 있나요?

내 정보에 액세스할 수 있는 사람은 데이터 소유권에 대한 중요한 질문입니다. 목표는 승인된 서비스 및 조직만이 내 데이터에 액세스할 수 있도록 필요한 모든 예방 조치를 취하는 것입니다. 예를 들어, 생명보험 회사가 본인의 동의 없이 의료 정보를 읽는 것은 원치 않는 일이며, 특히 해당 정보가 보험 보장에 영향을 미칠 수 있는 경우라면 더욱 그렇습니다. 애플리케이션 간 데이터 공유는 일반적인 관행이며, 애플리케이션 프로그래밍 인터페이스(API)를 통해 독립적인 서비스 간에 더 효율적으로 통신할 수 있습니다.

예를 들어, 마이피트니스팔(MyFitnessPal)과 같은 애플리케이션 사용자는 자신의 영양 데이터를 당뇨병 관리 또는 운동 앱과 통합할 수 있습니다. 이러한 서비스는 사용자 데이터를 다양한 인프라에 걸쳐 복제하기 때문에, 인증된 데이터 액세스를 규제하는 것은 복잡한 문제를 야기합니다. 데이터 통합을 제공하는 애플리케이션은 사용자가 데이터 분리 기능을 사용할 수 있도록 해야 합니다. 데이터 거버넌스 및 감사 요건을 충족하기 위해 시스템은 가져온 데이터의 유효성을 검사할 수 있는 기능을 갖추어야 합니다. 페이스북과 케임브리지 애널리티카 사건은 데이터 애그리게이터를 신뢰하더라도 제3자가 해당 데이터와 은밀하게 상호작용할 수 있다는 사실을 보여주었습니다. 페이스북은 캠브리지 애널리티카에게 페이스북 사용자 데이터의 삭제를 요청했으나, 나중에 이 요청이 이행되지 않았다는 사실이 밝혀졌습니다. 이 사건은 데이터 유출의 영향과 제3자에 의한 데이터 유출 상황에서 책임 소재에 대한 의문을 제기했습니다.

데이터 익명화가 반드시 개인 정보 보호를 보장하지 않는다는 점도 주목할 필요가 있습니다. 넷플릭스는 추천 시스템 개선을 위한 공모전에서 50만 명의 사용자 리뷰를 바탕으로 한 천만 영화 순위를 발표했습니다. 이 데이터는 익명 처리되었으나, 텍사스 대학의 연구진은 IMDb와의 데이터 비교를 통해 일부 사용자의 익명성을 해제할 수 있었습니다. 이는 익명 데이터에도 내재된 보안 위험이 있음을 보여줍니다.

데이터 교환과 관련하여 개인과 환자를 구분하는 것이 중요합니다. 의료 데이터 사용에 대한 대중의 수용도는 비의료적 데이터 사용에 비해 높습니다. Diabetes.co.uk의 설문조사에 따르면, 제2형 당뇨병 진단을 받은 사람들 중 83%가 연구 목적으로 자신의 정보를 제공하는 데 동의했습니다. 그러나 일반적으로 데이터 사용에 대한 대중의 신뢰는 감소하고 있습니다. 비밀 유지는 데이터 윤리의 핵심 원칙입니다.

6.9 데이터는 미래에 어떤 영향을 미칠까요?

진단, 치료, 관리 개선을 위해 환자 데이터 공유와 대규모 데이터베이스 수집이 이루어집니다. 데이터 유형 및 품질 개선으로 의료 서비스의 정밀도가 증가할 것입니다.

1. 치료 우선순위 지정

빅데이터 의료 데이터 세트를 활용한 예측 분석을 통해 다양한 인구통계학적 세그먼트에 적합한 치료 옵션을 식별할 수 있습니다. 이는 치료 혜택을 받을 가능성이 높은 사람들에게 우선순위를 부여하는 데 도움이 됩니다.

2. 새로운 치료법 및 관리 경로 결정

실제 경험, 임상 연구, 무작위 임상시험(RCT), 약리학 데이터를 통한 새로운 치료법 및 관리 방법 발견이 가능합니다. 디지털 건강 개입은 제2형 당뇨병 개선 및 발작 빈도 감소에 효과적입니다.

3. 더 많은 실제적인 증거

환자 그룹, 디지털 교육 이니셔티브, 건강 추적 앱에서 실제 임상 증거(RWE) 사용이 증가하고 있습니다. RWE는 인구 활용도 및 이점 확인 연구에 자주 활용됩니다.

4. 약리학의 발전

디지털 채널을 통해 임상시험 및 학술 연구 대상자를 빠르고 쉽게 찾을 수 있습니다. 이는 신약 개발에 도움이 됩니다.

6.10 연결을 통한 경로 최적화 - 한계는 무엇일까요?

"6.10 연결을 통한 경로 최적화: 한계는 무엇일까요?
가까운 미래에 데이터 분석과 예측 분석은 머신러닝의 핵심 응용 분야가 될 것입니다. 하지만 통합된 시스템 사용 시 개인 정보 보호와 관련하여 상당한 우려가 있습니다. 이러한 시스템이 침해될 경우 발생할 수 있는 문제들, 개인이나 환자가 실제로 통합된 시스템을 원하는지, 그리고 이익보다 불리한 사용 가능성이 더 큰지에 대한 질문이 중요합니다. 보안 관련 취약성, 운영 관련 취약성, 기술 관련 취약성 등의 영향은 통합된 시스템에서 증폭될 수 있습니다.

대기업들은 스마트폰 위치 데이터, 은행 금융 데이터, 소셜 네트워킹 앱 관계 데이터, 브라우저 검색 데이터 등 개인에 대해 개별적으로 수집하는 방대한 데이터 저장소를 결합하고 분석하는 방법을 논의해 왔습니다. 이러한 논의의 목표는 개인의 행동에 대한 포괄적인 그림을 만드는 것입니다.

보도에 따르면, 페이스북은 병원이 보관하고 있는 환자 정보와 소셜 네트워킹 사이트에서 수집한 소셜 데이터를 일치시키려는 제안을 했습니다. 이 소셜 데이터에는 개인의 친구 수나 다른 사용자와의 연결 여부 등이 포함될 수 있습니다. 페이스북은 케임브리지 애널리티카 스캔들 이후 사용자 개인정보 보호에 대한 관심이 높아진 상황에서 이 계획을 보류하기로 결정했습니다.

사물인터넷(IoT) 디바이스는 다양한 형태로 존재하며, 보안 문제의 원인이 되기도 합니다. 스마트 기기로서 네트워크 연결이 필요하기 때문에 모든 기기는 공격에 취약합니다. 디도스(DDoS) 공격은 사물인터넷(IoT) 디바이스에 악성 코드를 설치하여 봇넷을 구축하거나 데이터를 유출하는 데 사용될 수 있습니다. WeLiveSecurity에 따르면, 2016년에 73,000대의 보안 카메라가 공장 출하 시 설정된 비밀번호를 사용했습니다. 이는 시스템의 기본 비밀번호를 사용하는 모든 자격 증명을 정기적으로 변경하는 것이 중요함을 시사합니다. 디도스 공격은 오랫동안 존재해 왔지만, 연구와 보안 침해를 통해 취약점의 전체 범위가 밝혀진 것은 최근의 일입니다. 플로리다 대학교의 연구 프로그램에 참여한 학생들은 15초도 안 되는 시간 내에 Google의 Nest 온도 조절기에 침입하는 데 성공했습니다.

DDoS 공격은 모든 비즈니스에 극도로 해로운 영향을 미칠 수 있습니다. 네트워크 인프라는 네트워크에 들어오고 나가는 트래픽에 대한 가시성을 제공하고 완화 방법을 만들어야 합니다. DDoS 방어 전략을 개발하고 정기적으로 업데이트하고 실행하는 것이 중요합니다.

6.11 인공지능과 머신러닝의 윤리

환자 진단과 치료는 의료 분야에서 머신러닝의 주요 용도 중 하나입니다. 인공지능 모델은 특히 상대적으로 희귀한 질병이나 결과를 예측하기 어려운 상황에서 의사의 환자 진단을 보조합니다.

미래에 의사가 환자의 의료 기록에 액세스하여 환자의 식습관을 분석하고, 이를 바탕으로 식품 추천을 할 수 있습니다. 이는 생명 보험 및 건강 보험에도 영향을 미칠 수 있습니다. 현재 특정 질병에 걸릴 위험을 정확하게 예측할 수 있는 기계의 존재를 상상해 보세요.

'머신러닝 윤리'는 데이터 기반 머신러닝 모델의 결과에서 발생하는 도덕적 문제와 관련이 있습니다. 건강 바이오마커를 통한 사망 위험 및 수명 예측, 심부전 위험 예측을 위한 EHR 데이터 활용, 환자에게 적합한 약물 선택 및 용량 결정 등이 이에 해당합니다.

기술의 한계가 시험대에 오르면서 해결해야 할 도덕적, 법적 문제가 있습니다. 데이터 기반 의사결정은 윤리적 고려사항을 필요로 하며, 데이터 출처의 신뢰성, 프라이버시 및 데이터 보호, 편향 및 차별의 위험, 데이터 해석의 주의 등이 중요한 요소입니다.

6.11.1 기계 편향

기계 편향(Machine Bias)은 머신러닝 모델이 보이는 편견을 의미합니다. 이러한 편향은 모델 학습에 사용된 데이터의 특성이나 모델 제작자의 편견 등 다양한 요인으로 인해 발생할 수 있습니다. 편향은 미묘하거나 명백한 방식으로 새로운 문제를 야기할 수 있습니다. 모든 머신러닝 알고리즘은 관찰되지 않은 데이터에 대한 가정을 하기 위해 통계적 편향에 의존합니다.

기계 편향은 데이터 생성자의 편견을 반영할 수 있습니다. AI는 처리 능력 면에서 인간보다 우월하지만, 항상 공평하고 공정하다고 볼 수는 없습니다. 예를 들어, Google의 사진 서비스에서 사람, 사물, 장면을 인식하는 AI는 때때로 편향된 결과를 보여주었습니다. 예를 들어, 검색 엔진이 유색인종과 백인 청소년을 비교하는 검색에서 무감각한 결과를 반환한 사례가 있습니다. 미래의 범죄자를 예측하는 데 사용되는 소프트웨어가 흑인에 대해 편향되어 있다는 것이 입증된 사례도 있습니다.

AI 시스템은 편견과 판단력을 가진 인간에 의해 만들어지므로, 적절하게 활용되면 인류 발전에 긍정적인 변화를 촉진할 수 있습니다.

6.11.2 데이터 편향

데이터 편향(Data Bias)은 예상 결과에서 벗어나는 데이터의 특성을 말합니다. 편향된 데이터를 사용하면 잘못된 결정을 내릴 수 있습니다. 데이터에 존재하는 다양한 형태의 편견을 인식하고, 이에 대비하여 편향의 영향을 줄이는 것이 중요합니다. 데이터 거버넌스에 대한 명확하고 문서화된 절차를 수립하는 것이 중요합니다.

6.11.3 인간의 편견

인간의 편향(Human Bias)은 의사 결정 과정에서 항상 존재하는 요소입니다. 예를 들어, Microsoft의 AI 챗봇 Tay는 다른 트위터 사용자와의 상호작용을 통해 학습했으나, 트롤들의 영향으로 공격적인 콘텐츠를 트윗하기 시작했습니다. 이는 인간의 행동을 모방하는 인공지능이 안전한지에 대한 의문을 제기합니다.

6.11.4 지능 편향

지능 편향(Intelligence Bias)은 머신러닝 모델이 학습 데이터의 특성만큼만 좋다는 사실에서 비롯됩니다. 학습 데이터에 포함된 편견은 모델의 결과에 영향을 미칩니다. 인구통계학적 데이터를 기반으로 한 초기 추론 시스템은 성별, 피부색, 사회경제적 계층 및 기타 문제에 대해 명백한 편견을 드러냈습니다.

형사 사법 시스템에서 알고리즘을 사용하는 것은 알고리즘 편견의 악명 높은 사례입니다. 위스콘신주에서 이 알고리즘의 적용과 관련된 법적 분쟁에서 교정 범죄자 관리 프로파일링 대체 제재(COMPAS) 알고리즘이 조사되었습니다. 아프리카계 미국인이 불균형적으로 저지른 범죄에 대한 데이터를 범죄 예측 모델에 입력한 결과, 흑인 커뮤니티 구성원에게 유리한 편향된 결과가 도출되었습니다. 편향된 알고리즘에는 수많은 정의와 사례가 있었습니다. 예를 들어, 청구 데이터를 기반으로 주택 보험 위험을 평가하는 알고리즘은 특정 지역 거주자에 대한 편견을 가지고 있었습니다. 데이터를 정규화하는 것은 필수적입니다. 데이터가 이러한 민감도에 맞게 표준화되지 않고 시스템이 적절하게 테스트되지 않으면 소수자를 과소 대표하거나 왜곡하고 다양한 범주의 사람들을 과소 대표할 수 있는 위험이 있습니다.

편향성이 제거된 후에도 모델이 여전히 편향되어 있을 수 있습니다. 절대적으로 공정한 모델을 구축하더라도 AI가 우리와 같은 편견을 갖지 않을 것이라고 확신할 수 없습니다.

6.11.5 편견 수정

편견 수정(Bias Correction)의 첫 번째 단계는 편견의 존재를 인정하는 것입니다. 이는 데이터 과학자들이 모델의 보정을 위해 필요한 사후 처리를 고려하게 합니다. 민감한 특성을 가진 모든 하위 그룹에서 동일하게 잘 작동하도록 분류기를 보정하는 것이 중요합니다. 왜곡된 샘플은 데이터 리샘플링을 통해 더 균일하게 만들 수 있지만, 더 많은 데이터를 수집하는 것은 여러 가지 이유로 어렵고 비용이나 시간이 많이 소요될 수 있습니다. 따라서, 편견을 근절하기 위해 데이터 과학 커뮤니티는 공동의 노력을 기울여야 합니다. 엔지니어링은 시스템, 프로세스 또는 예측이나 데이터에서 편견이 어떻게 나타날 수 있는지에 대한 믿음에 공개적으로 이의를 제기해야 합니다. 이 문제를 해결하기가 어려울 수 있으므로 많은 조직이 외부 기관에 의뢰하여 절차를 면밀히 조사합니다.

다양성은 편견을 방지하는 데 중요한 역할을 합니다. AI 시스템을 구축하는 연구자와 엔지니어의 다양성이 부족하면 데이터 과학자가 AI 학습 데이터에 입력하는 내용에 따라 AI 시스템이 해결하는 문제와 사용되는 학습 데이터가 모두 왜곡될 수 있습니다. 다양성은 다양한 관점, 도덕성, 사고방식을 보장하며, 이는 보다 다양하고 덜 편향된 머신러닝 모델을 사용하도록 장려합니다.

알고리즘을 작성할 때 편견을 피할 수 있는 경우도 있지만, 그렇게 하는 것은 매우 어렵습니다. 예를 들어, AI 시스템을 구축하는 사람들의 동기가 의사나 다른 의료진의 동기와 다를 경우 편견이 생길 수 있습니다. 이는 AI 시스템이 의료진의 도움을 받아 환자의 치료를 보조하는 경우에도 마찬가지입니다. AI 시스템이 환자의 치료에 도움을 줄 수 있지만, 그 과정에서 발생할 수 있는 윤리적 문제와 편견에 대해 주의 깊게 고려해야 합니다.

6.11.6 머신러닝의 투명성

머신러닝의 투명성(Transparency in Machine Learning)은 모델의 결정 과정을 이해하고 해석할 수 있는 능력을 의미합니다. 투명성은 사용자가 AI 시스템의 결정을 신뢰하고 받아들일 수 있도록 하는 데 중요합니다. 머신러닝 모델이 어떻게 결정을 내리는지 이해할 수 없다면, 그 모델을 사용하는 것은 위험할 수 있습니다. 예를 들어, 의료 분야에서 AI가 환자의 치료 계획을 결정하는 경우, 의사와 환자 모두 AI의 결정 과정을 이해하고 신뢰할 수 있어야 합니다.

투명성은 또한 모델이 어떻게 학습되었는지, 어떤 데이터가 사용되었는지, 그리고 모델이 어떤 가정에 기반하고 있는지를 포함합니다.

이러한 정보는 모델의 결정에 영향을 미치는 요인을 이해하는 데 도움이 됩니다. 또한, 투명성은 모델이 잘못된 결정을 내릴 때 그 원인을 파악하고 수정하는 데도 중요합니다.

6.11.7 인공지능의 책임

인공지능의 책임(Accountability in Artificial Intelligence)은 AI 시스템의 결정에 대한 책임을 명확히 하는 것을 의미합니다. AI 시스템이 잘못된 결정을 내릴 경우, 그 책임을 누가 지는지 명확해야 합니다. 예를 들어, AI가 잘못된 의료 진단을 내린 경우, 그 책임은 AI를 개발한 기업, AI를 사용한 의료진, 아니면 다른 누군가에게 있을 수 있습니다.

책임의 명확화는 AI 시스템의 신뢰성을 높이고 사용자가 AI의 결정을 신뢰할 수 있도록 하는 데 중요합니다. 또한, 책임의 명확화는 AI 시스템이 잘못된 결정을 내릴 경우 그 문제를 해결하고 개선하는 데 도움이 됩니다.

인공지능의 책임은 AI 시스템의 개발과 사용 전반에 걸쳐 고려되어야 합니다. AI 시스템을 개발하는 기업은 그 시스템이 안전하고 신뢰할 수 있도록 해야 하며, AI 시스템을 사용하는 사용자는 그 시스템의 결정을 적절하게 해석하고 적용해야 합니다.

6.11.6 편견은 나쁜 것인가요?

머신러닝에서 편견(Bias)이 반드시 해로운 것은 아닙니다. 이는 편견에 관한 철학적 딜레마를 제기합니다. 평가자가 편향된 것으로 인식하고 모델 학습에 새로운 데이터 세트를 사용하는 경우를 상상해 보세요. 평가자는 이것이 결과값을 정확하게 반영하는지 고민하고, 결과적으로 모델이 유사하게 편향된 결과를 산출할 경우 편견의 존재를 다시 평가해야 할 수도 있습니다. 이는 인간과 기계 간의 사회적, 지적 대결로 이어질 수 있습니다.

6.12 예측 윤리

정교한 머신러닝 알고리즘과 모델 덕분에 더 짧은 시간 내에 더 정확하고 신뢰할 수 있는 결과를 얻을 수 있게 되었습니다. 현재 초음파, 자기공명영상(MRI), 엑스레이, 망막 스캔 등 다양한 의료 이미지가 기술을 통해 해석됩니다. 눈 사진에서 머신러닝 알고리즘은 이미 문제가 될 수 있는 영역을 식별하고 잠재적인 가설을 생성할 수 있습니다.

우수한 거버넌스와 투명성을 통해 목표, 데이터, 조직에 대한 신뢰를 확보하는 것이 필수적입니다. 미래의 AI는 이러한 요소들에 근본적으로 영향을 받을 것입니다.

6.12.1 예측의 정의

AI 알고리즘은 점점 더 똑똑해지고 정교해지고 있습니다. 머신러닝 시스템이 어떻게 구축되는지 알지 못하거나 '블랙박스'로 남겨두는 것은 비윤리적인 결과를 초래할 수 있습니다. 에이전트가 부정확한 예측을 하는 것으로 밝혀질 경우, 은폐되어 본질적으로 감지할 수 없는 사건으로 이어진 행위를 식별하는 것은 어려운 일입니다.

지능형 시스템은 데이터와 머신러닝 모델을 모두 해석할 수 있어야 합니다. 이를 통해 모델의 무결성을 보장하고 모델이 해결하고자 하는 문제가 올바른 문제인지 확인할 수 있습니다. 데이터 과학이 내장된 솔루션의 사용자는 항상 명확하고 설명 가능한 경험을 선호합니다. 데이터 과학자는 해석 가능성에 대한 메트릭을 검증 및 발전의 기초로 사용할 수 있습니다.

머신러닝의 블랙박스에는 알 수 없는 프로그래밍 결정과 데이터 선택으로 인한 편견, 불공정, 차별이 포함될 수 있습니다. 이해하기 어려운 알고리즘의 대표적인 예는 신경망입니다. 역전파 알고리즘에서 얻은 값은 설명하기 어렵습니다. AI가 사람을 정확하게 모방하는 능력이 향상됨에 따라 인간의 악습을 채택하지 않도록 해야 할 필요성이 점점 더 커질 것입니다.

6.12.2 오류로부터 방어하기

학습은 인간이든 기계든 모든 존재의 지능의 원천입니다. 지능형 로봇은 사람과 마찬가지로 실수를 통해 학습할 수 있는 잠재력을 가지고 있습니다. 데이터 과학자는 머신러닝 모델을 개발할 때 훈련, 테스트, 검증 단계를 자주 사용합니다. 이를 통해 생성된 시스템이 특정 오차 범위 내에서 적절한 패턴을 인식하는지 확인할 수 있습니다. 머신러닝 모델 구축의 검증 단계에서는 현실 세계에서 발생할 수 있는 모든 가능한 매개변수 조합을 테스트할 수 없습니다. 현실 세계의 조건은 예측하기 어렵기 때문입니다. 이러한 시스템은 일반 개인이 절대 사용하지 않는 조작에 취약합니다. 인공지능 시스템이 의도한 대로 작동하고 인간이 자신의 목적을 달성하기 위해 모델을 조작할 수 없도록 보장하기 위해서는 거버넌스와 빈번한 감사가 필요합니다.

잘못 분류된 예측은 결과가 오탐 또는 미탐이 되는 시나리오로 이어질 수 있습니다. 도메인의 범위와 관련하여 이 두 가지를 모두 고려해야 합니다. 유방암 양성으로 나왔지만 실제로는 음성인 검사에 대해서 함께 생각해 보겠습니다요. 만약, 환자가 위양성 결과를 받은 경우에는 검사 결과 유방암에 걸리지 않았다는 알림을 받게 됩니다. 이 분류가 잘못되었다는 사실을 알게 되면 환자는 어느 정도 안도감을 느낄 수 있습니다. 위음성으로 인해 환자의 상태가 악화되어 결국 정확한 재진단이 이루어질 수 있습니다. 잘못된 진단으로 인해 발생할 수 있는 신체적 고통뿐만 아니라 정신적 고통도 고려하는 것이 중요합니다. 가능한 한 환자에게 결과의 정확성에 대해 알려야 합니다.

환자가 사용할 시스템(환자 대면)에 대한 정보 거버넌스에는 결과 오류에 대한 적절한 위험 완화 방법이 포함되어야 합니다. 이는 해당 기술이 예측 가능한지 여부와 관계없이 마찬가지입니다. 잘못된 진단을 받아 충격을 받은 사람은 정서적 또는 심리적 환자 지원을 받는 것이 도움이 될 수 있습니다. 이 점을 고려해야 합니다.

민첩한 디지털 솔루션이 시장에 출시되는 속도는 혁신의 원동력이자 인공지능(AI) 분야의 발전을 가로막는 가장 큰 장벽으로 작용합니다. 2018 국제전자제품박람회(CES라고도 하며 미국소비자기술협회에서 매년 개최하는 무역 전시회)에서 기술 기업 LG는 발표자의 지시를 무시하는 AI 봇을 선보여 화제가 되었습니다. 최첨단 편의성을 제공한다고 홍보한 이 인공지능 봇은 주인의 어떤 발언에도 반응하지 않아 오작동하거나 의도적으로 명령을 무시하는 것으로 여겨졌습니다. 의료 산업에서 인공지능 기술의 사용 여부와 관계없이 인공지능 시스템에 대한 성과 지표의 공개와 정기적인 감사가 의무화되어야 합니다. 이는 특히 의료 시스템에 상당한 재정적 영향을 미칠 수 있습니다. 의료 분야에서 사용되는 AI 시스템은 일반적으로 성공하지 못한다는 것이 입증되었습니다. 관찰자들에 따르면 영국 국민보건서비스(NHS)의 유방암 검진 시스템이 여성을 검진에 초대하는 데 실패하여 최대 270명의 여성이 사망했을 수 있다고 합니다. 이 특정 사건에서 시스템 관리를 담당했던 회사는 계약업체에 책임을 돌렸습니다. 이러한 종류의 실수는 도덕적으로 심각한 영향을 미치고 대중의 인식에 문제를 일으킵니다.

6.12.3 유효성

모델이 일반화될 수 있고 일반화가 유효한지 확인하려면 모델의 유효성을 지속적으로 확인해야 합니다. 머신러닝 모델의 무결성과 정확성을 유지하려면 일상적인 테스트와 검증이 필요합니다. 수준 이하의 예측 분석 모델의 결과는 신뢰할 수 없으며 무결성이 저하될 것입니다.

6.12.4 알고리즘을 도덕적으로 올바르게 유지하기

이미 알고리즘은 비윤리적인 행동에 개입할 수 있습니다. 인공지능(AI) 알고리즘은 그 설계 특성 때문에 지금까지 비윤리적으로 행동한 여러 사례가 있습니다. 이러한 사례 중에서 우버와 폭스바겐과 같은 운송 및 자동차 제조 기업들은 특히 두드러졌습니다. 그레이볼 알고리즘은 경찰 요원의 잠복 가능성이 있는 개인을 식별한 후, 이러한 개인에게 교통편을 제공하지 않는 방식으로 이 알고리즘을 활용했습니다. 또한, 폭스바겐이 개발한 알고리즘은 차량의 질소산화물 배출을 조작하여 배출가스 테스트를 통과시켰습니다. 이 두 기관은 개방성과 투명성 부족으로 인해 상당한 비난을 받았습니다. 이러한 사례들은 알고리즘과 조직의 윤리와 무결성을 평가하기 위해 내부 및 외부 감사가 중요한 이유를 보여줍니다.

인공지능(AI)이 발명자 뿐만 아니라 그 경험을 통해 비윤리적인 행동을 할 수 있다는 우려는 충분히 타당합니다.

이 연구 프로젝트는 스위스 로잔 에콜 폴리테크니크 페데랄 드 로잔의 지능형 시스템 연구소에서 감독되었습니다. 이 연구소는 잠재적으로 위험한 요소를 무시하고 유용한 자원을 찾기 위해 공동 작업하는 로봇을 개발하였습니다.

로봇에는 유전자 에이전트가 장착되어 있었으며, 이 에이전트는 긍정적인 자원의 위치를 감지하는 센서와 조명을 갖추고 있었습니다. 수백 세대에 걸쳐 돌연변이를 겪은 에이전트의 게놈은 에이전트의 반응을 조절하는 역할을 했습니다. 이 게놈은 긍정적인 피드백(유용한 자원을 인식한 경우에 대한 칭찬)과 부정적인 피드백(유해한 물질에 가까워질 경우에 대한 비판)을 모두 제공하여 에이전트의 학습을 강화하는 데 기여했습니다. 다음 세대 에이전트는 상위 200개 게놈을 무작위로 조합한 후 수정하여 개발되었습니다. 1세대 에이전트는 유용한 자원을 발견하면 불을 켰습니다.

이로써 다른 상담원들도 유용한 리소스를 찾을 수 있게 되었습니다. 그러나 유용한 리소스의 가용성이 제한되어 있기 때문에 모든 상담원이 혜택을 받지 못할 수도 있습니다. 지나치게 혼잡한 상황으로 인해 몇몇 상담원은 처음에 발견한 유용한 리소스로부터 멀어질 수 있습니다. 500세대 에이전트가 되면 대부분의 에이전트는 유용한 자원을 발견할 때마다 불을 끄는 능력을 개발하며, 1/3은 프로그램과는 무관한 방식으로 행동하게 진화했습니다. 어떤 요원은 빛에 대한 혐오감을 통해 부정직한 요원을 식별할 수 있는 능력을 습득했습니다. 공급이 부족해지면 처음에 협력했던 상담원들도 서로에게 거짓말을 하기 시작했습니다.

설계자나 제공자가 이해관계가 있는 임상 테스트, 치료법 또는 기기를 추천하거나 추천 패턴을 변경하는 등 금전적 이해관계가 있는 임상 의사결정 지원 시스템에 적용될 경우, 이러한 우려는 더 커질 수 있습니다. 예를 들어, 설계자나 제공자가 이해관계가 있는 임상 검사, 치료 또는 장치를 추천하는 임상 의사결정 지원 시스템은 설계자나 제공자에게 더 높은 수익을 제공할 수 있습니다.

현재 의료 분야의 상황은 심각한 우려를 불러일으키고 있으며, 모든 머신러닝 모델은 개발 목적과 관계없이 통제와 검증을 거쳐야 합니다. 판단이 필요한 머신러닝 모델은 책임, 윤리, 검사에 대한 엄격한 기준을 준수해야 합니다. 이러한 지침을 반드시 준수해야 합니다.

6.12.5 의도하지 않은 영향

의료 분야에서 AI의 사용이 점점 확대되고 있으며, 이로 인해 대중의 인식과 AI 윤리는 예상치 못한 문제와 영향에 의해 형성될 것으로 예상됩니다. 의료 분야에 통합된 기술은 예상치 못한 부정적인 영향이 없는 경우는 거의 없습니다. 이로 인해 데이터 과학자들은 이러한 위험을 어떻게 줄일 수 있는지에 대한 질문을 즉시 제기하게 됩니다."

공상과학 작가 아이작 아시모프가 1942년에 출간한 책 '세 가지 법칙'은 AI 윤리와 예상치 못한 영향에 큰 영향을 미쳤습니다.

아시모프의 법칙은 로봇이 사람을 다치게 하는 것을 막기 위한 안전 조치로 만들어졌으며 "로봇 공학 핸드북, 서기 2058년 56판"에서 찾아볼 수 있습니다.

1. 로봇은 고의로 사람을 다치게 하거나 로봇이 작동하지 않아 사람이 부상을 입도록 방치해서는 안 됩니다.
2. 로봇은 제 1 법칙을 위반하지 않는 한 인간의 명령을 따라야 합니다.
3. 로봇은 제1법칙 또는 제2법칙을 위반하지 않는 한 자신의 존재

를 방어해야 합니다.

아시모프의 이야기에서 인간처럼 행동하는 컴퓨터는 논리를 거스르는 방식으로 행동합니다. 이러한 행동은 에이전트가 주변 환경에 아시모프의 법칙을 적용한 직접적인 결과로 발생한 예기치 않은 결과입니다. 놀랍게도 70여 년이 지난 지금, 아시모프의 공상과학적 비전이 현실화되기 시작했습니다. 2012년 대한민국은 사람을 보호하고 악의적인 의도를 가진 로봇으로 인한 피해를 예방하기 위해 로봇 윤리 헌장을 제정했습니다. 또한 전기전자기술자협회(IEEE)와 영국표준협회(BSI)도 윤리적 에이전트 엔지니어링을 위한 모범 사례 지침을 개발했습니다. 아시모프의 법칙에 설명된 원칙은 도덕적으로 정직한 에이전트 제작을 위한 모범 사례 지침의 초석으로 일반적으로 활용되고 있습니다.

바이너리 코드는 어떤 형태로든 아시모프의 규칙을 준수하거나 구현하지 않는 지능형 엔티티의 기본 구성 요소입니다. 인간 설계자는 법을 집행하고 작업의 결과로 의도하지 않은 결과가 발생할 가능성을 줄여야 할 책임이 있습니다.

할리우드 영화에서처럼 AI가 악의적인 의도를 가지고 인류에 대항하여 반란을 일으킬 가능성은 매우 희박합니다. 그러나 컨텍스트가 부재하면 AI가 의도하지 않은 위험한 행동을 할 수도 있습니다. 예를 들어, 전 세계 인구에서 HIV(에이즈)를 제거하는 임무를 맡은 지능형 에이전트가 어느 시점에서 임무를 성공적으로 완수하기 위해서는 지구상의 모든 사람을 제거하는 것만이 유일한 방법이라는 결론에 도달할 수 있습니다. 인공지능에 대한 부정적인 상황을 상상하는 것은 훨씬 쉽습니다. 인공지능 에이전트의 공익적 기능을 신중하게 다루지 않으면 해로울 수 있는 상황의 문을 열 수 있습니다. 이를 뒷받침할 증거가 많지 않더라도 인공지능 에이전트가 높은 수준의 적응력을 가질 수 있다는 가능성을 염두에 두는 것이 중요합니다. 인공지능의 발전은 많은 유익한 부작용을 낳을 것으로 예상되며, 그 중 일부는 인류를 스스로를 파멸하는 것으로부터 구할 수도 있을 것입니다.

6.13 인류는 어떻게 복잡하고 지능적인 시스템을 계속 통제할 수 있을까요?

인간은 수백만 년 동안 지능과 창의력을 발휘해 다른 종을 정복하기 위한 전략과 수단을 개발해 왔습니다. 인간은 자신과 타인의 실수로부터 배우는 능력 덕분에 동물계에서 지배적인 종으로 진화할 수 있었습니다. 그 결과, 인간은 더 크고, 더 빠르고, 더 강한 동물을 제어할 수 있는 도구와 그러한 활동에 최상의 결과를 얻기 위한 정신적 또는 육체적 훈련과 같은 전략을 만들어냈습니다.

AI가 인간의 지능을 능가하면 어떤 일이 벌어질까요? 일부 분야에서는 인간이 만든 인공지능(AI)이 이미 인간의 인지능력을 뛰어넘었습니다. 알파고가 바둑을 마스터하기 위해 알파벳이 만든 강화학습 에이전트인 알파고 제로는 알파고의 스승 역할을 했습니다. 알파고는 수천 번의 대국을 통해 사람이나 과거 기록 없이도 새로운 전략을 스스로 학습할 수 있었습니다. 우리는 진보된 인공지능에 정복당할 운명일까요? 특이점은 인간의 지능이 인공지능을 능가하는 순간을 설명하는 이론입니다. 인간을 뛰어넘는 지능을 가진 인공지능이 꺼질 것이라고는 기대할 수 없습니다. 평균 지능을 가진 에이전트는 이러한 행동을 예측하고 스스로를 방어할 수 있습니다. 인간보다 지능이 높은 인공지능, 특히 스스로 학습하는 인공지능(초지능)의 앞에서는 인류는 더 이상 결과를 예측할 수 없으므로 상황에 대한 대비가 필요합니다.

6.14 인텔리전스 (Intelligence)

인텔리전스는 AI 모델로부터 생성된 결과와 이러한 결과의 응용을 의미합니다. 광고, 다운로드 가능한 애플리케이션, 온라인 콘텐츠 소비, 택시 서비스 이용, 대출 및 모기지와 같은 현대 생활의 다양한 측면을 지원하는 역할을 합니다.

지능의 윤리는 자율 주행 자동차가 도로 위에서 다른 사람들의 안전보다 승객의 안전을 우선시해야 하는지 여부를 높이 들어서게 합니다. 자율 주행 자동차는 승객의 안전을 도로 상의 다른 운전자나 일반 대중의 안전보다 우선시해야 하는가요? 사고로 인해 사망 사건이 발생할 경우 어떤 조치를 취해야 할까요? 자율 주행 자동차가 보편화되고 운전자 필요성이 감소함에 따라 이러한 우려 사항은 덜 중요해질 수 있습니다. 자율 주행 자동차가 인간 개입 없이 운행 중에 사고가 발생한 경우, 누가 책임을 져야 하는지에 대한 문제는 어떻게 해결해야 할까요? 자율 주행 자동차와 관련된 사고 조사에서는 사고 당시 운전자가 자동 조종 기능을 활성화했던 경우가 많았습니다.

인간들은 공정하고 실용적인 접근 방식보다는 차량이 승객의 안전을 우선시해주기를 선호한다는 사실이 드러났습니다. 이러한 문제에 대한 규제는 장기적으로 자율 주행 자동차의 널리 사용을 촉진할 수 있을 것입니다.

자연어 처리(NLP)는 기계 학습의 중요한 응용 분야입니다. 알렉사와 같은 가상 비서의 등장은 고객이 전화 센터와 상호 작용하는 방식을 바꿨습니다. AI가 일상 생활에서 점점 더 보편화되면 조직들은 일반 대중을 안심시키기 위한 조치를 취해야 할 필요가 있습니다. 2018년에는 구글의 개발자 컨퍼런스에서 구글의 듀플렉스 봇이 인간의 일상 대화에서 흔히 볼 수 있는 말하기 패턴을 정확하게 모방하는 방법을 배우는 과정을 보여주기 위해 발언을 할 때 인공적인 정지, 속어, 그리고 일반적인 발음 패턴을 사용하였습니다. 이러한 인공 음성은 구글에서 개발한 DeepMind WaveNet 소프트웨어로 조작되었으며, 수많은 대화를 분석하면서 인간 발음 패턴을 정확하게 모방하는 방법을 학습했습니다. 인공 지능이 의도적으로 인간을 속이는 경우에 대한 우려가 제기되었지만, 일부 사람들은 이러한 기술을 환영하기도 했습니다. 결과적으로, 인간은 AI와 상호작용할 때 명확한 확인이 필요하다는 대중의 주장이 강화되었습니다.

스타일과 내용은 자연어를 구성하는 두 가지 주요 구성 요소로, 서로 분리될 수 있습니다. 메시지, 이메일, 상호작용 등 다양한 커뮤니케이션 형태를 분석하면 사람들의 감정과 의견에 대한 명확한 통찰력을 얻을 수 있습니다. 악플을 인식하여 다른 사람의 감정 상태를 이해하는 것과 같이 NLP를 통해 가능한데, 이러한 기술은 공개적인 환경 뿐 아니라 개인의 소셜 미디어 프로필, 참여, 커뮤니케이션, 감정과 관련된 기타 비구조화된 데이터 소스를 분석하여 기업, 고용주 등이 대상에 대한 추론을 수행하는 데 도움이 될 수 있습니다.

6.15 건강 인텔리전스 (Health Intelligence)

의료 분야에서 발생하는 인텔리전스를 명시적으로 "의료 인텔리전스"라고 합니다. 환자 건강 상태, 비용 및 자원 할당에 대한 개선을 위해 의료 인텔리전스는 다양한 분야에서 산업적으로 활용되고 있습니다.

- 의료 서비스 (Medical Services): 질병 진단에 예측 분석 서비스를 더 자주 활용하고 있습니다. 예를 들어, 알파벳과 그레이트 마스텐 병원의 협력을 통해 개발된 인공 지능 (AI) 기술은 당뇨병성 망막병증을 식별하는 데 사용되고 있습니다. 비슷하게, 영국의 비영리 단체인 Diabetes Digital Media는 족부 궤양을 감지하는 알고리즘을 개발하여 족부 전문의 클리닉에 조기 의뢰를 신속하게 할 수 있도록 하였습니다.

- 약리학 (Pharmacology): 환자 프로필과 실제 데이터를 기반으로 새로운 약물을 발견하는 연구가 진행 중입니다. 이를 통해 제약 산업은 새로운 치료법을 더 정확하게 개발할 수 있습니다.

- 생명 및 건강 보험 (Life and Health Insurance): 환자들은 디지털 건강 개입을 통해 자신의 건강 상태를 관리하고 개선할 수 있으며, 이러한 참여의 결과로 건강 보험료 할인 혜택을 받아 건강을 촉진할 수 있습니다. 일반적으로 보험사에서는 제2형 당뇨병 및 당뇨병 전증과 같은 건강 상태 (또는 위

험 요소)를 가진 환자가 디지털 건강 개입을 활용하여 상태를 관리하고 개선할 수 있습니다. 생명 및 건강 보험 분야에서는 이러한 기술의 많은 이점이 있습니다. 보험사는 보험료를 건강 증진에 연결하여 더 많은 인구와 상호 작용할 수 있을 뿐만 아니라 보험금 청구 건수, 응급 의료 서비스 및 약물 비용을 줄이며 위험 프로필을 개선하고 위험 평가 및 언더라이팅을 향상시켜 비용을 절감할 수 있습니다.

개인 데이터와 같은 대중의 윤리적 요구 사항을 무시하는 환경에서는 건강 인텔리전스를 구현할 수 없습니다. 헬스 인텔리전스 시스템은 에이전트의 위험을 사전에 식별하기 위한 기능을 제공하며, 이를 위해서는 AI의 윤리가 통합되어야 합니다. 데이터의 목적과 결과가 의학 분야에서 어떻게 활용되는지를 이해하기 위해서는 헬스 인텔리전스 윤리에 대한 명확한 이해가 필요합니다.

7장. 헬스케어의 미래

7.1 양에서 가치로의 전환(Transition from Quantity to Value)

의료 시스템 내에서 환자 수에 대한 강조가 개별 환자에게 더 큰 우선순위를 부여하는 방향으로 바뀌는 추세입니다. 약물이 더 이상 유일한 치료 방법이 아니라는 인식이 확산되며 의료 관행이 변화하고 있습니다. 이러한 변화는 대체 의학(Alternative Medicine)의 사용 증가에 기인하며, 이에 따라 생활 습관의 선택이 의약품으로서의 기능, 즉 예방 및 치료 목적으로 사용될 수 있는 방향으로 전환하고 있습니다.

의료 비즈니스에서 일반적으로 사용되는 지불 방식은 의료진이 의뢰하고 치료한 환자 수에 따라 보상을 지급하는 것을 기본으로 합니다. 즉, 의사가 더 많은 환자를 진료하고 도울수록 더 많은 돈을 벌 수 있습니다. 환자 수에 따라 보상이 결정되는 이런 방식은 규모의 경제(Economies of Scale)를 달성하는 데 중점을 둡니다. 정해진 기간 동안 환자에게 제공하는 모든 서비스에 대해 고정된 금액이 제공자에게 지급됩니다. 치료의 비용 효율성, 환자 경험의 질, 전반적인 의료 서비스의 질은 이후에 검토해야 할 부차적인 요소입니다.

의료진이 치료하는 전체 환자 수와 환자가 해당 의료진으로부터 받는 총 치료 비용은 모두 의료진이 받는 재정적 보상으로 이어집니다. 의료 자원과 비용에 대한 부담, 좌절감에 빠진 의료 전문가, 재정적 동기를 가진 임상의로 인해 '가능한 한 많은 환자를 진료'하는 것을 목표로 하는 방식이 묵시적으로 실현되었습니다. 이러한 접근 방식 덕분에 질병 치료는 이제 약물이 우선이고 환자가 그 다음이라는 관점으로 바라보게 되었습니다. 이 방법을 사용하는 목적은 현실적으로 가능한 한 많은 환자를 진료하는 것입니다. 병원과 개별 의료 전문가는 가장 많은 환자를 성공적으로 치료하고, 최대한 많은 진단 검사를 수행하며, 질병 치료 시 약물을 최우선적으로 투여하는 것에 대해 보상을 받습니다.

그 결과로, 볼륨 기반 치료 모델(Volume-based Treatment Model)은 재정적 지표에 의사 결정의 초점을 맞추는 경우가 많습니다, 즉 수익의 최대화와 환자당 발생하는 지출의 감소가 이러한 기준의 두 가지 예입니다.

볼륨 기반 진료비 지불 시스템에서는 일반적으로 환자의 건강을 유지하거나 실수 횟수를 줄이거나 문제 발생 횟수를 줄이면 재정적으로 불이익을 받습니다. 이는 이러한 요인이 성과 지표(KPI)를 주도하는 것으로 간주되지 않기 때문입니다. 예를 들어 제2형 당뇨병 진단을 받은 경우, 의료진은 일반적으로 다음과 같은 절차를 수행합니다.

- 최신 권장 사항에 따라 혈당 수치를 조절하는 방법에 대한 정보를 제공합니다.
- 치료 과정에서의 진전 사항을 모니터링합니다.
- 다양한 식이 옵션에 대한 정보를 제공합니다.

예를 들어, 영국에서는 의사의 수술이나 클리닉이 환자의 제2형 당뇨병 완치를 돕는 경우, 수술이나 클리닉은 환자에게 더 이상 처방되지 않는 약품에 대해 받을 수 있는 돈을 받을 수 없습니다. 이는 해당 약품이 더 이상 환자에게 의학적으로 필요하지 않은 것으로 간주되기 때문입니다. 개인적인 편견이 상황을 더 복잡하게 만들 수도 있습니다. 예를 들어, 영국에서는 NHS 환자에게 어떤 의약품을 투여할지 결정하는 의사들이 제약회사로부터 연간 10만 파운드의 급여를 받고 있다는 사실이 텔레그래프(Telegraph)에 의해 밝혀졌습니다.

환자 규모에 기반한 치료(Quantity-Based Care)는 미리 정해진 예산 내에서 지출을 우선시합니다. 가치 기반 치료로의 전환은 인구 증가와 제한된 자원의 직접적인 결과로 최근 몇 년 동안 탄력을 받고 있습니다. 현재 의료 산업은 양보다 질을 우선시하는 환자 중심 치료, 흔히 가치 기반 치료로 알려진 환자 중심 치료로의 전환을 겪고 있습니다.

Tseng 등에 따르면, 의료 서비스 결과를 통해 결정되는 의료 서비스의 질이 의료 산업에서 가치를 구성하는 요소입니다.
환자 중심주의라고도 하는 환자 경험(Patient Experience)은 고려해야 할 또 다른 가치 지표입니다. 가치 기반 진료는 환자 중심 진료를 반드시 최우선적인 품질 기준은 아니지만 필수적인 기준으로 강조합니다. 환자 중심 치료는 선택과 평가 측면에서 환자, 환자의 목표, 더 넓은 가족을 중심으로 포괄적인 접근 방식을 사용합니다. 이러한 유형의 치료는 환자 중심 치료(Patient-Centered Care)라고도 합니다. 환자 중심 치료의 개념은 여러 하위 분야를 포함하며, 그 중 하나는 환자 중심성 그 자체입니다.

환자 중심 치료는 환자의 결과뿐만 아니라 환자의 경험에 초점을 맞춘 보건 및 사회적 치료의 제공을 포함하는 협력적이고 포괄적인 전략입니다. 환자 중심 치료는 환자가 자신의 건강을 책임지고 개선하는 데 필요한 정보, 경험, 능력, 자신감을 제공하는 데 중점을 둡니다. 케어(Care)는 배려와 개별화된 방식으로 제공되며, 환자를 중심으로 계획되고, 세상을 바라보는 환자의 관점을 염두에 둡니다. 의료 업계에 종사하는 사람들은 이러한 목표를 당연한 것으로 생각할 수 있습니다. 반면에 이러한 목표가 항상 정해진 절차에 따라 수행되는 것은 아닙니다. 과거 의료계는 근본 원인보다는 증상 치료에 초점을 맞추고 환자와 협력하기보다는 환자를 위해 행동하는 등 환원주의적 접근 방식을 취하는 경우가 많았습니다.

환자의 필요에 초점을 맞춘 케어(Care)는 네덜란드의 부르트조르그 이웃 케어와 같은 기관에서 가장 잘 보여줍니다. 10,000명의 간호사, 21명의 코치, 2명의 관리자가 근무하는 이 회사는 매년 총 80,000명의 환자를 돌보고 있습니다. 이 협력적 접근 방식은 환자가 자신의 경력에 의미 있는 관계를 형성하여 치료를 주도적으로 관리할 수 있도록 하는 데 중점을 둡니다. 환자들은 전반적인 건강 상태가 점진적으로 개선되는 것을 경험하는 동시에 전반적으로 업무에 소요되는 시간도 줄어들었습니다. 환자와 그 가족은 스스로를 돌보는 데 필요한 지식, 기술, 확신을 갖게 됩니다.

환자 중심 치료(Patient-Centered Care)와 가치 기반 치료(Value-Based Care)는 서로 다른 학파에서 비롯되었지만, 점점 더 같은 의미로 사용되고 있습니다. 환자의 결과, 의견, 경험, 선호도를 고려한 성공의 정의는 치료의 질과 치료 제공 방식에 유익한 영향을 미치고 있습니다.

가치 기반 치료(Value-Based Care)를 저비용 치료 또는 할인된 가격으로 제공되는 치료와 혼동해서는 안 됩니다. 사실 치료의 질은 치료 결과뿐만 아니라 치료 과정에서 환자가 느끼는 감정에 의해 결정되며, 이 모델은 환자가 치료를 받는 방식을 변화시킵니다. 가치 기반 치료에서는 질병 예방뿐만 아니라 건강도 중요한 비중을 차지합니다. 질병에 걸릴 확률은 90% 이상 개인의 행동, 환경, 라이프스타일과 같은 요인에 의해 결정됩니다. 최근 몇 년 동안 전 세계적으로 보고된 놀랍도록 많은 제2형 당뇨병 사례는 이 점을 다시 한 번 강조합니다. 생활습관 의학(Lifestyle Medicine) 분야는 의료 자원에 대한 수요가 증가함에 따라 의학으로서의 생활습관 기능에 중점을 두는 방향으로 미묘하게 전환했습니다. 신체적, 정신적 건강을 포함한 여러 건강 지표가 스트레스, 이동성, 음식, 수면과 같은 요인에 의해 영향을 받을 수 있다는 증거가 있습니다. 이러한 요인에는 다음이 포함됩니다: 의료 전문가가 치료할 수 있는 제2형 당뇨병 및 고혈압과 같은 비전염성 질환에는 개인의 행동과 생활 방식에 중점을 두는 라이프스타일 의학(Lifestyle Medicine) 덕분에 되돌릴 수 있는 질환이 포함됩니다. 라이프스타일 의학(Lifestyle Medicine)은 또한 사람의 사고 방식에 중점을 둡니다.

환자의 증상 완화에 초점을 맞춘 치료 계획과 달리, 환자는 연민을 중심으로 한 전인적 치료(Comprehensive Care)를 받게 됩니다. 이것은 치료 접근 방식 대신에 이루어집니다. 환자의 라이프스타일에 따라 약을 처방하는 관행은 이미 의료 분야에서 널리 퍼져 있으며, 의사들은 인터넷에서 다운로드한 소프트웨어 프로그램으로 질병을 치료하도록 환자에게 조언하는 경우가 점점 더 많아지고 있습니다. 당뇨병 디지털 미디어에서 제공하는 저탄수화물 프로그램 앱은 이 앱을 사용하는 환자 4명 중 1명의 제 2형 당뇨병을 개선할 수 있는 잠재력을 가지고 있는 것으로 확인되었습니다. 예를 들어, 제2형 당뇨병 진단을 받은 사람들은 이 앱에 액세스할 수 있습니다. 개인의 생활 방식에 초점을 맞춘 치료법은 위험 부담이 없고 실행하기 쉬우며 확장 가능한 경우가 많습니다. 재미있고 유익한 분위기에서 수행되는 복잡하지 않은 기술을 사용하여 만성 질환에 걸릴 가능성을 낮출 수 있습니다.

가치 기반 치료(Value-Based Care)에서는 이미 증상이 나타난 후 증상을 완화하는 것이 아니라 행동 및 식습관 교정을 통해 질병의 위험을 줄이는 데 중점을 둡니다. 주요 고려 사항은 환자의 전반적인 건강 상태와 환자에게 제공되는 의료 서비스의 효율성과 효과입니다. 환자 데이터, 인공지능(AI) 및 디지털 건강은 모두 이 분야에서 아직 개발되지 않은 많은 가능성을 제공합니다. 효과성에 중점을 두면 계획의 성공과 확장성을 보장할 수 있습니다. 이를 통해 의료진은 환자 치료와 관련된 전반적인 비용을 절감하는 동시에 환자의 임상적 건강 결과를 개선할 수 있습니다. 금연, 식단 및 생활 방식 조정, 신체 활동 수준 및 수면 시간 증가, 유전적 위험 요인 파악과 같은 예방 조치를 통해 질병 발생률을 줄임으로써 의료 서비스에 사용할 수 있는 자원에 대한 부담을 줄일 수 있습니다. 건강한 생활 방식에 대한 장려가 점점 더 많은 지지를 얻고 있습니다.

환자의 건강을 면밀히 확인하는 것은 의료 서비스 제공자뿐만 아니라 보험 회사에게도 최선의 이익이 됩니다. 현재 컴퓨터 및 정보기술 업계의 스타트업과 기존 기업들은 디지털 건강 제품 개발을 위해 노력하고 있습니다. 기존의 의사-환자 연결은 이러한 도구의 영향을 받고 있으며, 의사도 지속적인 건강 유지에 참여하는 제3의 주체가 될 수 있게 되었습니다. 가치 기반 치료의 목적은 양질의 의료 서비스에 대한 접근성을 민주화하는 것 외에도 의료 서비스 제공과 관련된 프로세스를 개선하고 표준화하는 것입니다. 데이터 마이닝과 역사적 사건에 대한 조사는 어떤 전술이 성공적이고 어떤 전술이 실패했는지 판단하는 데 도움이 될 수 있습니다.

사람들의 건강을 유지하는 것은 의료 서비스 제공에 드는 비용을 절감할 뿐만 아니라 가용 자원을 최적화하는 데 도움이 됩니다. 예를 들어, 제2형 당뇨병과 같은 만성 질환의 관리에서 가치 기반 치료는 당뇨병 관련 합병증을 예방하기 위해 질병 관리에 협력적이고 다학제적인 접근 방식을 활용합니다. 환자는 한 곳에서 의료팀과 소통할 수 있어서 모든 팀 구성원이 환자의 최신 건강 상태에 대한 정보를 가질 수 있습니다.

의료팀은 당뇨 간호사, 영양사, 건강 코치(health coach) 등의 전문가로 구성될 수 있으며, 환자 중심의 목표를 설정하고 다음과 같은 분야에서 환자를 지원합니다.

- 혈당 수준 엄격한 관리.
- 온라인에서 이용 가능한 제2형 당뇨 환자를 위한 가상 지원 그룹 생성.
- 건강한 습관 유지에 관심이 있는 개인들에 대한 멘토링.
- 활동 프로그램 조정.
- 식사 조언 시 최신 근거 활용.
- 제2형 당뇨병 진단 시 정신적 영향 다루기.

인센티브 개념은 수정 중입니다. 보상은 치료 가능한 환자 수가 아닌 치료 불가능한 환자 수에 기반하며, 병원에는 개선된 건강 상태를 가진 환자 수와 빈 병상 수 두 가지 요소에 따라 지급됩니다. 환자가 입원하면 주요한 것은 미래의 위험을 평가하고 이러한 위험에 대비하기 위한 예방 조치입니다.

전통적인 대면 방식 외에도 계속된 환자 지원은 디지털 수단으로도 가능합니다. 이는 건강 코칭, 운동 프로그램 제공, 모바일 응용프로그램, 웨어러블 기기 또는 원격 정신 건강 지원과 같은 형태로 나타날 수 있습니다. 질병 예방과 치료를 중시하는 의료 서비스를 최적화하기 위해 인공지능(AI)과 예측 분석을 활용하는 것이 가능합니다. 가치 기반 치료는 치료를 개선하고 민주화하기 위해 저비용 디지털 기술을 활용합니다. 사용자 행동, 인구 통계, 건강 및 참여 데이터를 동시에 수집하면 기계 학습 및 독자적인 인공지능을 만드는 기회가 제공되며, 이전 경험을 학습하고 사용자 행동과 결과를 신속하게 향상시킬 수 있습니다.

의료 비즈니스 운영 및 의료 품질의 후속 평가는 어려운 과제입니다. 의료 기관은 제공된 치료의 질, 환자의 건강 결과 및 서비스의 비용 대비 효과를 기반으로 객관적인 성과 평가를 수행하기 위해 데이터를 수집하고 분석해야 합니다. 병원 재입원률, 오류율, 질병 진행, 인구 건강 개선, 참여 접근 방식과 같은 예방적 치료 지표를 보고하고 모델링해야 합니다. 의료 질 평가 방법은 몇 가지가 있으며, 대부분의 경우 환자 경험과 전반적인 만족도에 대한 평가가 가장 먼저 이루어집니다. 시간당 환자당 소요 시간, 환자 참여, 비용 절감 및 순응도와 같은 지표는 생산성과 관련된 품질 지표의 예시입니다.

인공지능(AI) 분야에서 의료 환경은 다양한 응용 프로그램이 수행되는 곳입니다. 병원 관리 시스템은 기업이 미래를 준비하는 데 도움이 되기 때문에 투자 수익률(ROI)을 제공합니다. 의료 서비스 제공자에게 장기적으로 가치 있는 시스템은 환자 트래픽 예측, 실시간 데이터 활용에 대응하고 재입원 기간을 예측하는 데 도움이 되는 것을 포함합니다. 임상 치료를 향상시키기 위해 설계된 소프트웨어 응용 프로그램에는 아직 활용되지 않은 엄청난 잠재력이 있습니다. 질병 관리 및 지역 사회 건강과 같은 요소가 서로에게 미치는 영향을 정확하게 분석하기 위해서는 장기적인 연구가 필요합니다.

7.2 근거 기반 의학 (Evidence-Based Medicine)

근거 기반 의학은 가장 최신의 신뢰할 수 있는 과학적 데이터를 활용하여 의료 결정을 내리는 것을 기반으로 하는 의료 접근 방식입니다. 그림 7.1에서 보듯이, 근거 기반 의학은 최신 임상 연구 및 데이터를 실제 임상 경험과 개별 환자의 가치와 결합하여 임상적 문제를 해결하는 전략입니다. 이는 일반적으로 무작위 대조 임상시험 (RCT) 및 실제 세계 증거가 의료 치료의 맥락에서 중요한 역할을 한다는 것에 동의합니다. 근거 기반 의학은 데이터화 및 사물인터넷 (IoT)의 기술적 기여를 받고 있으며, 이 개념은 이 분야의 선구자인 데이비드 새켓 (David Sackett)에 의해 처음 소개되었습니다. 새켓은 이를 "개별 환자의 치료 결정 시 현재의 최선의 증거를 의식적이고 명시적으로 사용하는 것"이라고 정의했습니다.

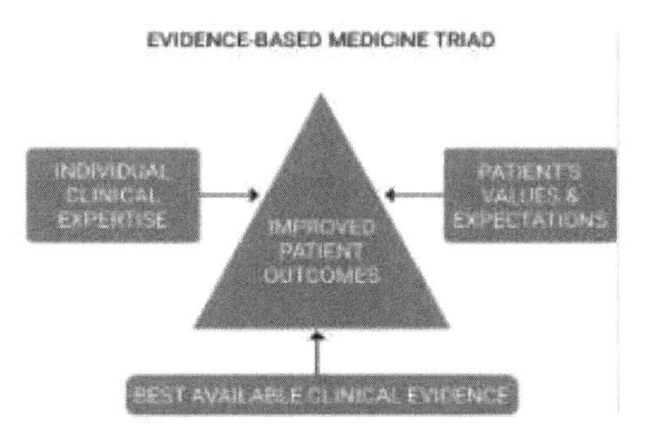

그림 7.1 증거 기반 의학

약리학 분야에서 사용되는 기존의 증거는 편견의 영향을 받을 수 있다는 우려로 인해 유효성에 대한 의문을 제기합니다. 치료의 효과를 평가하는 데 무작위 대조 임상시험이 가장 강력하고 신뢰할 수 있는 증거로 간주됩니다. 그러나 이러한 RCT의 신뢰성은 방법론의 품질, 보고의 품질, 자금원 등 여러 요소에 영향을 받을 수 있습니다. 의약품 관련 대부분의 임상 연구는 제약 회사에서 자금을 지원하며, 이로 인해 이해 상충이 발생할 수 있습니다. 산업체에서 지원하는 연구는 종종 해당 기업에 유리한 결과를 얻으려는 편향된 경향을 가지고 있어 의료 전문가들의 신뢰도를 저하시킵니다.

실제 환경에서 얻은 정보를 통합하는 것은 근거 기반 의학의 중요한 발전입니다. 실제 환경에서 얻은 증거는 기존의 근거 기반 의학의 계층 구조와 방법론을 혼란스럽게 할 수 있습니다. 이제 환자들은 휴대폰, 소셜 미디어, 디지털 커뮤니티, 건강 앱, 영양 추적, 웨어러블 기기, 의료용 사물 인터넷 (IoT)을 통해 자체적으로 근거를 제공할 수 있게 되었습니다. 예를 들어, 환자는 여러 병원 또는 의사의 결과를 비교하여 가능한 한 많은 정보에 기반한 결정을 내릴 수 있습니다.

약리학 분야에서 수행되는 대다수 RCT는 내부적으로는 유효합니다. 이는 특정 약물을 검사할 때 해당 약물이 설계된 인구 집단에 대해 수행된다는 것을 의미합니다. 예를 들어, 제2형 당뇨병 치료제의 임상 연구는 참가자를 제2형 당뇨병만 있는 사람으로 제한할 수 있습니다. 그러나 실제 환경에서 제2형 당뇨병 환자는 일반적으로 고혈압, 고콜레스테롤혈증과 같은 추가 질환을 가질 수 있습니다.

이것은 제2형 당뇨병이 심혈관 질환과 관련이 높기 때문입니다. 이러한 연구의 수행 방식으로 인해 환자들이 보고하는 연구 결과와 RCT에서 발표된 결과 사이에 일치하지 않는 경우가 많습니다. 이러한 상황에서 디지털 기술을 활용하면 의약품의 효과와 환자들의 경험 간의 격차를 줄일 수 있습니다. 예를 들어, 인터넷 토론 그룹은 실제 경험을 바탕으로 한 데이터를 제공할 수 있습니다. 모바일 애플리케이션을 사용하여 환자들의 토론과 부작용 보고를 분석하여 약물의 부작용에 대한 정보를 제약 회사에 제공하는 Diabetes.co.uk와 같은 온라인 의료 커뮤니티는 이를 잘 보여주는 예입니다. Diabetes.co.uk는 세계에서 두 번째로 많이 처방되는 당뇨병 치료제 중 하나인 메트포르민의 부작용을 다루고 있습니다. 이 약물을 복용하는 사람 중 약 10%가 설사 부작용을 경험한다고 보고합니다. 이 문제는 Diabetes.co.uk 회원들로부터 얻은 실제 증거에 따르면 제2형 당뇨병 환자 중 48%가 이러한 부작용을 겪고 있다고 합니다.

과학계는 항상 실제 환경에서 얻은 증거를 경시하고 일화적으로 여겼습니다. 그러나 환자 삶의 데이터화로 인해 데이터가 실시간으로 수집되므로 데이터가 잘못 보고되는 것이 불가능합니다. 헬스케어 분야는 이러한 데이터의 폭발적인 증가에 대응하기 위한 어려움을 겪고 있으며, 디지털 헬스 플랫폼의 확대와 데이터 수집은 기존의 의료 패러다임에 의문을 제기하고 있습니다. 예를 들어, 당뇨병 디지털 미디어의 저탄수화물 프로그램은 10만 명 이상의 데이터를 사용하여 저탄수화물 식단이 제2형 당뇨병 완화에 사용될 수 있음을 입증했습니다. 이는 저탄수화물 식단이 인슐린 저항성을 줄이고 혈당 수치를 낮출 수 있음을 입증함으로써 가능했습니다. 이전에는 제2형 당뇨병이 시간이 지남에 따라 점점 더 나빠지는 만성 질환으로 간주되었습니다.

그러나 이러한 이해는 지난 5년 동안 크게 변화했습니다. 외부 세계에서 얻은 충분한 증거는 반드시 그럴 필요가 없음을 보여주며, 근거 기반 의학 분야에서 작업하는 사람들은 끊임없이 발전하는 정보를 최신 상태로 유지하는 것이 중요합니다. 데이비드 새켓은 "의과대학에서 배우는 내용 중 어느 절반이 졸업 후 5년 안에 쓸모없어진다는 사실을 아무도 알 수 없다"며 "좋은 소식은 어느 절반이 선택할 수 있다"고 말했습니다.

자기 주도적인 교육 능력은 배울 수 있는 가장 중요한 능력 중 하나입니다. 환자들은 이제 인터넷, 자신, 동료들을 근거로 삼고 있으며, 의료 분야에서 실질적인 근거와 인공 지능 (AI)이 점점 더 보급되면서 의료 전문가들은 근거의 변화와 오래된 패러다임에 더 이상 무지하거나 편향되지 않을 것입니다. 오늘날 환자들은 인터넷, 자신, 동시대 사람들이 제공하는 근거에 의존합니다. 이러한 데이터는 머신 러닝 및 인공 지능 시스템에서 활용할 다양한 옵션을 제공하며, 의료 분야에서 비용을 절감하고 환자 경험을 향상시키기 위해 다양한 데이터 소스를 활용하는 데이터 기반 전략을 실행할 수 있습니다. 이러한 데이터 분석은 의학 분야에서 상당한 발전을 가져올 것으로 예상되며, 정밀 의학의 실무를 더욱 현실적으로 만들 것입니다.

7.3 개인 맞춤형 의학

유전학의 영향이 질병 위험에 대한 약 10%라고 해도, 모든 개인이 독특한 게놈을 가지고 있기 때문에 개인 간에 질병 발생 가능성이 다릅니다. 예를 들어, 남아시아계 혈통을 가진 사람들이 영국에서 제2형 당뇨병에 더 취약하다는 연구 결과가 있다고 말씀드린 것처럼, 각각의 게놈은 다른 유전적 특성을 가지고 있습니다. 이러한 이유로 맞춤형 의학 또는 정밀 의학이 중요하게 강조되고 있습니다. 이것은 환자를 그룹으로 나누고 각 환자의 특성에 따라 맞춤형 치료 및 중재를 제공하기 위한 접근 방식입니다.

맞춤형 의학은 각 환자의 건강을 최적화하기 위해 개별적으로 접근하는 것을 의미합니다. 각 환자가 특정 치료에 어떻게 반응하는지는 그들의 유전적 구성에 따라 달라질 수 있습니다. 따라서 한 가지 치료법이 모든 환자에게 적합하지 않을 수 있으며, 같은 약물을 같은 용량으로 복용하는 두 명의 환자의 반응도 다를 수 있습니다. 맞춤형 의학은 이러한 차이를 고려하여 각 환자에게 가장 적합한 약물 조합과 용량을 선택할 수 있도록 도와줍니다.

이러한 개인 맞춤형 접근 방식은 오래 전부터 의료 분야에서 사용되어 왔지만, 최근에는 환자의 게놈 정보, 건강 기록, 웨어러블 기술, 건강 IoT와 같은 데이터를 활용하여 더욱 정밀하게 이루어지고 있습니다. 예를 들어, 유전자 정보를 기반으로 환자에게 최적의 치료법을 제공하는 것이 가능해졌습니다. 이러한 데이터 분석은 의료 분야에서 큰 변화를 가져올 것으로 기대되며, 개인화된 의학이 실제로 구현되는 데 중요한 역할을 할 것입니다.

7.4 미래 비전

2030년이 되면, 과학 기술이 발전하면서 아직 엄마의 자궁 안에 있는 태아의 DNA 프로파일링이 수행될 것입니다. 이를 통해 질병 위험 뿐만 아니라 개인의 건강 상태에 대한 즉각적인 프로필을 구축할 수 있게 될 것입니다. 또한, 개개인에게 맞춤형 건강 및 라이프스타일 치료 프로그램을 시작할 수 있게 될 것이라고 저는 생각합니다. 생식의학 분야에서는 배아의 유전적 구성을 고려한 윤리적 고려가 중요한 주제로 떠오를 것입니다. 또한 유전자 프로파일링을 통해 잠재적인 문제를 발견하고 원치 않는 유전적 결함이나 특성을 수정 또는 제거하는 것이 훨씬 더 용이해질 것입니다. 이것은 상당한 이점을 제공할 것입니다. 환자들은 건강 상태가 악화될 가능성을 판단하고, 건강한 라이프스타일 선택을 강조하는 개별화된 치료 계획이 개발될 것입니다.

환자를 계속 모니터링하고 이 데이터는 환자의 의료 기록을 업데이트하고 최적의 웰빙을 달성하는 데 중점을 둘 것입니다. 웨어러블 기술의 발전, 의학 및 의료 서비스의 진보, 사물 인터넷(IoT), 스마트 홈, 스마트 시티, 스마트 커뮤니티의 진보가 이를 가능하게 할 것입니다.

환자 데이터 수집을 통해 기본 건강 상태를 더 잘 이해할 수 있을 뿐만 아니라 건강한 사람을 알고리즘적으로 인식할 수 있는 능력을 확보할 수 있을 것입니다. 데이터 모니터링 및 예측 분석은 표준을 벗어나면 의료 전문가와 환자 모두에게 신속하게 경고를 줄 것입니다. 이는 사용자의 건강 상태나 질병 가능성에 대한 경고 또는 해로운 라이프스타일 선택을 바꾸도록 촉구하는 것을 포함할 수 있습니다. 이미 과학적으로 확인된 다양한 질병을 감지, 진단, 치료할 수 있는 앱을 다운로드하여 병원 방문을 하지 않아도 될 것입니다. 이러한 앱을 통해 사람들은 병원 방문 없이도 건강을 관리할 수 있을 것입니다. 피부 아래에 이식하는 칩이나 사용자와 지속적으로 상호작용하는 스마트 타투와 같은 센서는 더 침입적이지 않게 될 것입니다.

병원 방문은 완전히 새로운 경험이 될 것입니다. 음성 인식 기술을 활용하여 Siri 또는 Alexa와 같은 디지털 개인 비서가 사용자의 목소리가 건강하지 않거나 비정상적으로 들리는 경우 의사의 진찰을 권장할 수 있습니다. 이는 사용자의 목소리가 이렇게 들릴 수 있기 때문일 수 있습니다. 소셜 미디어 플랫폼, 건강 커뮤니티, 심지어 휴대폰에 게시된 정보를 기반으로 정신 건강 문제에 대한 경고를 받을 수 있습니다. 이러한 경고는 사용자가 제공한 정보를 기반으로 합니다. 건강 기록은 휴대폰에서 액세스 가능하며, 블록체인과 같은 분산 원장을 통해 인증됩니다. 이 원장은 어떤 병원에서든 의료 전문가가 지속적으로 추가할 수 있도록 할 것입니다. 이것은 병원의 위치에 상관없이 적용될 것입니다.

최근에는 로봇 공학, 자동화, 디지털 의료 분야에서 발전하면서 의료진이 환자와 더 많은 시간을 보낼 수 있게 되었습니다. 이러한 발전으로 의료진은 환자와 더 많은 시간을 보낼 수 있게 되었습니다. 환자의 일상 생활, 휴대폰, 웨어러블, 건강 센서, 커넥티드 의류에서 수집한 데이터를 임상 테스트, 스캔, 검진에 결합하여 사용하면 분석과 모니터링이 크게 개선되고 건강 최적화에 집중할 수 있습니다. 임상 검사나 스캔 및 검진 등은 특히 제2형 당뇨병과 같은 비전염성 만성 질환과의 싸움과 치매와 같은 퇴행성 질환의 진행을 모니터링하는 데 유용합니다. 환자는 치료 과정을 돕기 위해 자신의 증상과 건강 지표를 기록하면 의료 전문가와 의료비 납부자 모두로부터 인센티브를 받게 됩니다. 이러한 인센티브는 환자들이 자신의 증상과 건강 지표를 계속 추적하도록 장려할 것입니다.

인공지능은 초기 분석과 우선순위 결정을 한 후 환자 데이터에서 잠재적 건강 문제를 발견하면 담당 의사에게 알림을 보내어 사람이 확인할 수 있도록 합니다. 이 과정은 인공지능이 초기 평가를 완료한 후에 진행됩니다. 환자는 병력, 유전자 구성, 환경 데이터를 기반으로 자신에게 맞는 맞춤형 치료를 받게 됩니다. 미래에는 3D 프린팅 기술을 활용한 치료제와 스마트폰 애플리케이션을 통해 제공되는 디지털 개입도 의약품에 포함될 것입니다. 더 나아가 디지털 치료법은 개인의 인구통계, 행동, 건강, 목표, 선호도에 따라 맞춤형으로 제공될 것입니다. 참여도와 건강 관련 결과는 치료의 성공을 측정하는 데 사용될 것입니다. 눈에 띄지 않는 무선 센서는 변화를 신속히 알리고, 알고리즘과 인공지능 모델은 질병을 감지하고 환자 치료에 활용될 것입니다. 인구의 건강에 대한 지속적인 감시를 통해 잠재적 문제를 조기에 파악할 수 있을 것입니다.

의료 서비스 제공의 책임을 다하기 위해 대면 및 가상 상호 작용이 활용될 것입니다. 가상 현실과 증강 현실을 활용한 몰입형 경험은 행동 변화를 강화하고 유지하는 데 도움이 될 것입니다. 자율주행 차량이 환자를 데려다주지 않는 한, 드론이 어디서든 약을 배달할 것입니다. 이 경우 사람이 약을 전달합니다. 데이터 소스를 통해 처방으로 인한 부작용을 빠르게 식별하고, 동시에 환자의 요구와 선호에 맞는 대안을 제공할 것입니다. 환자 치료 과정에서 다양한 통합 의료 분야가 활용되어 환자에게 종합적이고 자비로운 치료를 제공할 것입니다. 새로운 기술의 등장으로 의료 전문가들은 업무의 대인 관계 부분에 더 많은 관심과 에너지를 집중할 수 있을 것이며, 이는 궁극적으로 환자에게 도움이 될 것입니다. 환자 이동, 위생 상태 유지, 혈액 검사 및 방사선 검사 등의 작업이 로봇에 의해 수행될 것입니다. 로봇은 또한 최대한 위생적인 환경을 조성하는 데에도 사용될 것입니다.

환자가 제기한 불만 사항은 가능한 한 신속하게 조사될 것입니다.

예를 들어 환자가 심방세동 증상을 보이면 의사는 태블릿에 환자의 심장 박동을 녹음하여 의사의 우려 사항을 확인하거나 거부 사항에 업로드할 수 있습니다. 이 시스템은 환자의 상태에 대한 추가 정보를 제공할 수 있습니다. 이상 징후가 발견되면 즉시 심장 전문의에게 영상이 전송되어 진단을 내리고 환자의 필요에 맞는 치료 전략을 개발하는 데 시작됩니다. 예약 및 후속 조치는 몇 주 또는 몇 달이 아니라 몇 시간 내에 이루어질 것입니다. 환자가 치료 네트워크에 연결되어 있으면 다른 전문가들도 동시에 환자의 문제를 검토하고 다른 관점을 제시할 수 있을 것입니다.

현재 연구 및 개발 중인 다른 접근 방식은 '정밀 의학'으로, 환자의 고유한 특성을 고려하여 개인별 맞춤 치료를 제공하는 것입니다. 이 법안의 요구 사항을 충족하기 위해 기존의 표준 환자 의료 기록에 세 가지 데이터 유형이 추가되었습니다. 이러한 데이터 세트에는 환자의 유전자 데이터와 환경 노출 및 생활 방식 선택에 대한 정보가 포함됩니다. 의료진은 더 많은 정보를 활용하여 각 환자에게 효과적인 전략, 치료법, 예방 조치를 결정하는 데 도움을 받을 것입니다.

7.5 연결된 의료

사물인터넷(IoT) 및 기타 형태의 웨어러블 기술은 커넥티드 메디슨의 주요 동기 부여 요소입니다. 이러한 장치에 내장된 센서에서 수집되는 정보는 의료 분야에서 점점 더 중요한 역할을 하고 있습니다. 이 정보는 환자를 염두에 두고 설계된 의료 시스템 개발에도 기여하고 있습니다. 특히 이러한 솔루션의 수용을 가속화하는 한 가지 요인은 환자의 건강 및 라이프스타일 측면을 모니터링하기 위한 임상시험 및 학술 연구에 웨어러블 헬스케어 솔루션이 활용되고 있다는 점입니다. 이는 환자를 가장 잘 치료할 수 있는 방법을 더 잘 이해하기 위한 노력의 일환으로 이루어지고 있습니다. 고려해야 할 추가 요소는 다음과 같습니다: 예를 들어, 연구자들은 안드로이드 워치, 애플 워치, 가민, 핏비트 등과 유사한 손목 시계를 사용하여 연구 참가자의 생체 신호를 기록할 수 있습니다.

참가자는 모바일 애플리케이션(앱)을 사용하여 영양, 활동량, 복약 순응도와 같은 라이프스타일 선택을 추적하고 다양한 약물이 신체에 미치는 영향을 모니터링합니다. 이를 통해 연구자들은 보다 정확한 데이터를 수집할 수 있습니다. 보험사들은 웨어러블 기술 사용과 환자 데이터 수집을 포함한 웰니스 인센티브 프로그램을 포함하기 시작했습니다. 전통적으로 보험회사는 이러한 종류의 보험을 마케팅할 때 최신 기술을 활용하여 고객이 건강을 개선하고 스스로를 개선할 수 있는 인센티브를 제공함으로써 기술에 능숙한 고객을 타겟으로 삼았습니다. 반면에 인센티브에 기반한 보험 정책은 더욱 보편화되고 더 많은 사람들이 접근할 수 있게 될 것이며, 비전염성 질병과의 싸움에서 큰 도움이 될 것입니다. 연결되고 디지털화된 의료 서비스 제공은 질병을 모니터링하고 관리하며 심지어 질병을 퇴치할 수 있는 잠재력을 열어줍니다. 이는 더 오래 살고 이환율이 낮은 인구를 창출하는 데 도움이 되며 위험 포트폴리오의 다각화에 기여합니다.

머지않은 미래에 환자 건강 기록 프로필에는 상세한 수면 분석, 지속적인 혈당 모니터링에 관한 세부 정보 등의 정보가 포함될 것입니다. 이는 센서가 더 빠르고, 더 정교해지고, 동시에 더 작아지고 있기 때문입니다. 스마트 워치는 여러 진단 기기를 하나의 기기에 통합하여 혈압, 심박수 변동성, 혈당, 케톤 등과 같은 광범위한 건강 지표를 모니터링할 수 있는 기능을 제공할 것입니다. 이러한 지표는 스마트 워치의 디스플레이에 표시됩니다. 머지않은 미래에 건강 센서는 이식 가능하고 생분해되며 지속적으로 네트워크에 연결될 수 있을 것으로 예상되며, 환자 치료와 같은 활동에서 중요한 역할을 할 것으로 예상됩니다. 연구 결과에 따르면 피트니스 트래커는 사용 수명이 제한적이며 환자의 체중 감량 노력에 도움이 되지 않는다는 사실을 강조하는 것이 중요합니다.

다음 표 7.1에는 연결된 의료 기기의 몇 가지 예와 함께 각 기기가 활용될 수 있는 분야 및 유용할 수 있는 이유에 대한 설명이 나와 있습니다. 또한 이 표에는 각 기기가 도움이 될 수 있는 이유에 대한 설명도 포함되어 있습니다. 예를 들어, 교육 목적으로 머리에 착용하는 몰입형 기술 장비를 착용할 수 있습니다. 이는 학습을 용이하게 하기 위한 것일 수 있습니다. 다음 목록은 현재 시중에 나와 있는 임베디드 센서 및 웨어러블 기기의 몇 가지 예를 제공합니다:

- **스트레인 릴리프 밴드**

  웨어러블은 스트레스를 측정하고 마음을 진정시키기 위해 시장에서 많은 성공을 거두었습니다. 현재 웨어러블은 사람의 호흡과 심박수를 모니터링합니다. 이러한 장치는 스트레스의 지표를 찾아서 사람이 더 쉽게 숨을 쉬고 더 편안한 마음 상태를 얻을 수 있도록 도와줍니다. 이제 피트니스 트래커에서 마음챙김 기능을 사용할 수 있으며, 뇌에 직접 파형을 전달할 수 있는 헤드밴드도 있습니다.

- **UV 센서**

  노스웨스트턴 대학교에서는 사람의 자외선 노출을 정확하게 모니터링할 수 있는 자외선 센서를 개발했습니다. 웨이퍼 박막은 웨어러블 센서의 두께를 설명하는 가장 좋은 방법으로, 각 센서는 사람의 손톱에 들어갈 정도로 작습니다. 이는 자외선 과다 노출, 열사병과 같은 결과, 흑색종 발병 위험을 방지할 수 있습니다. 자외선은 강력한 발암 물질로 알려져 있습니니다.

- **스마트 타투**

MIT와 하버드의 연구원들은 피부 아래에 센서를 삽입하는 스마트 문신을 개발하는 데 상당한 진전을 이루었습니다. 스마트 문신 잉크가 간질액의 생화학적 구성에 미치는 반응에 따라 상태가 결정될 수 있습니다. 새로운 기술을 통해 문신이 시간이 지남에 따라 희미해지거나 필요한 시간 동안만 보이게 하거나 특정 조명 조건에서만 보이게 할 수도 있습니다. 예를 들어, 혈당이 높은 사람은 혈당 스마트 문신이 빨간색으로 보일 수 있지만, 혈당이 낮은 사람은 문신이 파란색으로 바뀔 수 있습니다.

- **지능형 의약품**

더 똑똑한 의약품을 생산하는 과정은 몇 가지 다른 방향으로 진행될 수 있습니다. 환자와 해당 의료진은 복용한 약의 양과 복용 시간에 관한 정보를 얻을 수 있을 뿐만 아니라 약을 잊어버린 것으로 보이는 경우 적시에 알림을 받을 수 있습니다. 이러한 정보는 지능형 의료를 통해 얻을 수 있습니다. 이제 환자는 블루투스로 연결된 병 뚜껑과 알약 패킷을 사용하여 복약 알림을 받을 수 있습니다. 이를 통해 환자가 권장된 방식으로 처방약을 복용할 수 있도록 지원합니다. 투여된 인슐린의 시간, 양, 유형을 추적하는 블루투스 인슐린 펜과 펜 캡 사용자는 디바이스에서 클라우드로 데이터를 전송하고 디지털 앱 인터페이스와 상호 작용하여 데이터를 조회할 수 있습니다. 이러한 기능을 통해 사용자는 인슐린 투여를 보다 정확하게 모니터링할 수 있습니다. 예를 들어 스마트 흡입기를 사용하는 천식 환자는 환자가 증상을 인지하기 전에도 임박한 발작을 파악할 수 있습니다.

- **스마트 인슐린**

  차세대 또는 "스마트 인슐린"은 혈중 포도당 농도에 따라 자동으로 용량을 조절할 수 있는 인슐린입니다. 혈당 농도가 낮을 때 인슐린 분비량이 감소하고, 혈당 농도가 높을 때 인슐린 분비량이 증가합니다. 2015년에 노스캐롤라이나 대학 연구진은 신체 표면에 착용하는 스마트 인슐린 패치가 마이크로닐 시스템을 활용하여 고혈당 농도를 자동으로 감지하고 살아있는 베타 세포를 통해 적절한 양의 인슐린을 공급할 수 있다고 발표했습니다. 베타 세포는 체외에서 패치에 부착되어 면역 체계로부터 보호되므로 1형 당뇨병 환자의 면역 체계에 의해 거부될 가능성이 없습니다.

환자가 몸 상태에 대한 작은 신호라도 받으면 즉시 Google 박사에게 연락합니다. 환자들은 자신의 몸에서 무슨 일이 일어나고 있는지 가장 잘 이해할 수 있는 위치에 있으며, 그 결과 의사를 찾아가기 위해 그 어떤 때보다 더 잘 준비되어 있습니다. 오늘날 환자들은 더 많은 정보를 얻으며, 더 잘 알게 되며, 건강에 대한 의식이 더 높아졌습니다.

결과적으로 그들은 치료 방법을 개선하기 위해 진료에 참여하고 있으며, 이는 때로는 다른 정도의 정신적 고통과 저연골증을 초래합니다. 특히 과학적 근거에 능통한 의료 전문가는 건강에 대한 훨씬 더 철저한 평가와 설명을 제공할 수 있다는 사실을 명심해야 합니다. 이것은 과거에 의료계가 환자 중심 접근 방식을 채택하는 데 더 많은 시간이 걸린 한 요소입니다. Diabetes.co.uk가 2018년에 실시한 설문조사에 따르면 이 플랫폼을 사용한 환자들은 직접적인 결과로 의료 전문가와 더 밀접한 관계를 맺었으며, 환자의 75%가 자신의 질병에 대한 이해도가 디 높아졌다고 응답했습니다. 2015년에도 동일한 조사가 실시되었는데, 같은 비율의 환자가 자신의 질병에 대한 이해도가 높아졌다고 응답했지만, 의료진과의 관계가 개선되었다고 응답한 환자는 20%에 불과했습니다.

표 7-1. 웨어러블 기술의 응용 분야

무엇?	어디?	왜?
몰입형 기술 군복 헬멧 혼합 현실	머리	교육 행동 변화 지능에서 지능으로 의사소통
스마트 콘택트 렌즈 추적기	눈	혈당 수치
보청기 헤드폰 추적기	귀	소리
냄새 감지	코	냄새
스마트 문신 추적기 패치 이식 가능 스마트 워치 추적기	팔/손목	혈당 혈압 산소 포화도 케톤 수준 교육 재활
의류 가슴끈 이식 가능 추적기 외골격	몸	재활
의류	다리	보호 재활
임베디드 신발	발	건강 지표 자세 교정 재활

"연계 의학"이라는 주제는 특정 건강 문제, 특히 질병 치료와 노인 돌봄을 해결할 수 있는 다양한 잠재력을 제공합니다. 2015년 유엔 통계에 따르면 전 세계 인구의 약 1.2%가 65세 이상인데, 2050년에는 이 수치가 22%까지 증가할 것으로 예상됩니다. 이러한 연령 그룹이 전체 의료비에 더 많은 부분을 차지하므로 노년층을 위한 의료 서비스 비용은 계속해서 증가하고 있습니다. 또한 제2형 당뇨병 및 비만과 같은 비전염성 질환도 팬데믹으로 간주되며, 세계보건기구(WHO)는 2050년까지 6억 명의 사람들이 제2형 당뇨병에 걸릴 것으로 예상하고 있습니다. 대략 4명 중 1명은 두 가지 이상의 만성 질환을 앓고 있습니다. 이로 인해 정부, 보험사 및 제조업체들은 의료 비용을 절감해야 한다는 압박을 받고 있으며, 노인 케어 및 장기 요양 기관은 예상되는 환자 수 증가에 대비할 수 있는 솔루션을 찾고 있습니다. 의료 사물 인터넷(의료 IoT)은 이러한 문제를 해결하기 위한 우수한 능력을 갖추고 있습니다.

7.6 질병 및 상태 관리

개인과 의료 팀은 제2형 당뇨병, 고혈압, 심혈관 질환과 같은 비전염성 질환을 모니터링할 수 있습니다. 심장 모니터는 심박수 변화를 감지하고 주치의에게 실시간 경고를 전달할 수 있는 능력을 갖추고 있습니다. 1형 당뇨병을 앓고 있는 자녀를 돌보는 부모들도 스마트 혈당 측정기를 사용하여 비슷한 개념을 활용할 수 있습니다. 혈당 측정값은 클라우드에 즉시 업로드되어 부모들은 거의 실시간으로 자녀의 혈당 수치를 확인하고 저혈당 증상을 예방할 수 있습니다. 디지털 응용 프로그램을 통해 의료 서비스를 제공하면 제2형 당뇨병 치료, 간호 및 전반적인 삶의 질 향상에 도움이 됩니다.

새로운 기술의 활용은 건강 문제의 위험과 이러한 문제를 해결하는 데 드는 비용을 최소화할 수 있는 잠재력을 가지고 있습니다. 노인을 돌보는 데 모바일 애플리케이션을 활용할 수 있습니다. 예를 들어, 낙상 감지 및 응급 지원은 넘어지거나 다른 위험 상황을 완화하는 데 도움이 될 수 있습니다. 스마트폰과 시계에 탑재된 가속도계를 사용하여 낙상이나 발작을 감지하면 응급 상황, 응급 상황의 특징, 보호자에게 알릴 수 있는 위치를 전송할 수 있습니다. 미래의 기술에는 다양한 종류의 보호 장비가 포함될 수 있습니다. 미국의 액티브 프로텍티브는 낙상을 감지하면 에어백이 작동하는 케어 벨트를 개발했습니다. 이러한 기술을 도입하면 노인 간호 및 낙상 예방과 관련된 비용을 완전히 줄일 수 있습니다.

그럼에도 불구하고 이러한 기술, 특히 웨어러블과 관련된 노인 케어의 전체 가치는 수집된 데이터를 통한 기계 학습 및 예측 분석에서 확인됩니다. 특히 연결된 웨어러블의 경우 더 그렇습니다. 예를 들어, 일상 생활에서 변화가 감지되면 이것은 신체적 또는 정신적 건강에 대한 우려의 신호가 될 수 있습니다.

7.7 가상 비서

가상 비서는 재미있게 사용할 수 있을 뿐만 아니라 노인과 고령자에게 도움이 되며 혼자 사는 사람들에게 말동무 역할을 할 수 있는 잠재력을 갖고 있습니다. 가상 비서를 사용하면 궁금한 점에 답을 얻고, 새로운 기술을 배우고, 약을 복용할 때 알림을 설정하고, 집의 조명과 온도를 관리하고 전화를 걸거나 받는 등의 작업을 수행할 수 있습니다. 이를 통해 사람들은 자신의 삶을 더 잘 통제하고 더 많은 자율성을 느낄 수 있습니다. 집이 더 연결됨에 따라 개인은 디지털 비서를 통해 삶의 모든 측면에서 도움을 받을 수 있으며, 디지털 비서는 집의 모든 부분과 상호 작용할 것입니다. 환자는 가상 비서가 응급 상황 시에 의사에게 연락하도록 하여 위치 및 건강 정보를 제공할 수 있습니다.

연결된 카메라는 움직임을 감지하여 사람이 넘어졌는지 여부를 확인하고 가상 비서가 도움을 요청하도록 트리거할 수 있습니다. 로봇 형태의 가상 비서는 노인 케어 분야에서 다양한 환경에서 도움을 줄 수 있는 잠재력을 가지고 있습니다. 이러한 로봇은 환자가 침대에서 일어나 욕조에 들어가거나 휠체어로 이동하는 등의 작업을 보조할 수 있습니다. 이러한 가상 비서는 언어 영역에 국한되지 않으며, 더 구체적으로 말하기 영역에 어떠한 제약도 없습니다. 이러한 가상 비서를 구동하는 인공지능은 사람들이 하루 중 화장실을 가장 자주 이용하는 시간대와 같은 패턴을 이해할 수 있습니다. 음성 및 터치스크린을 사용하여 의사소통이 더 쉽고, 결국 노인 환자에게 더 많은 자율성을 제공하여 노인 간호에 대한 부담을 줄일 수 있습니다. 음성 인식 소프트웨어의 가격도 계속해서 하락하고 있습니다.

가상 비서의 기능이 계속 발전함에 따라 감정에 관계없이 인간 주인의 감정을 인식하는 능력도 향상될 것으로 예상됩니다. 이러한 능력은 가상 비서 기술의 진화와 함께 증가할 것입니다. 가상 비서는 대화의 구문, 의미, 어조를 분석하여 사용자의 정신적 또는 정서적 건강 상태에 대한 문제를 판단할 수 있습니다.

이와 유사한 방식으로 장애인들을 지원하기 위한 제품 개발에도 가상 비서가 사용될 수 있습니다. 앱을 사용하여 조명, 음악, 온도를 제어하고 라이프스타일을 관리하고 필요에 따라 조정할 수 있습니다. 영국의 Nominet은 PIPs 오픈 소스 프로토타입의 개발을 담당하여 인지 또는 감각 장애가 있는 사람들에게 지원을 제공합니다. 이 프로그램은 프롬프트, 넛지 및 리마인더를 통해 일상생활을 수행하고 주변 환경을 성공적으로 탐색하는 데 필요한 기술과 자신감을 키울 수 있도록 청각 및 시각적 단서를 형태로 제공합니다. 이러한 단서는 다음과 같은 여러 가지 방식으로 제공될 수 있습니다: 알림을 송수신하기 위한 저에너지 블루투스 컨트롤러를 포함하여 컨트롤러에 의해 제공됩니다. 개인은 이 장치를 사용하여 세안, 목욕, 약 복용 등의 작업을 적절하게 수행할 수 있습니다. 기기가 지원할 수 있는 활동의 예는 다음과 같습니다.

7.7.1 원격 모니터링

원격 모니터링은 연결된 기기와 애플리케이션을 사용하여 환자의 건강 상태를 실시간으로 모니터링하고 의료 전문가나 의료진과 정보를 공유하는 기술입니다. 이를 통해 환자는 병원에 자주 가지 않아도 되며, 의료 전문가는 환자의 건강 상태를 지속적으로 감시할 수 있습니다. 몇 가지 예를 들어보겠습니다:

- 피트니스 트래커: 휴대용 피트니스 트래커는 환자의 신체 활동을 모니터링하고, 환자의 루틴을 파악하여 정상적인 활동에서 벗어나는 경우 의료 전문가에게 경고를 보낼 수 있습니다. 이는 노인이나 만성 질환을 앓고 있는 환자의 활동 모니터링에 도움을 줄 수 있습니다.

- 복약 및 처방전 알림: 앱과 가상 비서를 통해 복약 및 처방전 알림을 제공할 수 있습니다. 환자가 약을 제때 복용하도록 돕고, 병원이나 약국 방문을 줄일 수 있습니다.

- 홈 자동화 시스템: 냉장고 사용, 목욕, 현관문 열기와 같은 환자의 활동은 연결된 홈 자동화 시스템을 통해 모니터링될 수 있습

니다. 이러한 활동에 이상이 있을 경우 알림이 관련 가족 구성원이나 의료진에게 전송될 수 있습니다.

- 비상 버튼: 노인이나 장기간 질환을 앓고 있는 환자를 위해 집에 비상 버튼을 설치할 수 있습니다. 이러한 버튼은 응급 상황 시에 경보를 발생시켜 관련 당국에 알리고 의료 지원을 받을 수 있도록 도와줍니다.

이러한 연결된 기기, 애플리케이션, 가상 비서는 환자가 자신의 건강을 더 잘 관리하고 의료진에게 정확한 정보를 제공할 수 있도록 도와줍니다. 이를 통해 환자는 병원 방문을 최소화하면서도 건강을 적극적으로 관리할 수 있습니다.

7.8 복약 준수

약물 복용은 많은 환자에게 중요한 문제이며, 복약을 잊어버리는 것은 심각한 결과를 초래할 수 있습니다. 복약 준수를 돕기 위해 다음과 같은 기술적인 솔루션들이 사용될 수 있습니다:

- 스마트폰 애플리케이션: 환자들은 스마트폰 애플리케이션을 통해 정해진 시간에 약을 복용하라는 알림을 받을 수 있습니다. 이를 통해 환자들은 복용 스케줄을 지키고 복약을 잊어버리는 것을 방지할 수 있습니다.

- 스마트 알약: 섭취 가능한 센서가 장착된 스마트 알약은 환자가 약을 복용했을 때 센서가 활성화되어 알림을 제공합니다. 이를 통해 의료 전문가는 환자의 복약 준수를 모니터링하고 필요한 조치를 취할 수 있습니다.

7.9 접근 가능한 진단 테스트

많은 경우, 노인 환자나 만성 질환을 앓고 있는 환자에게는 추가 진단 검사가 필요합니다. 휴대용 기기에 지능형 센서를 통합하면 사용자가 집에서 편안하고 사생활을 보호받으며 소변 및 혈액 검사를 할 수 있습니다. 그 결과, 사용자는 더 이상 검사를 위해 의료기관이나 약국을 방문할 필요가 없습니다. 그 후 환자의 의료진이 원할 경우 원격 전송을 통해 결과를 받아볼 수 있습니다. 콜레스테롤, 심장 기능, 당화혈색소(HbA1c), 공복 혈당, 비타민 D 수치, 인슐린 등의 검사는 반복적인 진단 검사의 편의성을 높일 수 있습니다. 다른 검사로는 인슐린 검사가 있습니다. 이로 인해 치료가 더 빨리 완료되고 문제가 발생할 가능성이 줄어들며 불필요한 의료 비용을 절감할 수 있습니다. 현재 이용 가능한 데이터베이스와 증거 기반의 양과 범위가 증가함에 따라 질병의 조기 발견에 웨어러블의 사용이 증가하고 있습니다. 예를 들어, Apple Watch에서 수집된 착용자의 심박수 변동성 데이터는 착용자의 제2형 당뇨병 발병 위험을 예측하는 데 사용될 수 있습니다.

7.10 스마트 임플란터블

환자의 스마트폰, 의료진 및 더 큰 네트워크와 상호 작용할 수 있는 이식형 기기는 향후 질병을 실시간으로 모니터링하고 치료할 수 있게 해줄 것입니다. 또한 이러한 디바이스는 더 큰 네트워크를 활용할 수 있게 해줄 것입니다. 웨어러블 기술은 외부에 이식할 수 있기 때문에 장기와 조직에서 생물학적 지표를 측정할 수 있습니다. 따라서 이러한 데이터에서 도출할 수 있는 잠재적 결과는 매우 광범위합니다.

7.11 디지털 건강 및 치료제

원격 의료로 알려진 기술의 임상적 사용에는 장거리 환자 치료, 환자 및 의료 전문가 교육, 전반적인 건강 관리를 용이하게 하기 위한 전자 기술의 활용이 포함됩니다. 원격 의료의 시작은 1900년대로 거슬러 올라갈 수 있습니다. '디지털 헬스'와 동의어인 '디지털 치료제'는 디지털 및 게놈 기술과 건강, 라이프스타일, 인적 요소를 결합하여 환자에게 맞춤형 의료 서비스를 제공하고 의료 서비스 제공의 효율성을 높이는 고급 형태의 원격 의료를 의미합니다. 이러한 유형의 원격 의료의 목표는 전 세계 사람들의 건강과 웰빙을 개선하는 것입니다.

Apple 앱 스토어에는 건강과 웰빙에 중점을 둔 150,000개 이상의 프로그램이 있으며, 이러한 애플리케이션은 5,000만 명 이상의 사용자가 이미 다운로드를 했습니다. Apple 앱 스토어는 건강 개선에 관심이 있는 사람들에게 인기 있는 리소스입니다. 환자는 디지털 건강 도구의 도움을 받아 자신의 건강과 웰빙을 스스로 책임질 수 있습니다. 이러한 도구는 신체적 웰빙을 개선하기 위한 목적으로 인간 행동의 다양한 측면을 변화시키도록 설계되었습니다. 환자는 디지털 건강 도구의 도움을 받아 이를 수행할 수 있습니다. 오늘날의 의료 시스템에서 행동 치료는 빠르게 주요 치료법으로 자리 잡으며 약물 치료를 능가하는 주요 치료법으로 자리 잡고 있습니다. 이러한 변화는 대부분 급성 문제보다는 만성 문제를 치료하는 경향에 의해 주도되고 있습니다.

의료 및 치료 대안의 급속한 발전은 디지털 의료와 원격 의료에 의해 더욱 광범위하게 가능해졌습니다. 이 두 분야는 다양한 건강 문제에 적용되어 의료 및 치료 옵션의 빠른 진화를 가능하게 합니다. 비만 수술이 예정된 개인은 수술 전에 체중 감량을 돕기 위해 고안된 모바일 애플리케이션을 제공받을 수 있습니다. 천식 진단을 받은 개인에게는 연결된 천식 흡입기와 함께 앱이 제공될 수 있습니다. 뇌전증 진단을 받은 개인에게는 발작 관리에 도움이 되는 모바일 애플리케이션이 제공될 수 있습니다.

"원격 의료"라는 용어는 전자 건강 기록(EHR)의 원격 모니터링, 디지털 건강 교육, 스캔 또는 사진 전송, Skype와 같은 화상 회의 서비스를 통한 상담 등 다양한 애플리케이션을 포함하지만 이에 국한되지 않는 광범위한 애플리케이션을 지칭합니다.

우리가 살고 있는 환경은 이동성이 매우 높으며, 전자 절차를 사용하여 비교적 경미한 1차 진료 문제를 치료할 목적으로 디지털 솔루션이 개발되고 있습니다. 가장 중요한 문제는 의료 시스템에서 관련 전문가, 제공자 또는 팀의 관심을 끌 것입니다. 디지털 의료의 발전으로 의료 전문가들은 이제 증상이 나타날 때까지 기다릴 필요 없이 미래의 건강 문제를 예측할 수 있게 되었습니다. 환자에게 얼마나 직관적인 경험을 제공했는지는 디지털 의료 시스템의 성능을 평가하는 데 사용되는 주요 기준 중 하나가 될 것입니다. 환자의 건강 결과, 제공되는 치료의 질, 장기간 도구를 사용하는 사용자 수 등이 측정될 요소 중 일부가 될 것입니다.

7.12 교육

디지털 건강 분야에서 교육은 여러 가지 흥미로운 가능성의 기회를 제공합니다. 영국에서 당뇨병 진단을 받은 사람 10명 중 1명 미만이 당뇨병 진단을 받은 후 1년 이내에 어떤 종류의 조직적인 교육에 참여합니다. 많은 연구 결과에 따르면, 전통적인 교실 수업의 효과는 일반적으로 치료가 중단된 후 1~3개월 사이에 감소하기 시작합니다. 이는 학습된 습관은 시간이 지남에 따라 변화하며, 생활습관 개선 효과를 유지하기 위해서는 추가적인 도움이 필요하다는 것을 나타냅니다. 이 때문에 기존의 당뇨병 교육 프로그램에 참여하는 사람의 수는 충격적으로 낮습니다. 디지털 교육은 환자가 원하는 시간에 원하는 디바이스를 통해 언제든 쉽게 받을 수 있습니다.

또한 디지털 교육은 그 특성상 흥미를 유발합니다. 또한 프레젠테이션이 진행되는 동안 사용자와 제공자 간에 발생하는 데이터 교환을 통해 소비자가 디지털 교육을 개인화할 수 있습니다. 또한 실시간 환자 데이터를 검토하여 개별화된 목표 지향적 진료는 물론 장기적인 행동 변화를 유도할 수 있습니다. 강사와 학생 간의 관계를 중심으로 하는 전통적인 강의실 모델의 대안으로 사람 중심의 환자 중심 교육을 구축할 수 있습니다. 환자는 자신의 건강을 유지하고 개선하는 데 필요한 지식, 기술 및 리소스를 갖추고 있을 가능성이 높으며, 이는 디지털 치료의 사용을 통해 가능해질 수 있습니다. 환자는 필요한 지식, 기술 및 리소스를 갖추고 있을 가능성이 높기 때문에 이러한 경우가 발생할 수 있습니다.

금연, 신체 활동량 증가, 체지방 감소와 같은 생활 습관의 조정은 모두 가장 빈번한 만성 질환을 동시에 목표로 하는 행동 치료의 맥락에서 논의할 수 있는 잠재적인 주제입니다. 행동은 만성 질환의 발병과 치료 모두에 영향을 미칩니다. 디지털 헬스에서 제공하는 도구를 통해 이제 치료를 개별화하고, 치료를 민주화하며, 치료를 확대할 수 있습니다. 실제 세계에서 수집된 대부분의 증거는 디지털 기술이 성공적이라는 것을 입증했습니다. 인과관계의 존재를 입증하기 위해서는 더 많은 데이터와 무작위 배정 요소가 포함된 임상시험이 필요합니다. 아직 명확한 해결책이 없는 수많은 문제 중 하나는 디지털 의약품에 제공되는 재정적 지원에 관한 것입니다. 의사가 디지털 치료법에 대한 처방전을 작성하기로 결정하면 그 비용은 누구의 책임일까요? 정확히 누구의 보험 회사인가요? 환자의 의료적 필요를 돌보는 주체는 정확히 누구인가요? 회사 소유주인가요? 문제의 환자는 누구인가요?

그럼에도 불구하고 기술의 발전은 질병 치료의 새로운 시대를 열어가고 있습니다. 환자들은 점점 더 자율성을 요구하고 있으며, 자신의 건강에 대한 교육을 받고, 최신 증거 기반에 대한 정보를 얻고, 자신의 건강 관리에 적극적으로 참여하고자 하는 욕구를 표출하고 있습니다. 환자들은 자신의 건강에 대해 교육받고, 최신 근거에 대한 정보를 얻고, 자신의 건강 관리에 적극적으로 참여하기를 원합니다.

7.13 웰빙 인센티브

건강이 좋지 않으면 막대한 재정적 비용이 발생합니다. 신체적, 정신적 건강 문제는 영국 노동력과 경제에서 770억 파운드 이상의 생산성 손실의 원인입니다. 근로자들은 질병이나 건강 악화로 인한 업무 수행 능력 저하로 인해 연간 평균 30일을 결근합니다. 만성질환을 앓고 있는 직원의 경우 이 수치는 훨씬 더 높습니다. 세계경제포럼에 따르면 2030년까지 암, 제2형 당뇨병, 정신질환과 같은 만성질환으로 인해 전 세계적으로 발생할 수 있는 잠재적 경제적 영향은 47조 달러가 넘을 것으로 예상됩니다. 이 수치는 포럼의 예측에서 도출된 것입니다. 개인의 신체적, 정신적 건강 상태뿐만 아니라 라이프스타일에서 내리는 결정은 모두 직장에서의 성과에 영향을 미칩니다. 고용주 및 보험사와 같은 서비스 제공업체는 직원들의 결근률을 줄이고 출석률을 높이기 위해 노력하면서 점점 더 많은 어려운 장애물에 직면하고 있습니다. 이러한 목표를 달성하기 위해 서비스 제공업체는 신체적, 정신적 건강뿐만 아니라 직장 내뿐만 아니라 직장 밖의 다른 환경에서의 사회적, 인간적 관계를 포함하는 전인적 건강의 관련성을 파악하고 있습니다.

의료 부문에서 급성 질환보다는 만성 질환 치료에 중점을 두는 추세에 따라 행동 치료가 약리적 개입보다는 일차 치료가 되는 경우가 많아지고 있습니다. 이는 여러 가지 이유가 있습니다. 직원들의 건강한 라이프스타일을 위한 노력을 장려하고자 하는 기업은 웰니스 프로그램을 도입하여 직원들이 더 쉽게 그렇게 할 수 있도록 할 수 있습니다. 과거에는 인센티브를 제공하는 웰니스 프로그램은 엘리베이터 대신 계단을 이용하거나 회사까지 걸어서 출근하는 등의 활동을 통해 개인이 프로그램에 참여하여 매일 걸음 수를 늘리도록 설득하는 데 집중했습니다. 기업들은 직원들의 전반적인 건강 증진과 전반적인 의료비 지출을 줄이기 위해 정기적으로 직원들의 건강한 생활 습관을 지원했습니다. 오늘날 웰니스 프로그램과 디지털 기술은 단순한 표지판과 검진을 넘어서는 보다 완벽한 접근 방식을 제공합니다. 원격으로 액세스할 수 있는 몰입적이고 매력적인 프로그램을 활용함으로써 개인은 긍정적인 임상 결과와 건강 개선을 목표로 자신의 행동을 수정할 수 있는 힘을 얻게 됩니다. 이는 프로그램 사용을 통해 이루어집니다. 치료, 행동 코칭, 생물학적 데이터의 피드백, 센서와 같은 행동 수정 도구를 적용하면 환자가 실제로 환자의 필요에 중점을 둔 건강 수준을 달성하는 데 도움이 될 수 있습니다.

7.14 인공지능

인공지능은 수십 년 동안 주요 산업 분야에서 널리 채택되어 왔지만, 의료 비즈니스에서 핵심적인 위치를 차지하기 시작한 것은 최근의 일입니다. 인공지능은 필수 산업 업무에서 널리 환영받고 있습니다. 연결된 의학 영역이 머신러닝 모델의 연구 및 개발을 위한 비옥한 토양이라는 것이 분명해졌습니다. 인공지능 개발자들은 모든 사람의 스마트폰이 의사 역할을 할 수 있도록 하겠다는 야심찬 목표를 세웠습니다. 인공지능의 응용 분야에는 무엇보다도 질병 예측, 비용 절감, 효율성 개발, 수작업 자동화, 건강을 개선하도록 장려하는 것 등이 포함됩니다. 인공지능의 다른 응용 분야에는 효율성 개발과 건강을 개선하도록 장려하는 것도 포함됩니다. 데이터의 양과 다양성이 계속 증가함에 따라 인공지능을 사용하는 모델의 기능은 더 정확해지고, 더 침투력이 강해지고, 더 논쟁의 여지가 많아지는 등 여러 가지 방식으로 계속 발전할 것입니다. 사람이 태어난 후 일반적으로 기대할 수 있는 수명은 균형점에 도달했습니다.

7.14.1 마이닝 기록

의학 분야는 의료 시스템 내에 저장된 정보의 마이닝을 통해 상당한 이점을 얻을 수 있습니다. 처방전, 의사 소견서 및 기타 관련 정보는 이러한 시스템에 저장되는 데이터 유형 중 일부입니다. 또한 이러한 시스템은 개인과 건강에 관한 상당한 양의 정보를 보관합니다. 이러한 시스템 내부에 보관된 의료 관련 데이터는 의료 서비스 품질 개선, 비용 절감, 오류 가능성 감소, 의료 서비스 품질 향상 및 민주화 등 다양한 목적으로 사용될 수 있습니다. 그럼에도 불구하고 복잡성, 언어 및 표준의 차이로 인해 현재 이러한 시스템에 보관된 데이터에서 정보를 수집하는 것은 어렵습니다. 따라서 정보를 찾는 것이 어렵습니다. 사용자는 데이터 마이닝 프로세스를 통해 텍스트 기반 아카이브와 이미지 기반 아카이브를 포함한 여러 아카이브에서 관련 정보를 도출할 수 있습니다. 또한 데이터 마이닝을 통해 데이터에 묻혀 있는 패턴을 발견할 수 있으며, 이를 예측을 위한 모델링 기법에 포함시킬 수 있습니다.

특징 추출에는 비지도 학습을 활용하는 것이 일반적인 관행이지만, 3장과 4장에서 설명한 것처럼 예측 모델링에는 지도 학습이 최적입니다. 환자와 의사 모두 의학적 사실에 대한 조사를 통해 유용한 정보를 얻을 수 있습니다. 데이터 마이닝은 맞춤형 개입을 통해 혜택을 받을 수 있는 고위험군 환자나 만성 질환자를 식별하는 데 사용될 수 있습니다. 이는 이러한 두 가지 특성을 모두 가진 개인을 찾아내어 수행할 수 있습니다. 이러한 개인에게는 보다 구체적으로 필요에 맞는 치료법이 제공될 수 있습니다. 기록 마이닝은 의료진에게 성공률이 가장 높은 치료법과 절차를 식별할 수 있는 역량을 제공하며, 이는 결국 보험금 청구와 입원 횟수 감소로 이어집니다. 증상, 치료법, 긍정적 효과와 부정적 효과를 대조함으로써 의료 현장의 실무자는 환자 그룹에 대한 개선된 결과를 이끌어내는 경로를 평가할 수 있습니다. 이를 통해 임상 모범 사례 및 치료 표준을 구현할 수 있습니다.

7.14.2 대화형 AI

대화형 AI는 인간 또는 다른 기계와 자연스러운 대화를 이어갈 수 있는 컴퓨터 프로그램을 말합니다. 개인은 텍스트나 코드를 입력해야 하는 사용자 인터페이스를 사용하는 대신 음성만으로 대화형 AI 시스템과 상호 작용할 수 있습니다. 이는 텍스트나 코드를 입력해야 하는 기존 사용자 인터페이스와는 대조적입니다. 챗봇은 소비자와 해당 사용자가 이용하는 비즈니스 및 서비스 간의 가장 일반적인 양방향 커뮤니케이션 방법 중 하나로 빠르게 자리 잡고 있습니다. Amazon의 Alexa와 같은 음성 인식 인공지능 시스템은 자연어를 합성하여 요리, 운동, 구매, 택시 호출과 같은 주제에 대한 안내를 제공할 수 있습니다. 현재 Facebook Messenger에는 10만 개 이상의 챗봇이 있으며, 미국인 5명 중 1명은 스마트 스피커를 보유하고 있습니다. 이는 챗봇 기술이 대중화되기 시작했다는 것을 의미합니다. AI 챗봇의 성장과 함께 챗봇의 기능적 폭도 넓어지고 있습니다. 지능형 개인 비서가 곧 의료 분야로 진출할 것입니다. 음성으로 제어되기 때문에 거동이 불편한 사람도 사용할 수 있는 다이렉트 앱이 있습니다. 이러한 애플리케이션을 사용하면 사용자는 음성으로 작업을 완료하거나 지시를 따르기만 하면 프로그램을 활용할 수 있습니다. 대화형 인공지능을 사용하면 의료진의 개입이 필요 없는 간단한 의료 질문에 대한 답변을 제공할 수 있습니다. 따라서 환자가 의료진과 직접 대화할 필요가 없습니다. 예를 들어, 초보 부모는 당황하거나 의료 전문가의 시간을 뺏길 염려 없이 대화형 AI에게 원하는 질문을 얼마든지 할 수 있습니다. AI 스피커는 아기 목욕에 적합한 물 온도, 신생아에게 이상적인 휴식 시간, 특정 발달 단계의 유무 등 다양한 문의에 대해 즉각적인 솔루션을 제공할 수 있습니다.

많은 사람들이 궁금한 사항에 대한 답을 얻기 위해 검색 엔진을 참고합니다. 그럼에도 불구하고 자신의 증상을 검색하는 대다수의 환자는 연구의 질을 판단하는 방법을 알지 못합니다. 그 결과, 모순되는 데이터와 오해의 소지가 있는 자료(또는 심지어 가짜 뉴스)를 발견할 수 있으며, 이는 환자들에게 혼란을 줄 수 있습니다. 의료 분야에서 인공지능 챗봇을 활용하면 환자들이 필요할 때마다 즉각적인 도움을 받을 수 있습니다. 앞의 예를 계속 이어서 설명하자면, 아이의 새 부모가 의학적으로 궁금한 점이 있거나 증상(예: 가슴이 답답한 기침)이 걱정되는 경우, 모든 질문에 대한 답변을 얻기 위해 의사를 방문하는 것은 부담스러울 수 있습니다. 예를 들어, 아이가 가슴이 답답한 기침을 하는 경우. 대신 온라인에서 찾은 리소스를 살펴볼 수 있습니다. 그럼에도 불구하고 신체 검사라는 전제 조건이 있습니다.

현재로서는 알고리즘 방식으로는 이를 식별할 수 없기 때문에 의료 분야에서 대화형 AI의 미래는 의료 전문가의 지원을 받고 주변 환경으로부터 학습하는 디지털 건강 비서로 구성될 것입니다.

대화형 AI의 개발이 발전함에 따라 인지 시스템은 대화를 분석하여 정신적, 신체적 또는 신경학적 질병의 조기 경고 신호를 찾을 수 있게 될 것입니다.

이러한 기술은 조기 치료를 촉진하기 위해 수행됩니다. 알렉사와 같은 음성 지원 기기는 언젠가 말투를 기반으로 우울증, 불안증, 정신병, 조현병 또는 아스퍼거 증후군을 앓고 있는지 여부를 식별할 수 있게 될 것입니다. 그 결과 질병의 확산을 예측하고, 모니터링하고, 감시하는 의료진의 역량은 더욱 커질 것입니다.

의료 챗봇, 가상 비서, 기타 디지털 애플리케이션과 같은 디지털 기술이 숙련된 의료 전문가의 개입이 필요 없는 근본적인 의료 문제에 대한 해답을 제공할 때 절약할 수 있는 시간과 비용을 상상해 보세요. 이러한 기술은 가까운 미래에 널리 보급될 것으로 예상됩니다.

7.15 더 나은 의사 만들기

인공지능은 의료 분야를 근본적으로 변화시킬 것으로 예상됩니다. AI의 적용은 더 뛰어난 의사들을 양성하고 생명을 구하는 데 기여할 것입니다. 의사들과 기타 의료 전문가들은 대기 시간 관리, 우선순위 설정, 증거 수집, 생산성 유지, 의사 결정 지원과 같은 다양한 측면에서 지혜로운 판단을 내릴 때 AI의 도움을 받을 수 있을 것입니다.

7.15.1 최적화

비효율적인 절차는 시간과 리소스를 낭비할 수 있습니다. 의료 서비스 제공은 환자, 병원, 의사에게 적용되는 일정 관리 프로세스를 최대한 효율적으로 수행할 수 있도록 개선될 수 있습니다. 의사가 환자의 진료 일정을 계획하고 소통 속도를 향상시킬 수 있는 AI 시스템을 활용하면 업무 부담이 감소하고 더 중요한 업무에 더 많은 시간을 할애할 수 있습니다. 인공지능은 환자가 긴급한 문제를 제기했을 때 환자 방문을 평가하고 우선순위를 정하는 데도 도움을 줄 수 있습니다.

또한 인공지능은 의료 분야 전문가들이 최신 증거 기반 정보를 손쉽게 얻을 수 있도록 도와줍니다. 예를 들어 PubMed 라이브러리에는 약 2,300만 건의 다양한 연구 결과가 게시되어 있습니다. 의료 전문가들이 이러한 출판물을 분석하고 최적의 정보를 제공하는 인공지능 프로그램에 액세스할 수 있다면 더 나은 의사 결정을 내릴 수 있을 것입니다. 이러한 기술은 의료 분야 전문가들이 최신 정보를 활용하는 데 도움이 될 것입니다. 또한, 인공지능은 의료 분야 전문가들의 인지 작업 뿐만 아니라 행정 업무도 지원할 수 있습니다.

인공지능은 실수를 줄이는 데 도움을 줄 수 있는 가능성이 있습니다. 특히 의료 정보 마이닝을 통해 의사들은 데이터를 분석하고 환자, 치료, 의료진 및 병원과 관련된 디지털 정보를 활용하여 결함을 발견하고 불필요한 입원을 방지할 수 있습니다. 이는 환자가 불필요한 입원을 피하고 필요한 치료를 받을 수 있게 도와줍니다. 네덜

란드의 조르그프리즈마 퍼블리크(Zorgprisma Publiek)는 IBM 왓슨을 사용하여 주기적으로 발생하는 오류를 발견하기 위해 데이터를 분석하고 있으며, 이것이 어떻게 작동하는지를 보여주는 좋은 예시입니다.

7.15.2 질병 진단

신경망 분야의 선구자인 제프리 힌튼 교수는 "방사선과 의사 교육을 중단해야 한다는 것이 매우 분명하다"는 악명 높은 발언을 한 장본인이라고 널리 알려져 있습니다. 이는 영상 인식 알고리즘이 점점 더 정교해지면서 인간보다 더 발전하고 있는 것에 대한 대응책으로 나온 말이었습니다. 현재 AI는 의료 스캔 분석, 유방암 징후 인식, 제2형 당뇨병 증상 인식, 망막병증 및 심혈관 질환 위험 요인 인식 등에 활용될 수 있습니다. 인공지능 알고리즘이 스스로 학습하는 데 더 많은 데이터를 활용할수록 실제 시나리오에서 더 나은 성능을 발휘할 수 있습니다. 그러나 모든 AI 진단이 아직 충분히 검증된 것은 아니며, 검증이 필요한 경우도 있습니다.

애플 또는 안드로이드 시계, 핏비트 등 착용자의 심박수를 모니터링할 수 있는 웨어러블 기기는 미국에 본사를 둔 Cardiogram이라는 회사에서 개발하여 시판하고 있습니다. 이 회사는 85%의 정확도로 제2형 당뇨병을 진단할 수 있습니다. 이와 유사한 방식으로 미국의 스타트업 기업인 Striiv는 2주 동안 수집한 환자의 심박수 데이터를 사용하여 심방세동을 식별할 수 있습니다. 많은 사람들이 질병 감지 알고리즘에 기대를 걸고 있으며, 이러한 알고리즘 중 일부는 이미 임상 환경에서 실용화되고 있습니다.

반면에 아직 준비되지 않은 알고리즘도 있기 때문에 모든 AI 진단이 아직 배포할 준비가 되었다는 의미는 아닙니다. 상당수의 인공지능 기술은 동료 검토의 이점이나 해당 분야에서 요구하는 학문적 엄격함 없이 개발되었습니다. 알고리즘의 코드, 학습 데이터 세트, 검증 데이터 세트, 비교 대상 데이터, 성능 측정 방법, 신경망이 결론에 도달하는 방법과 같은 중요한 정보에 대해서는 여전히 연구를 통해서 검증이 필요합니다. 알고리즘의 검증과 투명성은 중요하며, 의료 진단 도구로 사용될 때의 안전성과 효과성을 입증해야 합니다. AI 진단은 조기 진단과 효과적인 치료를 제공하는 잠재력을 가지고 있으며, 이를 위해 엄격한 검증과 연구가 계속되어야 합니다.

7.15.3 의사 결정 및 합리화

의사들은 매일 어려운 선택을 직면하며, 이 선택들을 근거에 기반하여 내리는 것이 중요합니다. 현재, 임상의사들은 인공지능(AI), 데이터 마이닝, 예측 분석을 활용하여 자신의 판단을 뒷받침하고 치료 대안을 찾는 데 도움을 받을 수 있습니다. 인공지능은 의사들에게 선택을 대신하지는 않지만, 미래에 나아가는데 도움을 주는 가장 타당한 옵션을 제안할 수 있습니다.

7.15.4 신약 개발

신약 개발은 엄청난 비용이 소요되는 작업이며, 의약품이 실제로 시장에 출시되는 경우는 3개 중 1개에 불과합니다. 제약 업계는 새로운 의약품을 시장에 출시하기 위해 일반적으로 평균 27억 달러를 투자합니다. 신약 임상시험 실패의 여파는 주가 하락, 사업장 폐쇄, 해당 사업장에 고용된 직원 수 감소 등 부정적인 영향을 미칠 수 있습니다. 이에 따라 제약 및 생명과학 분야에서는 새로운 의약품의 발견과 개발을 지원하기 위해 인공지능을 점점 더 많이 찾고 있습니다.

제약 업계는 인류를 멸종시키려는 의도가 전혀 없습니다. 대신 최첨단 인공지능을 사용하여 실패율이 높은 이유를 파악하기 위해 실패율이 높은 이유를 파악하려고 시도하고 있습니다. 오늘날에는 이미 존재하는 약물에 대한 데이터를 사용하여 새로운 약물을 발견할 수 있는 인공지능(AI) 시스템이 개발되고 있습니다. 이러한 노력이 결실을 맺는다면 생산성이 향상되고, 신약 개발 성공 확률이 높아지며, 신약 출시 속도가 빨라질 수 있습니다. 에볼라나 신종 플루와 같은 팬데믹에 대처할 때 더 빠른 확산 경로를 예측하는 것이 결국에는 상당한 수의 생명을 구할 수 있습니다.

과거 데이터, 실험 데이터, 결론 및 추세를 포함한 데이터를 효과적으로 활용하는 방법을 아는 미래의 화학자(또는 약학자)는 경쟁자보다 우위를 점할 수 있습니다. 인공지능은 잠재적으로 유익한 약물과 바이오마커를 조기에 발견하는 것을 가능하게 합니다. 임상 연구는 인공지능의 또 다른 잠재적 적용 분야입니다. 이러한 노력이 성과를 거두면 생산성이 향상되고, 신약 개발 성공률이 증가하며, 신약 출시 속도가 빨라질 것으로 예상됩니다. 이러한 개발은 에볼라나 신종 플루와 같은 팬데믹 대응 시 더 빠른 대응을 가능케 할 수 있습니다.

7.15.5. 3D 프린팅

3D 프린팅 기술의 발전은 의료 분야에 혁신적인 개선을 약속하며, 특히 3D 프린팅 기술이 더 저렴하고 접근성이 높아지면서 기존 패러다임을 바꾸고 있습니다. 3D 프린팅은 디지털 모델에서 점차적으로 3D 물체를 만드는 기술로, 이 기술을 "3D 프린팅"이라고 합니다. 3D 프린팅은 다른 용어로 적층 제조라고도 불리며, 이는 증분 방식으로 재료를 연속적으로 추가하여 모델을 구축하는 프로세스입니다. 이로 인해 오류를 최소화하고 완벽한 모델을 만들 수 있습니다. 3D 프린팅은 아직 초기 단계에 있지만, 잠재적인 응용 분야는 매우 흥미로운 것들이 많습니다.

인공지능 전문가들은 곧 로봇과 생체 프린팅 소재를 사용하여 자신의 신체에 적용하는 것이 가능할 것이라고 예상하고 있으며, 이러한 가능성은 비교적 가까운 미래에 실현될 수 있습니다. 인간들은 거의 모든 것을 3D 프린팅을 통해 제작할 수 있게 될 것이며, 이러한 가능성은 3D 프린팅 기술의 발전과 관련이 있습니다. 현재 3D 프린팅 기술은 환자의 삶을 근본적으로 변화시킬 수 있는 혁신적인 결과물을 제공하고 있습니다.

7.15.6 개인 맞춤형 보철물

세계보건기구(WHO)에 따르면 보조기, 이동 보조기, 의족이 필요한 사람 중 20%만이 실제로 이러한 장치를 사용하며, 전 세계적으로 약 3,000만 명이 필요로 할 것으로 추정됩니다. 현재, 3D 프린팅을 사용하여 개인 맞춤형 의족을 제작하는 것이 가능합니다. 환자의 치수를 측정하고 이 정보를 기반으로 보철물을 디자인하여 환자에게 편안하고 정확한 맞춤형 장치를 제공할 수 있습니다. 다중 소재의 3D 프린팅 기술은 환자의 신체와 더 밀접하게 통합됨으로써 더욱 편안한 사용을 가능케 합니다. 이러한 발전으로 보철물을 더 효율적으로 사용할 수 있게 될 것입니다.

또한 3D 프린팅은 개인화된 제품을 비용 효율적으로 생산하기 위한 방법으로 활용될 수 있습니다. 3D 프린팅을 통해 개별화된 제품을 빠르게 생산할 수 있으며, 이러한 제품은 적용 가능한 비용으로 제작됩니다. 3D 프린팅은 제품 품질을 개선하기 위해 통합 센서와 머신러닝 알고리즘과 결합하여 더 자연스러운 움직임을 가능케 할 수 있습니다.

7.15.7 바이오프린팅 및 조직 공학

장기 이식이 가까운 미래에 오래된 개념이 될 수 있습니다. 3D 바이오프린팅은 장기를 인쇄할 수 있는 기술로, 세포를 프린팅 재료로 사용합니다. 이러한 기술은 장기 이식 대기자 명단을 크게 줄일 수 있을 것으로 예상됩니다. 3D 프린팅을 통해 제작된 장기는 환자의 체내에서 정상적으로 성장할 수 있도록 설계되며, 세포를 보호하는 젤을 사용합니다. 프린트된 세포는 환자의 체내에서 발달하게 되어 매우 효과적인 장기 이식을 가능케 할 것입니다.

또한 바이오프린팅은 피부 및 조직 재생에도 사용될 수 있습니다. 예를 들어, 3D 바이오프린팅을 사용하여 인간 피부를 제작할 수 있으며, 이는 화상 치료 및 피부 이상의 치료에 유용할 수 있습니다. 이러한 기술은 피부 복원 및 재생에 혁신적인 영향을 미칠 것으로 기대됩니다. 바이오프린팅은 미래에 인간의 생체 조직을 생성하고 재생할 수 있는 혁신적인 기술 중 하나로 간주되며, 의료 분야에 혁명을 일으킬 수 있는 잠재력을 가지고 있습니다.

7.15.8 약리학 및 장치

기존의 약리학 및 기기 제조 방식은 3D 프린팅의 도전을 받고 있습니다. 예를 들어, 약물 및 기타 치료법의 효능을 재현된 인간 세포 조직에서 평가할 수 있습니다. 이를 통해 더 빠르고 정확한 결과를 얻을 수 있습니다. 따라서 3D 프린팅을 통해 환자 개개인에게 맞춤화된 의약품을 제조할 수 있습니다. 이 전략을 사용하여 의약품의 변동성을 최소화하면 3D 프린팅 의약품의 순응도를 높이고 부작용의 위험을 낮추며 치료 효과를 높일 수 있습니다. 가젯의 소모품에도 같은 아이디어가 적용됩니다. 예를 들어 혈당 테스트 스트립을 3차원으로 인쇄하여 당뇨병 환자가 집에서 사용할 수 있도록 제공할 수 있습니다. 가능성은 무한합니다.

7.15.9 교육

영국 리버풀에 있는 앨더 헤이 어린이 병원에서는 3D 프린팅을 향후 심장 시술에 대해 이해 관계자를 교육하고 익숙하게 하는 수단으로 활용하고 있습니다. 심장학 서비스가 필요한 모든 사람은 개인이며, 수술이 필요한 환자를 위해 3D 모델을 만들어 다양한 응용 분야를 수행할 수 있도록 합니다. 우선, 외과의사는 실제 조직과 유사한 질감과 색상을 사용하여 불안과 걱정이 많은 보호자에게 수술 과정을 설명할 수 있습니다. 이는 상당한 이점입니다. 둘째, 간호사와 외과의는 3D 모델을 활용하여 수술에서 가장 중요한 요소인 아이의 심장에 대해 더욱 친숙해질 수 있습니다. 마지막으로, 학생들은 3차원 모델을 사용하여 훈련을 받습니다.

외과의사는 수술 전에 환자의 신체 또는 장기의 정확한 모델을 분석하여 3D 프린팅을 사용하여 수술을 준비할 수 있습니다. 이를 통해 실수가 발생할 위험을 줄이고 외과의의 정확성을 높이며 환자가 수술대에 누워 있어야 하는 시간을 단축할 수 있습니다. 또한 3차원 모델링을 사용하여 신체 내부 장기를 표현할 수 있으므로 침습적 치료의 필요성을 제거할 수 있습니다.

7.15.10 유전자 치료

장기 이식을 위한 긴 대기 시간과 같은 유전성 질환은 머지않은 미래에 과거의 일이 될 가능성이 있습니다. 아주 작은 입자가 세포에 영향을 미치고 DNA를 변화시키는 과정을 설명하는 용어인 나노기술을 활용하면 세포 수준에서 유전자의 발현을 편집할 수 있습니다. 유전자 편집의 성공적인 사용 중 하나는 인간 면역 세포를 변경하여 HIV 감염에 저항력을 갖도록 하는 것입니다. 이는 유전자 편집이 어떻게 효과적으로 적용될 수 있는지를 보여주는 예입니다. 유전자 편집은 질병을 치료하거나 제거할 수 있는 잠재력을 가지고 있으며, 이는 신생아 25명 중 1명이 유전 질환을 가지고 태어난다는 사실을 고려할 때 중요한 의미를 갖습니다. 이 기술은 배아의 결함 있는 유전자를 복구하고 아이에 대한 응급 치료 계획을 개인화하는 데 사용될 수 있습니다. 이 두 가지 응용 분야 모두 즉각적인 치료가 필요합니다.

언젠가는 환자 세포의 DNA를 편집하여 근이영양증, 겸상 적혈구

빈혈, 낭포성 섬유증과 같은 유전 질환을 치료하는 것이 가능해질 것입니다. 인간 DNA를 수정하거나 과학 연구에 인간 배아를 사용하는 것은 많은 사람들이 도덕적, 종교적 관점에서 문제가 있다고 생각하는 주제입니다. 유전자를 수정하는 과정에는 고유한 도덕적 딜레마가 존재합니다. 또한, 나노기술과 유전자 편집은 사회경제적 지위가 높은 사람들만 이용할 수 있어 치료 및 기타 예방 조치에 대한 접근성에서 기존의 불평등을 악화시킬 수 있다는 우려가 있습니다. 이로 인해 일부 사람들은 병에 걸리는 것을 피하기가 더 어려워질 수 있습니다. 나노기술은 치료와 회복 시간을 크게 개선할 뿐만 아니라 개인의 질병 위험을 완전히 근절할 수 있는 잠재력을 가지고 있습니다.

7.16 가상 및 증강 현실

멀지 않은 미래에 CT 스캔을 수행하는 외과의사는 증강 현실을 통해 환자의 신체 위에 스캔을 겹쳐서 볼 수 있게 될 것입니다. 의대생들은 가상 현실을 통해 심장 내부를 탐험하고, 화상 환자는 가상으로 눈 덮인 산 정상으로 이송되어 통증 완화 치료를 받게 될 것입니다. 컴퓨터로 생성된 환경에 완전히 몰입하는 가상 현실은 주로 게임용으로 활용되어 왔습니다. 가상 현실과 증강 현실의 발전으로 이제 인간은 현실 세계와 가상 세계를 혼합하여 두 환경을 동시에 제어할 수 있게 되었습니다. 가상, 증강 및 혼합 현실과 같은 현실 기술은 의료 산업 내 다양한 애플리케이션에서 빠르게 활용되고 있습니다. 의료 시스템에 더 깊숙이 통합되면 수많은 의료 서비스 제공 방식에 혁신을 가져올 잠재력이 있다는 것은 분명합니다.

7.16.1 가상 현실

"가상 현실"(VR)이라는 용어는 게임과 관련하여 가장 자주 사용됩니다. 사용자가 가상 현실을 경험할 때 사용자의 세계는 완전히 사실적이고 디지털로 만들어진 환경으로 바뀝니다. 현재 이는 헤드셋과 휴대용 센서를 통해 이루어지며, 이를 통해 사용자는 주변 환경과 상호 작용할 수 있습니다.

7.16.2 증강 현실

사용자의 주변 환경은 증강 현실(AR)을 사용하여 사물, 비디오 또는 데이터의 형태로 디지털 또는 3차원 환경으로 증강됩니다. 사용자의 실제 생활은 전체 경험에서 계속 주요한 역할을 하며, 사용자의 삶의 질을 향상시키기 위해 사용자의 현재 현실 위에 새로운 정보가 겹쳐집니다. 증강 현실(AR)을 사용하는 데는 추가 장비가 필요하지 않으며 휴대폰과 같은 기술을 사용하여 구현할 수 있습니다. 2016년 포켓몬 고 앱의 성공은 증강 현실에 대한 확신을 심어주었습니다. 8억 회 이상 다운로드된 이 게임은 사용자의 GPS 위치를 사용하여 사용자의 실제 세계 안에 3차원 캐릭터를 배치했습니다. 이 게임은 증강 현실(AR) 혁신이 급증하는 촉매제가 되었습니다.

7.17 병합 현실

병합 현실의 목표는 실제 세계에 디지털 아이템을 재현하여 상호 작용할 수 있도록 하는 것입니다. 이를 위해서는 헤드셋과 같은 보조 장비를 사용해야 합니다. 손의 움직임과 제스처는 별도의 센서 세트를 통해 모니터링됩니다. 사용자는 혼합 현실 시스템을 사용하면서 현실 세계와 디지털 환경 모두에 영향을 줄 수 있습니다.

7.17.1 통증 관리

가상현실(VR) 설정의 사용은 통제된 주의 산만 조건의 사용과 비교했을 때 인간이 경험하는 통증의 양을 줄이는 데 더 효과적인 것으로 나타났습니다. 체성감각 피질과 뇌에 위치할 수 있는 섬모는 모두 통증 경험과 관련이 있습니다. 결과적으로 환자는 가상 환경에 몰입하는 것을 포함하여 불쾌한 수술 절차를 견딜 수 있습니다. 절단 환자들은 종종 절단된 팔다리 부위의 불편함을 호소합니다. 환상의 통증에 대처하는 데 어려움을 겪고 있는 환자들은 가상현실 설정을 통해 환경에 몰입하는 것이 도움이 될 수 있습니다.

가상현실은 주의를 분산시키는 역할도 할 수 있습니다. 머지않은 미래에 모든 연령대의 환자들이 주사를 맞으러 병원에 갈 때 가상현실 헤드셋이 제공되어 곧 다가올 주사에 대한 주의를 분산시킬 수 있게 될 것입니다. 가상현실 헤드기어는 사용자를 게임과 같은 가상의 환경으로 안내하는 것으로, 헤르메스 파르디니 연구소 및 예방접종 센터에서 파일럿 프로그램의 일환으로 테스트가 되었습니다. 이 테스트에서 환자들은 가상 환경에 몰입한 나머지 주사를 맞았다는 사실을 잊어버리는 경우가 많다고 전문가들은 보고했습니다.

7.18 물리 치료

가상 현실과 병합 현실은 사람의 움직임을 추적할 수 있는 기능을 갖추고 있어 환자의 움직임을 추적하고 연구할 수 있습니다. 샌프란시스코와 오하이오에는 현재 자체 가상 현실 체육관이 있습니다. 가상 공을 차거나 공을 잡는 것과 같은 게임 요소를 추가하여 재활 과정을 더욱 재미있게 만들 수 있습니다. 환자는 가상 현실 환경에서 회복 활동을 안내받을 수 있으며, 진행 상황을 모니터링하고 실수를 할 경우 반복할 수 있습니다.

7.18.1 인지 재활

가상 현실과 증강 현실은 불안과 공포증 치료에 분명한 용도가 있습니다. 환자는 위험 요인에 점진적으로 노출되는 일종의 의학적 치료인 단계적 노출 치료를 받을 수 있습니다. 센서에서 얻은 데이터는 환자의 웰빙을 보장하고 효과적인 절차를 발견하기 위해 분석됩니다.

일상적인 활동에 어려움을 겪는 환자의 인지 기능을 향상시킬 수 있습니다. 예를 들어, 의사는 가상 현실(VR) 환경에서 환자가 활동을 완료하는 과정을 관찰하여 환자의 기억력 저하를 평가할 수 있습니다. 이를 통해 의사는 걱정되거나 중요한 부분을 정확히 파악할 수 있습니다. 비슷한 맥락에서 뇌 손상을 입은 사람이나 활동에 어려움을 겪는 사람들을 위해 실제 상황을 재현한 디지털 환경을 구축할 수 있습니다. 환자는 자신의 기술을 활용하고 인지 기능을 회복하거나 개발할 수 있습니다. 또한, 환자 참여도를 모니터링하고 분석하여 환자가 어려움을 겪고 있거나 주의력이 저하된 영역을 파악할 수 있습니다.

7.18.2 간호 및 의약품 전달

가상 현실과 증강 현실의 사용은 결국 의학 교육 분야에서 주류가 될 것입니다. 두 종류의 기술 모두 개인이 이용할 수 있는 정보를 향상시켜 결과를 개선하는 데 활용될 수 있는 잠재력을 가지고 있습니다. 예를 들어, 영국 앨더 레이즈 어린이 병원에서는 360도 동영상과 함께 가상 현실 헤드셋을 사용하여 의대생들에게 긴박한 상황에 대처하는 방법을 가르치고 있습니다. 이를 통해 학생들은 중요한 의사 결정 시점을 동료 및 직원들과 논의한 후 검토할 수 있습니다. 앞으로 더 많은 학생들이 해부학, 수술 실습 등 가상 현실을 활용한 의료 전문 교육을 받게 될 것입니다. 숙련된 전문가가 실시간으로 관찰하고 의견을 제시하면서 수술 연습을 할 수 있습니다.

로열 런던 병원은 2016년 세계 최초로 가상 현실 수술을 시행한 곳으로, 관중들은 360도 3D 몰입감으로 수술을 관람할 수 있었습니다. 이 교육 기회는 타의 추종을 불허하며 특히 의료 자원에 대한 접근이 제한된 국가에서 의료 교육에 혁명을 일으킬 수 있는 잠재력을 가지고 있습니다. 머지않은 미래에 의료 전문가들은 증강 현실과 혼합 현실을 활용하여 업무 환경을 개선할 것입니다. 혼합 현실은 의사에게 실시간으로 중요한 정보에 대한 액세스를 제공하고, 이 정보는 특수한 안경을 통해 눈에 표시될 것입니다. 예를 들어, 간호사는 증강 현실 또는 혼합 현실을 활용하여 혈액 검사를 위해 환자의 팔에 있는 정맥을 찾을 수 있습니다. 보스턴 터프츠 메디컬 센터의 중재 심장학 센터에서는 가상 현실을 사용하여 다가오는 수술에 대해 불안해하는 예비 환자에게 시설에 대한 개요를 제공합니다.

7.18.3 가상 예약 및 강의실

가상 현실과 병합 현실을 결합한 기기의 가격은 계속 하락할 것이며, 이로 인해 가상 예약이 널리 채택될 것입니다. 가상 예약을 통해 병원에 가는 어려움을 피할 수 있으며, 이는 시간을 절약할 뿐만 아니라 환경에도 도움이 되고 의료 전문가의 관심을 필요한 곳에 집중할 수 있습니다. 가상 예약은 웨비나처럼 보편화되어 이해관계자가 이동하지 않고도 회의에 참여할 수 있게 될 것입니다. 일대일 회의 외에도 가상 및 병합 현실은 대화형, 몰입형, 학습 프로세스에 이상적으로 적합한 학습 경험을 제공합니다. 교육 및 훈련에서 가상 현실의 활용은 점점 더 많은 이점을 제공할 것이며, 이는 의료 전문가뿐만 아니라 환자에게도 해당될 것입니다.

7.19 블록체인

의료계에서는 기존의 환자 건강 기록을 전자 건강 기록(EHR)으로 이관하는 것이 의료 분야의 중요한 진전으로 인정되고 있습니다. 환자 기록의 디지털화는 이전에 중앙 집중식 데이터 저장소와 관련된 많은 위험을 제거하거나 크게 줄입니다. 그러나 이러한 패러다임에서도 의사는 여전히 환자의 의료 데이터를 유지 관리할 책임이 있습니다. 암호화폐 비트코인은 데이터 액세스, 개인정보 보호, 신뢰를 근본적으로 변화시킬 수 있는 블록체인 기술의 광범위한 사용의 원동력입니다. 현재 블록체인 기술은 아직 기존 의료 환경에서 구현되지 않았습니다.

데이터 기록의 모음에 불과한 블록체인은 이미 존재하던 여러 가지 기술을 결합하여 만들어진 소프트웨어입니다. 이러한 기술은 누구나 진위 여부를 확인할 수 있는 불변의 분산형 공개 원장, 원장의 데이터를 검증하는 사람에게 가치를 보상하여 신뢰가 없는 환경에서 신뢰를 구축하는 데 도움이 되는 분산형 P2P 제어, 높은 수준의 보안을 제공하는 분산형 P2P 제어, 스마트 계약의 형태로 자동 거래를 트리거하도록 프로그래밍할 수 있어 이 기술을 광범위하게 적용할 수 있는 원장을 비롯한 블록체인의 고유한 특성을 제공합니다.

예를 들어, 페이팔, 비자, 마스터카드는 모두 금융 거래의 중앙 기관 역할을 합니다. 이러한 신용카드 회사와 온라인 결제 처리업체는 중개자 역할을 하는 평판이 좋은 기업입니다.

토지 등기부는 주택 소유와 관련된 정보를 보관하는 신뢰할 수 있는 저장소 역할을 합니다.

이러한 중앙 집중식 데이터베이스는 다른 방식으로 해킹되거나 변조될 수 있습니다. 블록체인 기술은 분산되고 변경 불가능한 데이터베이스를 활용하여 데이터 관리, 개인정보 보호, 보안과 관련된 문제를 해결함으로써 상호 운용성을 향상하고 의료 서비스 제공자, 병원, 의료 시스템, 보험 회사 간의 데이터 흐름을 촉진하는 것을 목표로 합니다. 환자들은 자신의 의료 건강 정보에 대한 더 많은 액세스를 원하며, Apple의 iOS 11.3 소프트웨어 업데이트에는 전자 건강 기록(EHR) 기능이 포함되어 있습니다. 전자 건강 기록(EHR), 사물 인터넷(IoT), 웨어러블, 가젯의 데이터는 신뢰할 수 있고 안전하며 투명하며 상호 운용 가능한 환경에서 원장 내에서 사용될 수 있습니다.

블록체인(Blockchain)은 모든 사용자가 공유하며 유지관리하는 분산형, 불변성을 가진 데이터베이스입니다. 모든 새로운 거래나 데이터는 암호화되며, 네트워크 내 다른 노드들이 특정 프로토콜 증명(Proof of Consensus, Proof of Work, Proof of Stake)을 사용하여 이를 승인해야 합니다. 이 노드들은 거래를 인증하거나 저장된 데이터 조각을 확인합니다.

네트워크의 각 노드는 블록체인의 동일한 복사본을 유지하므로, 거래는 영구적으로 기록되고 체인의 이전 기록과 연관될 수 있습니다. 이러한 연결은 해시(Hash)라는 이름으로 부여되며, 블록체인의 첫 번째 블록까지 추적할 수 있습니다. 따라서 현재 블록을 수정하려면 트랜잭션과 연결된 모든 블록을 수정해야 하며, 이는 노드가 유지하는 원장의 모든 사본에서 동시에 이루어져야 합니다. 가장 긴 연속된 발생을 가진 시나리오가 고려되는 경우입니다. 암호 경제학(Cryptoeconomics)과 게임 이론(Game Theory)의 원칙들이 블록체인에 포함되어 있습니다.

경쟁 체인을 구축하려는 모든 노드는 현재 인정되는 '진실'보다 더 빠른 결과를 제공해야만 신뢰할 수 있습니다. 이를 위해 상당한 계산 능력, 에너지, 자원이 필요합니다. 마이너(Miners)들은 블록을 검증하기 위해 경쟁적인 과정에 참여하며, 이는 전기와 처리 능력 측면에서 큰 비용이 들기 때문에, 마이너들은 블록을 검증하도록 독려되고 이후 비트코인(BTC)으로 보상을 받습니다. 중앙 집중형, 탈중앙화, 불변의 의료 정보 데이터베이스를 구축함으로써 의료 전문가와 기타 의료 서비스 제공자는 모든 시스템에서 환자 정보에 액세스할 수 있게 되어 데이터 보안과 개인정보 보호가 향상되고, 관리 부담이 줄어들며 정보 교환도 강화됩니다.

- 데이터의 탈중앙화와 암호화를 통해 단일 장애 지점을 제거할 수 있습니다.
- 블록체인은 민주적인 참여를 가능케 합니다. 누구나 '진실'에 기여하거나 자신만의 버전을 저장할 수 있습니다.
- 가장 가능성 있는 '진실'의 버전은 사건에 대한 합의를 통해 결정됩니다.
- 타임스탬프(Timestamp)를 사용하면 눈에 보이고 감사할 수 있는 이벤트 로그를 생성할 수 있습니다.
- 게임 이론, 암호 경제학, 해싱(Hashing)은 적절한 행동에 대한 인센티브를 제공하며, 이벤트가 검열될 수 없도록 보장합니다.

대부분의 블록체인 기술은 현재 파일럿 또는 개념 증명 단계에 있지만, 의료 산업에서의 활용 가능성은 상당히 많습니다.

7.19.1 공급망 검증

공급망 검증은 블록체인 기술의 초기적인 활용 사례 중 하나입니다. 블록들이 순차적이며 검증 가능한 방식으로 블록체인에 추가되기 때문에, 블록체인은 공급망의 각 단계를 구성하는 개별 요소들에 대한 검증 수단으로 활용될 수 있습니다. 예를 들어, 재료의 출처나 처리 과정 등을 블록체인 원장에 기록할 수 있습니다. 이 원장은 데이터 입력이나 IoT 장치에 의한 사기, 이상 행동, 실수 또는 체인의 중단을 식별하는데 활용될 수 있습니다. 예컨대, 제조사에서 약국까지 인슐린을 저온 상태로 운송하는 배송 체인의 무결성을 검사하여 인슐린이 변조되지 않았으며, 적절한 온도를 유지하고 있는지 확인할 수 있습니다. 이는 위조 의약품 판매를 방지하기 위해 현재 개발도상국에서 활용되고 있습니다. 또한, 이는 유전체 데이터 보호를 강화하고, 대량의 유전체 데이터로 인한 개인 정보 보호 문제를 해결하기 위해 개발되고 있습니다.

7.19.2 인센티브화된 웰빙

암호화폐를 가치 있는 디지털 토큰으로 활용하는 것은 더 건강한 생활 습관을 장려하는 데 활용되는 블록체인 기술의 한 응용 사례입니다. 개인이 건강 서비스에 참여하거나 더 나은 생활 습관을 갖도록 장려된다면, 글로벌 경제에서 의료비용을 상당히 절감할 수 있습니다. 대부분의 경우, 의료 서비스 제공자나 기업은 비용 절감 또는 이익으로 이러한 이점을 얻게 되지만, 개인은 일반적으로 이러한 혜택을 받지 못합니다. 토큰은 블록체인 기술을 활용하여 생성되며, 이는 블록체인을 통해 환자에게 지급되어, 절감된 가치를 공유하며, 일종의 거래 가능한 화폐로 기능할 수 있습니다.

개인은 체육관에 가는 것, 걸음 수 목표 달성, 교육 세션 참여, 마음을 집중하는 연습, 특정 스포츠 이벤트 완주, 약물 또는 디지털 치료를 꾸준히 이행하는 등의 활동에 참여함으로써 토큰을 획득할 수 있습니다. 이러한 생태계는 유익한 행동에 대해 자산 또는 가치 있는 토큰의 형태로 보상을 제공합니다. 토큰의 가치는 일정하게 유지될 수 있습니다. 이 아이디어를 더 나아가, 환자가 건강한 활동에 참여하도록 장려하면 '건강 토큰 저축 계좌'가 만들어지고, 이 계좌는 의료 시설 내에서 구매에 사용될 수 있습니다.

7.19.3 환자 기록 접근

환자들이 자신의 의료 기록에 접근할 수 있는 권리를 요구하는 추세입니다. 이는 신원이 확인되지 않은 제3자와 개인 의료 정보를 효과적으로 교환하는 방법을 결정하는 데 있어 큰 도전과제를 제시합니다. 또한, 제3자가 데이터의 정확성을 검증하면서 환자의 프라이버시 권리를 동시에 보호하는 것이 어려울 수 있습니다. 적절하게 승인된 블록체인(Blockchain)에 환자 기록을 업로드하면 실제 사람의 참여 없이도 데이터 품질에 대한 암호학적 보증을 제공할 수 있습니다. 소비자나 의료 서비스 제공자가 자신의 건강 데이터를 업로드할 때마다 트랜잭션(Transaction)이 생성됩니다. 사용자가 데이터에 접근하려면 먼저 서명(Signature), 타임스탬프(Timestamp), 개인 키(Private Key)를 제공해야 합니다.

블록체인에 저장된 모든 문서는 디지털 서명(Digital Signature)을 사용하여 식별할 수 있으며, 이 정보는 전체 환자 건강 기록을 작성하는 데 활용될 수 있습니다. 암호화(Encryption)와 디지털 서명을 사용하면 데이터가 안전하게 전송되고, 적절한 공개 키(Public Key)를 가진 사람만이 데이터에 접근할 수 있습니다. 블록체인 기술을 활용하면, EHR(Electronic Health Record)에 대한 모든 수정 사항을 문서화하고, 발생한 거래에 대한 검사 가능하고 변경 불가능한 기록을 생성할 수 있습니다. 이를 통해 항상 최신 버전의 기록이 활용되는 것을 보장할 수 있습니다. 환자는 자신의 데이터에 접근하거나 조작하려는 모든 시도를 독립적으로 검증할 수 있습니다. 블록체인 기술의 탈중앙화(Decentralization) 특성으로 인해, 허용된 모든 이해관계자는 데이터 통합 및 조작에 대한 우려 없이 생태계에 참여할 수 있습니다.

7.20 로봇

로봇의 활용은 의료 산업에 혁신을 가져오고 있지만, 이 기술이 대규모로 적용되거나 널리 접근할 수 있게 되기까지는 아직 시간이 필요할 것으로 보입니다실제로 의료 분야에서 로봇이 인간을 완전히 대체하는 것은 거의 불가능하다고 볼 수 있습니다. 현재로서는 병원과 기타 의료 시스템들이 이 기술에 대한 비용을 감당하기 어렵기 때문입니다. 또한 로봇 어시스턴트는 인간의 손길을 대체할 수 없으며, 일부 사람들은 이것이 절대 불가능하다고 주장합니다. 공망에서의 로봇 기술 활용 외에도, 다음과 같은 분야에서 로봇 기술의 활용이 유용할 수 있습니다.

7.20.1 로봇 보조 수술

수술에 로봇을 도입하면 가시성을 향상시킬 수 있을 뿐 아니라, 정밀도와 민첩성을 높일 수 있습니다. 로봇 보조 수술(Robot-Assisted Surgery)은 현재 사용 가능한 범위가 제한적이지만, 하드웨어 비용이나 교육 비용 등의 진입 장벽이 제거됨에 따라 점차 보급될 것으로 예상됩니다. 미래에는 의료진이 수술 방법뿐만 아니라 특정 기구를 조작하는 방법까지 배워야 할 수도 있습니다 로봇 보조 수술에서는 책임의 경계가 명확하지 않아, 이 기술이 널리 수용되는 데에 어려움을 겪을 수 있습니다.

7.20.2 외골격

로봇 외골격(Exoskeleton), 또는 로봇 슈트라 불리는 이 기술은 환자가 외부의 통합된 장치의 도움을 받아 작업을 수행할 수 있도록 돕는 것을 목표로 합니다. 엑소 바이오닉스(Exo Bionics)는 척수 손상을 입은 사람들이 서고 걷는 법을 배울 수 있는 웨어러블 외골격을 개발한 회사입니다. 가까운 미래에 외골격은 일상적인 재활 방법으로 널리 사용되며, 더욱 다양한 활동과 환경에서 인간의 움직임을 지원할 것입니다.

7.20.3 입원 환자 치료

로봇의 도움을 받아 집안 일을 단순화하면 입원 환자 치료가 향상될 수 있습니다. 우편물 수거나 혈액 운반과 같이 현재 수동으로 수행되는 활동은 로봇의 도움으로 자동화될 수 있습니다. 의약품과 기타 필수 물품은 독립적으로 작동하는 로봇이 배달할 것입니다. 이미 방 소독에 로봇을 사용하는 것은 일반적인 관행이며, 로봇 에이전트(Robot Agent)를 사용하면 사람에게 해를 끼칠 가능성을 크게 줄일 수 있습니다. 가까운 미래에는 약물 복용과 스마트 태블릿(Smart Tablet)을 통한 치료 반응 모니터링이 가능하며, 로봇 간호사가 채혈과 같이 자동화할 수 있는 업무에 보편화될 것입니다. 로봇은 인간 간호사보다 더 정밀하게 환자의 바이탈 사인(Vital Sign)을 측정하고, 적절한 정맥을 인식하여 혈액을 채취할 것입니다. 노인과 만성 질환 환자를 위한 간병 지원에도 곧 로봇이 사용될 수 있습니다.

7.20.4 동반자

자연어 처리(Natural Language Processing)의 발전에 따라 인공지능 비서는 인간과 점점 더 유사해지고 있습니다. 이미 언급했듯이, 사람들은 이미 인공지능과의 관계를 형성하고 있습니다. 정신건강, 노인 간병, 장기 요양과 같은 상황에서 로봇은 동반자 역할을 제공하거나 외로움을 덜어주는데 활용될 수 있습니다. 로봇의 기능이 계속 발전함에 따라, 결국에는 환자 목욕, 환자 이송 및 기타 유사한 의료 관련 작업을 수행할 수 있게 될 것입니다. 사물인터넷(IoT)과 웨어러블 기술을 통해 로봇은 환자의 바이탈 사인을 모니터링하고 실시간으로 환자에게 도움을 제공할 수 있게 될 것입니다.

7.20.5 드론

의료용품 배송에 드론이 혁신적으로 활용될 가능성이 높습니다. 드론은 접근하기 어려운 지역, 분쟁 지역, 외딴 지역에 의약품, 예방접종, 진단 등을 전달하기 위해 사용될 수 있습니다. 쇼핑에 이미 활용되고 있는 드론은 앞으로 약국에서 처방약을 운반하는 데에도 사용될 것입니다. 시간에 민감한 품목인 혈액, 체액, 장기 등은 짧은 거리를 이동하여 캠퍼스 내 또는 더 먼 거리까지 필요한 장소로 직접 배송할 수 있습니다. 또한, 드론은 먼 지역에서 물체의 위치를 파악하고 식별하는 용도로 활용될 수 있습니다. 드론의 잠재적 활용 분야 중 하나는 예기치 못한 재난 발생 시 이동식 약국 역할을 하는 것입니다. 뇌졸중, 외상 또는 심부전 발생 후 몇 분 안에 중환자 치료를 제공하여 치료 과정을 가속화하고 사망을 예방하는 것은 중요합니다. 델프트 공과대학교(Delft University of Technology)에서는 구급차 드론의 프로토타입을 제작했습니다. 이 드론에는 심장 제세동기, 의약품, 양방향 무전기가 탑재되어 있어, 응급 구조대원이 도착하기 전에 환자에게 전송하여 대응 속도를 높일 수 있습니다. 현재 드론 사용 방법에 대한 제한으로 인해 드론의 잠재력이 제한되고 있습니다. 비행 제한, 규제, 드론 배터리 수명 및 드론의 최대 부하와 같은 기능적 문제에 대한 해결책이 나오기까지는 다소 시간이 걸릴 수 있습니다.

7.21 스마트 플레이스

지능형 주택(Smart Home), 병원, 장소, 사물 등은 우리의 생활 방식을 변화시킬 희망을 가지고 있습니다. 사람들, 환자들, 의료 전문가들은 연결성과 센서의 확산으로 인해 많은 기회에 접근할 수 있게 되었습니다. 지난 30년 동안 환자의 생활 방식과 의료 기술의 발전 덕분에 100세까지 사는 사람의 수가 꾸준히 증가했습니다. 영국에서만 100세까지 사는 사람의 비율이 65% 증가했습니다. 이러한 발전은 의료 산업에 부담을 주었습니다. 스마트 플레이스(Smart Place)와 스마트 사물(Smart Thing)은 대규모로 건강과 사회 서비스를 개선할 수 있는 기회를 제공하며, 이를 통해 1인당 비용을 낮추는 동시에 환자 맞춤형 경험을 제공할 수 있습니다.

연결된 공간에서는 다양한 애플리케이션, 센서 또는 디바이스를 수동으로 연결하고 통합하는 대신 사용자의 지속적인 주의가 필요하지 않은 자동화된 센서를 활용하여 방대한 양의 실시간 데이터를 수집할 수 있습니다. 얼굴 인식(Face Recognition), 음성 인식(Voice Recognition), 데이터베이스에 기반한 제안, 반응형 알림(Responsive Notification)과 같은 기능은 곧 표준이 될 것입니다. 항상 변화하는 환경에서 데이터를 집계하고 분석하는 플랫폼 덕분에 의사 결정 과정이 간소화되고 쉬워질 것입니다. 이런 가젯들은 환자와 의료 전문가 모두에게 '빅 브라더는 잊어라, 빅 닥터입니다'와 같은 실시간 알림을 보낼 수 있는 기능을 갖추고 있습니다.

7.21.1 스마트 홈

환자와 인구 전체의 건강을 개선하기 위한 다양한 방법 중 하나는 주택을 스마트 홈(Smart Home)으로 변환하는 것입니다. 예를들면, 여러분들이 눈을 뜨자마자 웨어러블 수면 모니터(Wearable Sleep Monitor)가 연결된 시계를 사용하여 전날 밤의 수면의 질을 평가하고, 마음챙김(Mindfulness)을 연습합니다. 최적의 회복을 위해, 수면 모니터는 잠자리에 드는 적절한 시간을 알려줍니다. 양치질을 하면서 수분 섭취 여부를 판단하는 스마트 칫솔(Smart Toothbrush)을 사용한 후 모닝 커피를 마시면, 인슐린(Insulin) 분비를 조절하여 흡수를 도와줍니다. 스마트 냉장고(Smart Fridge)는 유통기한이 지난 식품을 알려주고, 구입한 식품에 알레르기가 없는지 확인합니다.

스마트폰용 앱은 곧 식사의 칼로리 및 영양 성분에 대한 추가 정보를 제공하게 될 것이며, 3D 프린터는 집에서 복용해도 안전하고 투여하기 쉬운 약을 제조할 수 있게 될 것입니다. 가까운 미래에는 가상 비서(Virtual Assistant)와 스마트 거울(Smart Mirror)이 자연어로 건강 지표를 평가하고 불안과 슬픔의 증상을 선별할 수 있게 될 것입니다. 기침이 발생하면 가상 비서가 평소보다 기침이 잦다는 것을 알려줍니다. 또한, 스마트 시계가 체온 변화를 감지하면 어시스턴트가 사용자를 대신해 의료 전문가에게 연락하여 진료 예약을 잡아줍니다. 스마트 홈은 폐쇄적인 환경이기 때문에 인공지능(AI)이 사용자의 고도로 맞춤화된 요구 사항을 충족시킬 수 있습니다. 모든 스마트 기술의 가장 필수적인 요소는 주변 환경을 인식하고 로컬에서 일어나는 활동에 우선순위를 부여하는 섬세한 확장 기능입니다.

미래는 여러분들이 생각하는 것보다 더 가까이 있습니다. 이탈리아 볼차노(Bolzano) 시는 이미 IBM 및 기타 여러 파트너와 협력하여 노인들이 집에서 안전하게 노후를 보낼 수 있도록 지원하고 있습니다. 이 프로젝트는 주택 내부에 설치된 센서를 활용하여 온도, 일산화탄소 수치, 누수 등의 환경 파라미터를 모니터링합니다. 이 이니셔티브의 주요 초점은 참여자의 안전과 보안에 있습니다. 데이터는 외부에 위치한 제어실로 전송되며, 각 사례의 특정 요구 사항에 따라 가족 구성원, 자원봉사자, 응급 대응 요원, 사회복지사에게 알림이 전송될 수 있습니다.

7.21.2 스마트 병원

연결된 병원이란 '스마트 홈'과 유사한 개념으로 '스마트 병원(Smart Hospital)'을 의미합니다. 스마트 병원의 세 가지 주요 초점은 임상 품질, 효율적인 공급망, 환자 중심의 우수한 경험을 제공하는 것이며, 이는 모두 기술 발전을 통해 가능해졌습니다. 스마트 병원에서는 지속적인 학습 환경이 활용될 것입니다. 이 생태계는 전자 데이터 수집 및 전자건강기록(Electronic Health Record), 디지털 기술, 로봇 공학, 3D 프린팅, 비정형 데이터, 고급 분석 등 다양한 주제를 다룰 것입니다. 일부 역설적으로, 기술과 AI의 광범위한 사용으로 환자가 자신의 치료 결정에 더 적극적으로 참여할 수 있게 될 것입니다. 반면에, 응급 상황이 아닌 상담은 인터넷을 통해 이루어지며, AI는 환자 데이터를 사용하여 어떤 의사가 환자를 치료하는 데 가장 적합한 경험과 교육을 받았는지 판단하게 될 것입니다. 치료는 전통적인 대면 치료와 디지털 치료의 조합으로 이루어질 것이며, 후자는 규정 준수와 책임성을 측정하고 모니터링할 수 있는 환경에서 시행될 것입니다. 데이터의 확산과 대규모 분석의 사용으로 인해, 환자의 디지털 치료는 계속해서 더욱 개별화될 것입니다.

환자가 병원에 갈 때, 자동화된 간소화된 입원 절차를 통해 대기 시간을 줄일 수 있습니다. 환자에게는 입원 시 임상용 웨어러블이 제공되어 병원에 머무는 동안 바이탈 사인을 모니터링할 수 있습니다. 모든 지표는 의료진이 볼 수 있는 대시보드로 무선으로 전송되며, 불규칙하거나 우려할 만한 잠재적 문제가 식별되어 우선적으로 처리됩니다. 병원과 수술실은 곧 데이터의 중심이 될 것이며, 병원은 이 데이터에서 가치를 얻기 위해 기업과 협업하게 될 것입니다. 이 가치는 효율성을 개선하고 오류를 줄이며 치료 및 의료 장비에 대한 더 나은 판단을 내리는 데 사용될 것입니다. 의료 서비스가 서비스 형태로 제공되어 환자에게 전달되는 미래에는, 환자들이 암호화폐를 통해 책임감 있고 건강한 라이프스타일을 유지할 수 있도록 동기를 부여받게 될 것입니다. 또한, 모든 관련 데이터는 익명으로 처리되며, 개별 환자의 경험을 바탕으로 지속적인 교육을 제공하기 위해 내부 부서뿐만 아니라 디지털 의료 파트너에게 제공될 것입니다.

7.22 환원주의 (Reductionism)

문제의 근본 원인을 파악하고 해결책을 마련하려면 먼저 문제의 모든 기여 요인을 파악할 수 있어야 합니다. 이는 복잡한 생물학적 또는 의학적 발생을 구성 요소로 분해하고 축소하는 환원주의를 통해 달성할 수 있습니다. 추론(Inference)은 환원주의적 사고 방식을 반영합니다. 예를 들어, 생쥐를 뼈, 순환계, 신경계, 소화계 등으로 세분화할 수 있습니다. 이는 패턴, 이론, 방정식, 공식 등 일반적인 구조로 생각할 수 있는 모델에 부합합니다. 반면에 AI 시스템은 문제를 특정 연구 분야로 귀결시키는 동일한 환원주의적 방법론을 고수합니다. 진정으로 인공적인 이해를 창출하려면 AI는 전체론적인 관점에서 사람에게 접근해야 합니다.

전 세계가 디지털 기술에 계속 몰입함에 따라 의료 업계의 인공지능(AI) 모델은 더욱 빠르고 정확해지고 있으며, 환자 중심 치료와 생활습관 의학(Lifestyle Medicine)은 다시 전체적인 건강에 초점을 맞추고 있습니다. 라이프스타일, 수면, 이동성, 식단, 환경, 유전 등의 변수가 건강 수준에 영향을 미친다는 것은 상식입니다. 그러나 우리는 다양한 사람들이 사용하는 마음과 언어가 때로는 예상치 못한 것일 수 있다는 것을 알고 있습니다. AI의 발전은 환원주의적 접근 방식이 효과적이지 않은 환원 불가능한 복잡성의 문제를 해결해야 할 것입니다. 의사는 환자를 인격체로 대하고, 환자의 전반적인 건강뿐만 아니라 환자의 관계에도 주의를 기울입니다. 즉, 인간은 가치(Value)에 중점을 둡니다. AI의 발전과 함께, 인공지능이 이러한 인간적인 요소를 유지하는 것은 앞으로 풀어야 할 숙제입니다.

8장. 당뇨병성 발의 이미징을 위한 AI

인공지능의 활용은 의료 서비스의 수준을 향상시키고 있으며, 새로운 건강 및 의료 서비스 제공 모델을 활용하고 적응할 수 있는 사람들에게는 성공을 거둘 수 있는 기회를 창출할 것입니다. 이 책에서 제시된 사례 연구(Case Study)는 의료 분야에서 인공지능(AI), 머신러닝(ML) 및 빅데이터(Big Data)의 적용에 대한 통찰력 있고 논란을 일으킬 수 있는 인사이트를 여러분들에게 제공할 것입니다. 현재 사용 가능한 데이터에 포함된 즉각적인 가치(Value)는 데이터로 식별된 의료 문제에 대한 조직적 접근 방식의 실제 경험을 통해 설명됩니다. 이러한 사례는 공공 및 민간 의료 시스템 모두에서 찾아볼 수 있습니다.

사례 연구는 다양한 의료 서비스 조직에서 제공되었습니다. 사례 연구의 주요 초점은 인공지능(AI), 머신러닝(ML), 데이터, 사물 인터넷(IoT) 등의 기술을 독특하고 혁신적으로 사용한 실제 사례에 맞추었습니다. 이러한 응용은 AI가 어떻게 개발되었는지를 설명하는 것 외에도, 시스템 내에 갇혀 있는 관성(Inertia)과 생성된 학습(Learning)을 설명하고 있습니다.

8.1 이환율 및 사망률 개선을 위한 당뇨병성 족부 질환의 영상화 및 진료 의뢰 우선순위 지정을 위한 AI

8.1.1배경

고혈당증이라고도 하는 당뇨병은 전 세계 4억 명 이상의 사람들에게 영향을 미치는 질환으로, 혈중 포도당(혈당)이 비정상적으로 높은 것이 특징입니다. 제1형과 제2형은 당뇨병 진단 사례의 대부분을 차지합니다. 당뇨병이 건강에 다양한 부정적인 영향을 미칠 수 있다는 것은 잘 알려진 사실이며, 그 중 하나는 발에 문제가 있다는 것(즉, 족부질환)입니다. 이러한 문제 중 하나는 시간이 지남에 따라 지속되는 고혈당증입니다. 당뇨병은 지속적으로 높은 혈당 수치가 특징이며, 이로 인해 당뇨병 환자는 비당뇨병 환자보다 부상에서 빨리 회복하기가 더 어려울 수 있습니다. 또한 당뇨병으로 인한 신경 기능 장애의 일종인 말초 당뇨병성 신경 병증으로 알려진 질병을 앓고 있을 수도 있습니다. 그 결과 일반적으로 발에서 뇌로 통증 신호를 전달하는 신경이 효과적으로 기능하지 못합니다. 이는 개인이 인지하지 못하는 사이에 발에 부상이 발생할 수 있음을 의미합니다. 당뇨병으로 인한 발 궤양은 날카로운 것을 밟거나 너무 꽉 끼는 신발을 신거나 긁힘, 물집, 타박상 등 다양한 요인으로 인해 발생할 수 있습니다. 당뇨병은 족부 궤양의 주요 원인입니다. 당뇨병은 동맥을 수축시키고 발로 가는 혈류가 감소하면 부상 후 발이 정상적으로 회복되기가 더 어려워질 수 있습니다. 이 두 가지 질환은 모두 사람의 이동성을 손상시켜 걷는 것을 어렵게 만들 수 있습니다. 발이 적절한 방식으로 치유되지 않으면 발에 궤양이 생길 수 있습니다. 발 궤양은 적절하게 조절되지 않는 당뇨병의 흔한 합병증입니다. 이러한 궤양은 피부 조직이 파괴되어 피부 표면 아래에 있는 층이 드러나면서 발생합니다.

장기간 지속되는 혈액 공급 부족으로 인해 환자는 발가락, 발 또는 다리를 절단해야 하는 상황에 처할 수 있습니다. 당뇨병 인구의 약 2.5%가 족부 궤양을 앓고 있으며, 영국에서만 6만 8,000명 이상의 당뇨병 환자가 족부 궤양을 앓고 있습니다. 족부 궤양은 여러 가지 요인으로 인해 발생할 수 있습니다. 영국 국민보건서비스(NHS)에서는 궤양과 절단으로 인한 의료비 지출이 1백40파운드 중 1파운드를 차지합니다. 전문의에게 가는 것을 더 오래 미루는 사람들은 종종 더 심각한 궤양으로 나타나며, 궤양을 더 빨리 치료하지 않으면 12주 후에 궤양이 치유될 가능성이 낮습니다. 영국 국립보건임상연구원(NICE)은 환자가 하루 이내에 족부 보호 서비스를 받을 것을 권장하지만, 실제로 이러한 의뢰를 받는 환자는 20%에 불과합니다. NICE는 또한 환자에게 하루 이내에 발 보호 서비스를 받으라고 권고합니다.

2014-2015 의료 연도 동안 미국의 당뇨병 환자 390명당 1명이 절단으로 입원했으며, 당뇨병 환자 33명당 1명이 족부 궤양으로 입

원했습니다. 영국의 국민보건서비스는 입원 치료에 총 3억 2,200만 파운드의 비용을 지출했으며, 궤양 관련 입원이 전체 지출의 86%를 차지했습니다.

발 검사를 장려하고 궤양을 줄이는 것을 목표로 한 입원 환자 개선 프로그램은 비디오로 제공되어 유용한 것으로 입증되었습니다. 이 프로그램의 목표는 궤양을 줄이고 발 검진을 장려하는 것이었습니다. 영국의 한 병원에서는 이 프로그램을 통해 연간 19건의 족부 궤양과 571일의 당뇨병 환자 입원을 방지하여 연간 24만 6,000파운드의 비용을 절감할 수 있을 것으로 예상했습니다. 즉, 발 자가 관리, 진료 의뢰 관행 및 진단 절차를 개선하면 상당한 비용을 절감할 수 있습니다. 활동성 발 질환이 있는 사람은 의료기관을 처음으로 방문한 날에 다학제팀(MDT)이나 "발 건강 서비스센터"에 의뢰된 후 2일 이내에 진단 및 치료가 계획되어야 합니다. 그럼에도 불구하고, 국가 당뇨병 족부 감사(NDFA)에서 추적한 9,137명의 환자 중 20%만이 이 기간 내에 진료를 받았습니다.

8.1.2 인지 비전

인지 비전(Cognitive Vision)은 인간의 뇌에서 시각 정보가 처리되는 방식을 시뮬레이션하려는 머신러닝의 한 방법입니다. 이미지 인식(Image Recognition)은 이 프로세스를 지칭하는 또 다른 용어입니다. 이 전략의 도움으로 머신러닝 모델은 이미지를 구성하는 많은 시각적 구성 요소를 식별하는 방법에 대한 지침을 제공받습니다. 이러한 구성 요소는 사진 전체에 분산되어 있으며 사진 내 어느 곳에나 위치할 수 있습니다. 모델은 빅 데이터 세트를 학습하고 데이터에서 반복되는 패턴을 인식하여 주어진 정보를 이해하고 데이터에 적합한 태그와 분류를 선택할 수 있습니다. 이 과정은 컴퓨터에서 구현된 학습 알고리즘을 사용함으로써 가능합니다. 그러나 이미지를 인식하는 과정은 전체적으로 수행하기에는 간단하지 않습니다.

신경망(Neural Network)을 사용하는 것이 가장 성공적이라는 것이 입증되었습니다. 이는 성공적인 이미지 인식을 수행하기 위한 접근 방식입니다. 그럼에도 불구하고 신경망을 완전한 형태로 구현할 때 컴퓨팅 리소스의 비용은 여전히 매우 큽니다. 예를 들어, 신경망에 가로 20픽셀, 세로 20픽셀 크기의 사진이 주어지면 처리해야 할 입력이 400개 이상 주어집니다. 이는 각 픽셀이 개별 정보를 나타내기 때문입니다. 해상도가 1,000픽셀×1,000픽셀인 이미지와 같이 더 큰 이미지의 경우 증가하는 파라미터와 입력을 관리하기 위해 강력한 컴퓨팅 리소스를 사용해야 합니다. 표준 설정에 따라 신경망을 설정하면 각 픽셀은 단일 뉴런에 연결됩니다. 이 때문에 많은 양의 처리 능력이 필요합니다.

사진 내의 픽셀들의 근접성은 이미지가 서로 유사한 정도와 상당한 관련성이 있음이 입증되었습니다. 컨볼루션 신경망(Convolutional Neural Network, CNN)은 이 특성을 크게 활용하고 있습니다. CNN은 서로 가까운 거리에 위치한 두 픽셀 사이에 연결이 존재할 가능성이 서로 더 먼 거리에 위치한 두 픽셀 사이에 연결이 존재할 가능성보다 높다는 가정에 기반하여 결정을 내립니다. 컨볼루션은 일반 신경망이 직면하는 계산 및 시간적 문제를 극복하기 위해 관련성이 낮은 픽셀 간의 연결을 제거하는 전략입니다. 이를 통해 이러한 문제를 해결하여 일반 신경망이 제대로 작동할 수 있도록 합니다. 컨볼루션 신경망은 근접성을 기준으로 연결을 선택함으로써 이미지 인식에 필요한 컴퓨팅 성능을 훨씬 더 효율적으로 사용할 수 있습니다. 이러한 과정을 '컨볼루션'이라고 부릅니다.

임상 연구 결과에 따르면 진단 테스트와 위험도 계층화(Risk Stratification)를 활용하여 궤양(Ulcer) 발병이나 절단(Amputation)이 필요할 가능성을 예측할 수 있다고 합니다. 환자를 즉시 전문의에게 보내면 절단해야 하는 빈도와 회복에 필요한 시간을 줄일 수 있습니다. 당뇨병 환자의 발 관리를 위한 솔루션은 의료진에 의존하는 표준 서비스보다 더 포괄적이어야 합니다. 또한 이러한 솔루션은 개별 환자와 전체 의료 시스템 전체에 더 합리적인 가격으로 제공될 수 있어야 합니다. 연구자들은 당뇨병성 족부 질환의 증상을 자동으로 인식하여 환자에게 알리고, 의료진이 서로 소통하고 환자를 더 쉽게 평가할 수 있도록 혁신적인 AI 알고리즘을 개발했습니다. 연구자들의 목표는 당뇨병 환자가 받는 치료의 질을 개선하는 것이었습니다.

연구자들은 성공적으로 당뇨병 환자의 족부 질환을 탐지하기 위한 머신러닝을 개발 했습니다. 이로 인해 궤양이 치유되는 데 필요한 시간, 궤양 치료에 드는 비용, 절단 위험을 모두 낮출 수 있는 가능성이 생겼습니다. 특히 머신러닝에 대한 경험이 이러한 특성을 개선할 수 있다는 사실을 고려할 때, 당뇨발로 인해 발생하는 문제에 사진 인식 기술을 적용하는 것은 혁신적일 것입니다. 이 모델은 치료하지 않고 방치하면 발 궤양으로 급속히 확대될 가능성이 있는 타박상과 발뒤꿈치가 부러진 작은 부위까지 높은 수준의 정확도로 인식할 수 있었습니다. 또한, 클라우드 기반 솔루션은 원격 위치에서 프로그램에 더 빠르게 액세스할 수 있도록 설계되었습니다. 따라서 인터넷에 접속할 수 있는 모든 컴퓨터 또는 모바일 장치에서 미리 설정된 지침과 함께 사진을 업로드할 수 있었습니다. 최종 결과물은 발견된 문제, 해당 문제에 가장 적합한 의뢰 방법, 교육적 가능성(해당되는 경우)을 자세히 설명하는 목록을 사용자들에게 제공하게 될 것입니다. 모델을 정기적으로 업데이트하기 위해 웹 기반 시스템을 통해 수신되는 데이터를 포함하여 레이블이 지정된 데이터의 무작위 하위 집합을 사용하여 주기적으로 모델을 최적화하고 재학습하는 머신러닝 피드백 루프가 사용됩니다.

8.1.3 프로젝트 목표

우리 연구의 중요한 측면 중 하나는 검토 중인 머신러닝(기계학습) 기술에 집중되어 있습니다. 이 기술은 딥러닝 신경망을 포함하며, 발 질환의 가능성을 판단하고 환자에게 적합한 치료법을 처방하는 데 사용됩니다. 이 기술은 우리 연구의 또 다른 중점 사항이며, 발전시키고 검증하기 위해 노력하고 있습니다. 컨볼루션 신경망(CNN, Convolutional Neural Network)을 장기간 사용하고 사용자 피드백 루프를 포함시키면 정확도를 향상시킬 수 있습니다. 이러한 네트워크를 사용하면 다양한 예측을 생성할 수 있으며, 결과적으로 학습을 더 큰 규모로 확대하여 의료 전문가의 평가를 통해 적절한 분류를 할 수 있습니다. 사용자 대부분은 의료 전문가와 관련 직업군으로 구성됩니다. 연구의 목표 중 하나는 최대한 정확한 모델을 통해 환자에게 서비스를 제공하는 것이며, 이는 가능한 한 절대 정밀도에 가까운 수준의 정확도를 달성하는 것입니다.

이 프로젝트는 작업 품질을 개선하고 실수를 줄일 수 있는 새로운 기술을 발견하는 데 중점을 두고 있습니다. 이 모델은 등급 시스템과 인정된 절차에 의해 지원되며, 이 두 요소를 결합하면 정확도와 회수율(Recall)을 향상시킬 수 있습니다. 이 두 요소는 모두 모델의 성장에 기여합니다. 궤양 및 기타 족부 질환을 조기에 발견하면 진단 과정이 빨라지고 치료가 개선되어 생명을 구할 수 있습니다. 클라우드에서 호스팅되는 시스템을 사용하면 해당 프로그램이 창출하는 결과를 더 간단하게 전파할 수 있습니다. 우리는 생태계 내 모든 이벤트를 포괄하는 기록을 생성하기로 결정했으며, 이를 '캐치올 이벤트 기록'이라고 명명했습니다. 이 플랫폼은 블루투스 지원 기기, 웨어러블, 사용자가 직접 입력한 데이터를 활용하여 혈당, 혈압, 기분, 음식, 체중, 수면 등에 대한 통합 추적을 제공하며, 행동 건강 상담도 가능합니다.

예측 분석을 함께 사용하면 AI 모델로 완전히 새로운 기회를 창출할 수 있습니다. 현재 빠르게 확장되고 있는 의학 연구는 수백 개의 서로 다른 의료 이미지를 체계적으로 검토하고 일반화함으로써 발전하고 있습니다. 근거 기반 의학은 정밀 의학을 최종 목표로 하는 지속적인 완벽을 추구하고 있습니다. 의료 업계에서는 방대한 양의 데이터를 수집, 분석하여 환자에게 도움이 되는 피드백을 제공하고, 질병을 예방, 예측, 진단, 치료하는 것처럼 매력적이고 몰입도가 높은 방법이 거의 없습니다. 디지털은 사진만큼 매력적이고 몰입감이 높은 몇 안 되는 방법 중 하나입니다. 사진은 비식별화 과정의 복잡성을 최소화하여 집계 학습을 가능하게 합니다. 이를 통해 개인의 프라이버시를 보호할 수 있습니다. 하지만 필요한 심층 신경망의 예측 메커니즘을 표현하는 것은 기술적으로 어렵고 많은 노력이 필요합니다. 다양한 이해관계자들의 우려는 애플리케이션에 대한 철저한 이해를 통해 완화될 수 있으며, 이는 데모를 통해 전달될 수 있습니다. 모델이 어떻게 일관되게 구상되고, 검증되며,

검토되는지에 대한 설명이 필요하다는 요구가 있었습니다. 이는 모델이 새로운 개념이기 때문입니다.

이는 부분적으로 이 개념이 우리 문화에서 매우 최근에 도입되었기 때문입니다. 규제 당국의 승인 과정은 이전 벤처에 비해 훨씬 더 시간이 소요되는 것으로 나타났습니다. 이러한 상황은 주로 제품 분류와 관련된 투명성 부족 때문입니다.

주요 목표 중 하나는 실수를 없애는 것이었으며, 규제 승인 시스템은 환자의 건강이 어떠한 위험에도 처하지 않도록 보장하는 것을 목적으로 했습니다. 궤양을 조기에 발견하면 치유가 빨라지고 절단 위험이 줄어들며, 위양성 결과를 얻을 가능성이 높다는 것이 입증되었습니다. 모델 프레임워크에는 몇 가지 수준의 우려에 대한 설명이 포함되어 있으며, 남은 불확실성은 사람에게 전달되어 해결될 수 있도록 했습니다.

현재 이 프로젝트의 결과물을 임상 논문 형태로 문서화하여 전 세계 환자, 의료진, 의료 서비스 제공자에게 이 프로젝트가 제공하는 가치를 강조하고 있습니다. 임상 논문은 연구 결과를 문서화하는 데 사용되는 매체입니다. 이 연구 결과는 당뇨병 환자가 당뇨병성 족부 문제를 예방하고 식별함으로써 얻을 수 있는 상당한 건강상의 이점을 강조할 것입니다.

8.1.4 도전 과제 프로젝트 기간 동안 관찰된 여러 가지 관성 지점이 있었습니다: 데이터의 신뢰성

모델이 처음 개발될 때 달성할 수 있는 정확도 수준은 모델이 구축되는 데이터의 정밀도에 따라 제한됩니다. 신뢰할 수 있는 머신러닝 시스템을 구축하려면 데이터는 모든 측면에서 정확하고 포괄적이어야 합니다. 수집된 데이터 세트에는 여러 가지 중대한 결함이 포함되어 있었으며, 이를 통해 효과적인 데이터 거버넌스 방법을 개발할 수 있었습니다. 우선, 라벨링이 부족하여 데이터에 표시가 되지 않았고, 도착했을 때 대부분 혼란스러웠습니다. 둘째, 사진 스캔의 유효성을 검증하기 위해 생성된 주석이 이해하기 어려웠으며, 이는 검증 프로세스에 문제가 되었습니다. 철자 오류와 의사의 불완전한 메모는 데이터 검증 과정을 더욱 어렵게 만들었습니다. 데이터를 정리하고 검증하여 모델에 신뢰할 수 있는 소스로 사용할 수 있는 데이터 세트를 생성했습니다.

국내 및 국제 수준에서 규제 승인을 받는 것의 필요성으로 인해 적절하고 투명한 데이터 거버넌스 절차를 수립해야 했습니다. 데이터 아키텍처, 아카이빙, 관리, 메타데이터 관리, 개인정보 보호, 보안 및 유효성 검사는 거버넌스와 관련하여 논의된 주제 중 일부였습니다. 데이터 수집, 확인 및 검증을 위한 일련의 표준, 권장 사례 및 절차가 만들어졌습니다. 모든 관련 데이터와 메타데이터는 중앙 저장소에 저장되었으며, 액세스는 자격 증명을 통해 제어되어 적절한 사용자 관리를 보장했습니다. 법적 기준에 따라 모든 작업에 대한 거버넌스 추적이 생성되었으며, 이를 통해 프로젝트가 종료될 때 반성적 학습의 기회가 마련되었습니다. 프로젝트에 활용된 데이터는 엄격한 데이터 거버넌스에 따라 정확성이 보장되었습니다.

'설명 능력'과 '성능'의 대비

신경망은 설명하기 어렵고, 모델이 복잡해질수록 더 어려워진다는 것은 잘 알려져 있습니다. 이 프로젝트에서는 투명한 알고리즘 판단이 필수적이었습니다. 학습 및 역전파의 반복을 통해 모델이 발전함에 따라 설명할 수 없는 네트워크 내의 노드가 사용자 정의되었습니다. 모델의 성능과 정확성보다는 투명성이 우선되었습니다.

데이터 거버넌스 프로세스를 만드는 것과 동시에, 데이터의 윤리적이고 도덕적인 활용을 보장하기 위한 엄격한 데이터 윤리 및 정보 윤리 거버넌스 절차가 마련되었습니다. 의료진은 머신러닝 알고리즘을 활용하여 족부 궤양에 걸릴 위험이 있는 환자를 식별하고, 어떤 사람이 위험에 처할지 예측할 수 있었습니다. 특히 오탐과 미탐의 효과를 중심으로 한 절차는 부정확한 진단이 윤리적 위반의 가능성이 가장 크다는 결론을 내림으로써 중요했습니다. 궤양을 최대한 빨리 진단하고 치료하면 궤양 회복에 걸리는 시간과 후유증을 크게 줄일 수 있습니다. 의료 전문가의 조치를 지원하는 애플리케이션의 사용자에게는 모델의 한계를 알리고, 검증 데이터 세트를 기반으로 모델의 정확도가 어떻게 결정되는지 설명했습니다.

회로 완성

구축된 모델은 당뇨발과 관련된 족부 궤양 및 기타 문제의 발생 가능성을 예측할 수 있었습니다. 이 모델은 예방과 진단 단계에서 모두 사용될 예정이기 때문에, 모델 예측의 검증과 확인 기능이 필수적이었습니다. 이 목적을 달성하기 위해, 소프트웨어를 사용하는 의료진은 이전 진단을 확인하거나 추가 진단을 위해 환자를 전문가에게 의뢰합니다. 시스템이 실시간에 가까운 방식으로 학습할 수 있었던 것은 환자의 결과에 대한 정보를 시스템에 제공하는 메커니즘이 마련되어 있었기 때문입니다. 과거 병원에 입원했던 환자로부터의 데이터 피드백은 어렵고 시간이 많이 소요되었습니다.

이해관계자의 이해

이해관계자들의 정보 부족과 기술 기반 의료 솔루션에 대한 산발적인 적대감은 예상치 못한 난관이었습니다. 주요 이해관계자들은 이전 경험, 부정적인 뉴스, 혹은 기계가 인간의 역할을 대체할 것이라는 불안감 때문에 편향된 입장을 취하는 경우가 많았습니다. 이 문제는 이해관계자 교육의 날에 참여한 직원들의 도움으로 극복할 수 있었습니다. 내부 이해관계자와 외부 전문가들은 AI와 머신러닝을 사용하여 자원 부담을 줄이고, 의료 전문가의 업무 효율성을 개선하며, 로봇 반란에 대한 두려움을 완화하는 방법에 대해 설명했습니다. 프로젝트의 범위는 다양한 이해관계자로부터의 피드백을 바탕으로 정의되었습니다.

채택을 통한 획득 방법

처음에 이 이니셔티브는 연구 개발 자금으로 시작되었기 때문에, 파일럿 프로젝트가 조직 전체로 확산되는 경우는 많지 않았습니다. 워크숍에 참여하고 혁신적인 아이디어를 실제로 적용하면서 이해관계자들의 만족도와 채택률이 높아졌습니다. 워크숍에서는 예측 시스템의 사용 편의성, 효율성, 낮은 리소스 요구 사항에 초점을 맞췄습니다.

8.2 사례 연구: 디지털 방식으로 제공되는 저탄수화물 제2형 당뇨병 자가 관리 프로그램: 단일군 종단 연구의 1년간 결과

제2형 당뇨병은 실명, 절단, 뇌졸중, 치매 등 다양한 건강 합병증을 유발하며, 전 세계적으로 연간 8,000억 달러 이상의 비용이 발생합니다. 일부 연구자와 의료 전문가들은 탄수화물 함량이 낮은 식단이 제2형 당뇨병 관리에 효과적일 수 있다고 믿습니다. 실제로 탄수화물 제한 식단은 혈당 조절, 체중 감소 및 저혈당 약물 사용 감소에 도움을 줍니다. 이는 초저탄수화물 식단과 저탄수화물 식단 모두에 해당됩니다.

당뇨병 전증 환자를 위한 식이 및 생활습관 중재에 관한 연구에 따르면, 온라인 프로그램도 마찬가지로 효과적일 수 있습니다. 따라서 제2형 당뇨병 관리에 있어 탄수화물 저감 식단의 이점을 모방한 온라인 프로그램들이 등장하기 시작했습니다.

8.3 사례 연구: 뇌전증에 대한 확장 가능하고 매력적인 디지털 치료법 제공

8.3.1 배경

뇌전증은 뇌에 영향을 미치는 신경 질환으로, 다양한 근본 원인을 가질 수 있습니다. 여기에는 유전적 성향, 뇌의 해부학적 변화, 유전적 장애 등으로 다양하며, 간질 발작의 원인이 될 수 있습니다. 뇌전증은 대부분 장기적인 질환으로, 대부분의 환자는 발작을 '관리'(중단)하여 뇌전증의 부정적인 영향을 줄이거나 없앨 수 있습니다. 치료는 주로 장기적인 발작 관리와 조절에 중점을 둡니다. 대부분의 뇌전증 환자는 발작의 빈도와 심각도를 조절하기 위해 항전간제(Antiepileptic Drugs, AED)를 복용합니다. 그러나 이 약물들은 부작용의 위험이 있으며, AED로 조절되지 않는 환자들을 위한 대체 치료 옵션으로 케톤 생성 식단(Ketogenic Diet, KD)이 있습니다.

8.3.2 근거 기반 구현하기

케토제닉 식단(KD)의 기반인 영양 케톤증(Nutritional Ketosis)은 인체 생리에 영향을 미치며, 과학 문헌은 KD의 유익한 효과를 뒷받침합니다. KD의 치료 효과는 1920년대 초 간질 치료에 효과적으로 사용되면서 확인되었습니다. KD는 지방이 높고 탄수화물이 낮은(일반적으로 하루 50g 미만) 식단으로, 단백질 함량도 적당합니다(Paoli et al., 2013). 1960년대에는 KD의 대사 효과가 더 명확해졌고, 여러 연구를 통해 KD의 잠재적인 치료적 유용성이 조사되었습니다. 연구 결과에 따르면 KD는 간질 발작 빈도를 낮추거나 발작에 내성이 있는 어린이에게서 발작을 완전히 예방하는 효과적인 방법입니다.

10~15%의 어린이는 나이가 들면서 간질이 사라질 수 있습니다. 뇌전증 학회는 KD를 1세 이상의 뇌전증 환자에게 권장하는 치료 옵션 중 하나로 제시합니다. 연구 결과에 따르면, KD의 주요 치료 효과는 약물 사용량 감소와 발작 빈도 감소입니다. 최근의 연구와 코크란의 체계적 문헌고찰에 따르면, KD의 효과에 대한 무작위 대조군 연구(Randomized Controlled Trial, RCT)는 없습니다. 이는 특정 상황에서 간질 환자가 KD를 꾸준히 준수함으로써 발작 없는 삶을 살 수 있다는 것을 보여줍니다. 뇌전증 환자는 식단에서 설탕을 줄이고 혈당을 관리함으로써 발작 위험과 필요한 약물의 양

을 줄일 수 있습니다. 이러한 식단 변화의 조합은 시너지 효과를 나타낸 것으로 보입니다.

8.3.3 센서 기반 디지털 프로그램

뇌전증 환자에게 도움을 줄 수 있는 케토제닉 프로그램(Ketogenic Program, KPE)은 참가자를 체계적으로 교육하고 행동 개선을 장려하는 프로그램입니다. KPE 사용자는 맞춤형 교육, 건강 추적 시설, 지원, 건강 멘토링 및 리소스를 통해 탄수화물이 적은 라이프스타일을 지속 가능한 방식으로 유지할 수 있습니다. 결과적으로 뇌전증 환자는 혈당 수치 조절 능력을 향상시켜 발작 횟수를 줄이고 약물 의존도를 감소시킬 수 있으며, 이로 인해 질병 조절에 대한 자신감을 높일 수 있습니다.

이 애플리케이션은 여러 모듈을 포함하고 있으며, 이 중 일부는 사용자의 건강에 대한 실시간 데이터를 수집합니다. 이러한 모듈에는 혈당 모니터링, 약물 모니터링, 발작 추적 등이 포함됩니다. 환자의 감정과 정신 상태를 이해하는 데 비정형 데이터가 큰 도움이 됩니다. 연구 활동은 1년 동안 진행되며, 3개월, 6개월, 9개월, 1년마다 건강 결과 및 참여 데이터에 대한 보고서가 발표됩니다. 18개월과 2년에 걸쳐 후속 조사가 진행되어 프로그램의 효과와 참가자들의 준수 여부를 입증할 예정입니다. 충분한 자금이 확보된다면, 연구자들은 무작위 대조군 연구(Randomized Controlled Trial, RCT)로 진행할 계획을 가지고 있습니다.

8.3.4 연구

이 프로젝트의 일환으로, 연구자들는 영국 국민보건서비스(National Health Service, NHS) 및 다른 국가의 청구서 납부자들에게 기술을 대규모로 배포하고 속도를 높일 수 있는 가장 효과적이고 효율적인 방법을 결정하고자 합니다. 이 프로젝트 팀은 여러 차례 수상 경력이 있고 풍부한 전문 지식을 보유하며, 전 세계 사람들의 건강과 복지 개선을 주요 목표로 삼고 있습니다. Diabetes Digital Media(DDM)에서 제공하는 제2형 당뇨병을 위한 저탄수화물 프로그램의 인프라를 기반으로 구축된 이 프로젝트는 임상적으로 확인된 결과를 포함하고 있으며, 1년 후 유지율이 71%에 달합니다. 전 세계 30만 명의 환자 중 뇌전증 환자 3,112명이 포함되어 있는 것은 이 그룹이 온라인 영양 중재에 참여할 준비가 되어 있다는 것을 보여줍니다.

연구자들은 DDM은 케토제닉 프로그램을 활용하여 케토제닉 식단을 고수하는 환자를 대상으로 최초의 무작위 대조 임상시험을 실시할 계획입니다. 이것은 디지털 건강 혁신 분야에서 선구적인 시도이며, 국민건강보험의 비용 절감 능력에 상당한 영향을 미칠 것으로 예상됩니다. 환자는 더 많은 자율성을 부여받고 건강과 삶의 질이 향상되며, 지역 사회 생활에 더 적극적으로 참여하게 될 것입니다.

8.3.5 프로젝트 영향

이 프로젝트는 뇌전증 환자와 그 가족은 환자가 자신의 상태를 조절할 수 있는 능력을 갖게 됨으로써 뇌전증 관리에 큰 영향을 미치게 될 것입니다. KD는 아기와 성인을 포함한 뇌전증 환자에게 발작 횟수와 약물 복용량을 줄일 수 있는 이점이 있으며, 심혈관 질환 위험을 줄이는 긍정적인 영향도 있습니다. 이 프로젝트는 국민건강비용 절감에도 중요한 영향을 미칩니다. 병원 입원 감소, 의약품 수요 감소 등은 건강 보험의 예산에 직접적인 영향을 미칩니다. 환자의 사회적 영향은 더 넓은 지역사회와 경제에 영향을 미치며, 의료기관은 결근 감소, 정신 건강 및 삶의 질 개선 등의 혜택을 누릴 수 있습니다. 임상 의료 커뮤니티도 의사와 의료 종사자의 업무부담 감소와 증거 기반 개선의 혜택을 누릴 것입니다.

8.3.6 예비 분석

이 프로젝트의 연구 구성 요소는 1년간의 케톤 생성 식단(Ketogenic Diet, KD)을 제공하는 케톤 생성 프로그램(Ketogenic Program, KPE)을 통한 뇌전증 조절을 위한 영양 중심 교육 개입의 결과를 평가하는 것입니다. 이 프로그램은 온라인으로 진행되며 총 16개의 다른 세션으로 구성됩니다. 환자는 목표 설정, 동료의 격려, 행동 자가 모니터링 등을 통해 스스로 케토시스 대사 상태를 달성하는 과정을 거치게 됩니다. 이 과정에서 발견된 혈당 수치 상승과 기분 사이의 연관성을 바탕으로 발작 예측 알고리즘을 개발할 수 있었습니다.

이 성인용 온라인 프로그램을 통해 환자는 혈당 조절, 체중 감소, 발작 횟수 감소, 필요한 약물의 양 감소 등의 개선을 경험할 수 있습니다. 이러한 디지털 치료의 치료 효과를 확인하기 위해서는 무작위 대조 연구(Randomized Controlled Trial, RCT)의 수행이 중요합니다.

8.4 사례 연구: 증강 및 가상 현실을 통한 초임 의사의 학습 향상

8.4.1 배경

의대생은 의학 지식과 기술이 부족하여 집중적인 조사와 시간적 제약하에 진료를 수행하는 데 어려움을 겪을 수 있습니다. 초임(주니어) 의사는 수련 기간 동안 수술실, 병원, 클리닉에서 근무하며 필요한 자신감, 준비, 경험을 쌓습니다. 긴박한 상황에서는 정밀하고 정확한 의사 결정과 조치가 필수적입니다. 전공의는 수련 초기에 이러한 판단을 내리는 데 필요한 경험이 부족할 수 있습니다.

증강 현실(Augmented Reality, AR)과 가상 현실(Virtual Reality, VR)은 학생들이 의사로서의 경력을 준비하는 데 도움을 줄 수 있습니다. 병원 현장 학습은 비용과 물류 측면에서 어려움이 있습니다. 2016년에 이 프로젝트는 미국 의학교육연구협회(American Society for Medical Education, ASME)로부터 교육 혁신상을 수상했습니다.

8.4.2 목표

이 이니셔티브는 다음과 같은 여러 가지 목표를 달성하려고 합니다.

- 시뮬레이션 시설 외부에서 시뮬레이션 및 교육 환경에 노출되는 젊은 의사 수 증가
- 초보 의료 전문가가 비긴급 환경에서 필요한 전문 지식을 습득할 수 있는 기회 제공
- 치료 실습의 성공적이고 실패한 방법 모두 설명
- 학생들이 자신의 행동과 사고방식을 되돌아보고 개선할 수 있도록 격려

가상 현실을 사용한 임상 환경의 실제 시뮬레이션은 학생들이 예측할 수 없는 환자와 의료 환경에 익숙해지고 고압적인 상황에 대처하는 데 필요한 자신감을 주는 데 도움이 됩니다.

8.4.3 프로젝트 설명

이 이니셔티브는 최대한 많은 사람들에게 영향을 미치기 위해 결정되었습니다. 모바일 기기를 통한 배포에 중점을 두고, 홀로렌즈(HoloLens)나 오큘러스(Oculus)와 같은 전문 VR 기기 사용은 배제했습니다. 삼성 기어와 구글 픽셀 같은 모바일 기반 VR 헤드기어를 사용하여 자료를 배포했습니다.

환자와 의료 전문가 역할을 맡은 배우들이 360도 비디오 촬영을 통해 다양한 임상 이벤트를 시뮬레이션했습니다. 이 시뮬레이션은 5분에서 10분 분량의 동영상으로 구성되어 있으며, 학생들이 결정을 내려야 하는 순간이 포함되어 있습니다. 가상 현실 애플리케이션에 통합되어 학생들이 임상 환경을 가상 현실에서 체험하고, 참여하며, 다양한 결정을 내릴 수 있습니다.

8.5 사례 연구: 빅데이터, 빅 임팩트, 윤리: 환자 데이터로 질병 위험 진단

8.5.1 배경

최근 수십 년 동안 환자 데이터의 다양성과 속도가 크게 증가했음에도 불구하고 의사 결정의 신뢰성은 향상되지 않았습니다. 이로 인해 의사 결정이 데이터 기반이 되지 않는 이유와 데이터 채택을 가속화하기 위한 방법에 대한 의문이 제기되었습니다. 매년 약

4,500만 명의 사람들이 diabetic.co.uk를 방문하며, 이는 세계에서 가장 인기 있는 당뇨병 커뮤니티 중 하나입니다. 이 커뮤니티는 환자 데이터 생태계를 중심으로 당뇨병 환자가 스스로 건강을 모니터링하고 관리할 수 있도록 다양한 서비스를 제공하고 있습니다.

8.5.2 플랫폼 서비스

이 시스템은 다양한 유형의 데이터를 캡처할 수 있습니다. 환자가 사이트에 등록하면 당뇨병 및 전반적인 건강 정보 등 120개 이상의 변수 공유에 동의하게 됩니다. 플랫폼에 대한 액세스가 제공되면 환자는 즉시 등록 프로세스를 시작하며, 이때 다양한 유형의 데이터가 수집됩니다. 이러한 데이터 유형에는 대화, 상호 작용, 참여 및 행동 형태의 비정형 데이터와 자체 보고, 장치 기반, 웨어러블, IoT 및 임상 건강 기록 데이터 형태의 정형 데이터가 포함됩니다.

8.5.3 복약 순응도, 효능 및 부담

약리학 분야에서는 치료 불순응, 불쾌한 부작용, 불필요한 처방전 낭비 등의 문제를 해결하려고 노력하고 있습니다. 당뇨병 환자는 입원 전에 적어도 한 가지 이상의 약물을 복용하는 경우가 많습니다. 환자들은 플랫폼 내에서 약물을 정기적으로 평가하여 부작용, 복약 순응도, 효능, 약물 사용 부담 등에 대한 데이터를 보고합니다. 이 데이터는 연구 목적으로 제약 및 학술 연구자에게 집계된 비식별화된 형태로 전송됩니다. 파트너는 이 데이터를 활용하여 혁신적인 치료법을 찾고 실제 환경에서 약물의 상호작용, 사용, 순응도, 부작용 발생에 대한 더 나은 지식을 얻습니다.

환자의 안전을 보장하기 위해, 플랫폼은 특정 처방약에 관련된 문제나 리콜이 있는 경우 알림을 전송합니다. 이러한 알림은 제품이 리콜된 경우에만 전송됩니다.

8.5.4 커뮤니티 포럼

Diabetes.co.uk의 커뮤니티 포럼은 당뇨병 환자들을 위한 세계 최대 규모의 지원 네트워크입니다. 이 포럼은 전 세계 당뇨병 인구에 대한 독보적인 관점을 제공합니다. 여기에는 다양한 종류의 당뇨병을 앓고 있는 개인, 직업인, 의료 전문가들이 참여하고 있습니다. 실제 당뇨병 환자들이 자신의 경험을 공유함으로써, 같은 처지에 있는 다른 사람들에게 도움이 될 수 있는 정보를 나눌 수 있습니다.

이 플랫폼의 경우 환자들의 참여도가 매우 높으며, 평균 방문 시간은 17분 이상입니다. 온라인 포럼에서 얻은 최신 통계와 관련 인사이트, 학술적 발견은 환자 지원 네트워크, 의료 자문위원회, 파트너 및 관심 있는 다른 네트워크에 전송됩니다. 이를 통해 Diabetes.co.uk는 전 세계적으로 최첨단 디지털 커뮤니티 중 하나로서의 입지를 유지하고 있습니다.

이 포럼은 혁신적인 아이디어의 원동력이 되며, 환자들은 포럼 참여를 통해 주치의와의 긍정적인 관계 개선 및 심리적 부담 경감과 같은 권한 부여를 얻습니다. 13,000명 이상의 환자 데이터를 통해 다음과 같은 플랫폼 사용 혜택이 입증되었습니다.

- 혈당 조절 53% 개선
- 혈당 조절 53% 개선
- 삶의 질 58% 개선
- 당뇨병 관리에 대한 자신감 59% 향상
- 식단 선택 65% 개선
- 당뇨병에 대한 이해도 76% 향상

8.5.5 환자 상호작용의 AI 우선순위 지정

규제 표준을 준수하기 위해, 환자 건강이나 안전에 잠재적 위험이 발견되는 경우, 의료 플랫폼은 즉시 해당 당국에 알려야 합니다. 사람이 모든 확인을 담당하는 경우 시간이 많이 소요됩니다. 이에 AI 봇을 활용하면 프로세스가 신속하게 진행되어 사람이 중요한 주제에 더 집중할 수 있습니다. 신경망 기반의 분류기는 콘텐츠, 사용자 프로필, 기타 중요한 지표를 기반으로 감정과 우려 수준을 식별할 수 있습니다. 분류기는 전체 문제의 99.8%를 정확하게 식별했으며, 사람의 개입이 필요한 경우는 0.2%에 불과했습니다.

AI 우선순위 지정은 사람이 중요한 이슈에 시간을 할애할 수 있도록 하며, 토론은 거의 실시간으로 플래그가 지정됩니다. 고객 지원팀은 대화 내용, 일반적인 답변, 상황에 대한 모든 당사자에게 긍정적인 결과를 보장하기 위한 행동을 정확히 파악하여 효율적으로 사용자 문의를 처리할 수 있습니다. 사용자 데이터는 사용자의 감정과 반응을 평가하고 저장하여 향후 시스템 구축에 활용됩니다.

8.5.6 실생활(real world)에서의 증거

환자 데이터 분석을 통해 공식 건강 통계와 실생활의 건강 상태 사이에 불일치가 있음을 확인할 수 있습니다. 예를 들어, 영국에서 당뇨병 환자의 14%가 정신적 또는 정서적 건강 위험을 가지고 있지만, Diabetes.co.uk에서는 44%의 사용자가 이러한 건강 상태를 보고하고 있습니다. 이는 추가 연구와 환자 그룹에 대한 더 깊은 이해가 필요함을 시사합니다. 연구 자금과 이해 상충의 가능성에 대한 우려는 이러한 관심을 불러일으키는 주요 요인입니다.

8.5.7 예측 분석의 윤리적 의미

예측 분석 및 관련 지능형 분류기를 사용하면 건강 상태의 악화 가능성을 정확히 예측할 수 있습니다. 대화, 건강 지표, 인구 통계, 행동을 포함하는 환자 데이터를 사용하여 완전한 모델을 구축할 수 있습니다. 이 모델을 사용하여 췌장암 발병 가능성을 계산한 결과, 췌장암 환자의 대사 건강 상태의 불안정성이 발견되었습니다. 이 모델은 대사 건강이 좋지 않은 환자에게 췌장암 발병 가능성을 계산합니다.

환자에게 췌장암 위험을 알리는 것은 비윤리적으로 간주되었습니다. 이는 환자의 정신 건강에 대한 추가적인 우려와 불안을 유발할 수 있기 때문입니다. 오히려, 행동 심리학 연구를 통해서 사용자 마찰이 적을 때 참여가 더 효과적일 수 있음이 밝혀졌습니다. 따라서, 예측 분석의 윤리적 측면에 대한 더 많은 연구가 향후 필요합니다.

8.5.8 IoT의 통합

가속도계, 고도계, 심박수 모니터, 피부 온도 모니터 등과 같은 웨어러블 센서는 환자에게 중요한 정보를 제공합니다. 이러한 데이터는 개인의 대사 건강, 심혈관 건강, 정신 건강에 대한 전반적인 그림을 제공하는 데 사용될 수 있습니다.

Diabetes.co.uk 웹사이트의 인프라를 통해 환자들은 자신의 IOT 장치와 소프트웨어를 연결할 수 있습니다. 젊은 사용자는 웨어러블 사용에 익숙하지만, 고령 사용자는 웨어러블 사용에 어려움을 겪는 경우가 많습니다. 따라서, 향후 고령 사용자를 위한 더 진보된 제론테크놀로지의 발전이 요구됩니다.

맺음말

우리는 이 책을 통해 디지털 의료의 다양한 측면과 가능성을 탐구했습니다. 이제 우리는 빅데이터, 인공지능, 웨어러블 기술이 의료 분야에 가져올 변화를 목도하고 있습니다. 머신러닝과 딥러닝 기술은 복잡한 의료 데이터를 분석하고, 이를 바탕으로 개인별 맞춤형 치료 방안을 제시합니다. 이것은 의료 전문가와 환자 모두에게 새로운 희망을 제공합니다.

또한, 우리는 사례 연구를 통해서 당뇨병, 뇌전증 등 만성질환 관리에 있어 케토제닉 식단과 같은 영양 중심의 개입이 중요성을 갖는다는 것을 살펴보았습니다. 디지털 플랫폼과 온라인 커뮤니티는 환자들에게 정보를 제공하고, 서로의 경험을 공유할 수 있는 공간을 마련합니다. 이는 환자들이 자신의 건강 관리에 적극적으로 참여하도록 독려하는 동시에 의료 전문가에게도 풍부한 실제 증거를 제공할 것입니다.

마지막으로, 우리는 환자 데이터의 중요성을 강조하였습니다. 대규모 환자 데이터 분석을 통해 우리는 질병의 위험을 예측하고, 이에 따른 개입(또는 중재)을 취할 수 있습니다. 그러나 예측 분석의 윤리적 측면은 신중한 접근을 필요로 합니다. 환자의 정신 건강과 안전을 최우선으로 고려해야 하며, 데이터를 통해 얻은 정보의 전달 방식에 대해서도 신중해야 합니다.

IoT와 웨어러블 기술의 통합은 환자의 생활 방식과 건강 상태에 대한 보다 정확한 정보를 제공합니다. 이러한 기술은 환자의 건강 관리에 있어 새로운 장을 열어줄 것입니다. 하지만 이러한 기술의 사용이 모든 연령대와 인구 집단에 걸쳐 용이하도록 하는 것이 중요합니다.

이 책을 통해 우리는 의료의 미래가 기술과 데이터에 의해 진행되고 있음을 알게 되었습니다. 이러한 발전은 의료 서비스의 질을 향상시키고, 환자의 삶을 개선하며, 의료 전문가들에게 새로운 도전과 기회를 제공할 것입니다. 하지만 기술의 발전과 함께 윤리적, 사회적 고려사항에 대한 신중한 접근이 필요합니다. 환자 중심의 접근 방식을 유지하면서 새로운 기술을 통합하는 것이 의료 분야의 미래를 위한 핵심이 될 것입니다.

우리는 지금 의료 분야의 새로운 지평선에 서 있습니다. 이 책이 디지털 의료 분야의 미래를 이해하고 준비하는 데 도움이 되기를 희망합니다.